Themen

Lehrwerk für
Deutsch als Fremdsprache
Arbeitsbuch

von Heiko Bock und Jutta Müller

Projektbegleitung: Hans-Eberhard Piepho

Max Hueber Verlag

Verlagsredaktion: Werner Bönzli · Reichertshausen
Illustrationen: Joachim Schuster · Baldham
Umschlagillustration: Dieter Bonhorst · München
Layout: Erwin Faltermeier · München
Fotos: vgl. Quellennachweis

5. | Die letzten Ziffern
1993 92 91 | bezeichnen Zahl und Jahr des Druckes.
Alle Drucke dieser Auflage können, da unverändert,
nebeneinander benutzt werden.
1. Auflage
© 1987 Max Hueber Verlag, D-8045 Ismaning
Gesamtherstellung: Ludwig Auer GmbH, Donauwörth
Printed in the Federal Republic of Germany
ISBN 3–19–011373–4

Inhalt

Vorwort

Das Arbeitsbuch zu Themen 3 bietet wiederum zu jeder Lektion einen *Übungsteil* und *zusätzliche Lesetexte*. Das Konzept der Übungen hat sich gegenüber den vorangehenden Arbeitsbüchern nicht verändert: die zentralen Redemittel jeder Lektion werden einzeln herausgehoben, ihre Bildung und ihr Gebrauch wird systematisch geübt.

Wiederum sind die Übungen unterschieden nach
– Wortschatzübungen (WS)
– Grammatikübungen (GR)
– Bedeutungsübungen (BD)
– Übungen zum schriftlichen Ausdruck (SA)

Außerdem wird jede Übung im Arbeitsbuch dem entsprechenden B-Schritt im Kursbuch zugeordnet. So bedeutet z. B. die Kennzeichnung

B2
WS

daß in dieser Übung der Wortschatz des Lernschritts B2 der Lektion wiederholt wird.

Zu den meisten Übungen gibt es eindeutige Lösungen, die im *Schlüssel im Anhang* des Arbeitsbuches aufgeführt sind, um den Lernern die Möglichkeit zur Selbstkorrektur zu geben. So können zusammen mit dem Kursbuch und einem Glossar versäumte Stunden zu Hause nachgeholt werden. Im Kurs sollten die Übungen vor allem nach Erklärungsphasen und in Stillarbeitsphasen eingesetzt werden.

Ein neues Element in diesem Arbeitsbuch bildet die lektionsweise Übersicht über das Vokabular, das in der entsprechenden Lektion hauptsächlich geübt wird. Diese Übersicht soll vor allem die Lernenden unterstützen, die im Hinblick auf die Zertifikatsprüfung systematische Wortschatzarbeit betreiben wollen.

Das Arbeitsbuch ist nicht als Schreibbuch gedacht. Die Lücken und Linien sollen nur den technischen Ablauf verdeutlichen; für die Lösungen der Übungen wird eigenes Schreibpapier benötigt.

Verfasser und Verlag

14 ab und zu
16 ach
10 alle
15 alles
15 angehen
9 e Ansicht, -en
9 e Aussicht
8 r Bau, -ten
11 bedeuten
16 behaupten
16 benutzen
14 bereit sein
14 Bescheid wissen
16 beweisen
15 e Birne, -n
11 bis
8 brennen
15 Decke, -n
15 derselbe,
    dieselbe,
    dasselbe
15 dicht
15 einfach
15 einziehen
11 elektrisch
9 e Entfernung, -en
9 entlang
8 e Erde, -n
11 erfüllen
11 s Ergebnis, -se
15 erinnern an
8 erkennen an
16 sich erkundigen
    bei/ nach
14 erledigen
10 erreichen
13 erst
10 e Fläche, -n
11 s Gebäude, -
9 gegenüber
11 gelegentlich
14 e Gewohnheit,
    -en

9 gleich
11 e Grenze, -n
9 innerhalb
10 inzwischen
14 jedenfalls
12 r Kiosk, -e
13 r Kreis, -e
8 r Kunststoff, -e
15 laut
8 leicht
11 leisten
8 s Licht
15 s Loch, ¨er
11 lohnen
11 r Markt, ¨e
11 r Mieter, -
16 s Mieterschutz-
    gesetz, -e
15 r Mietvertrag, ¨e
15 r Mitarbeiter, -
16 möbliert
9 nach
12 nach
9 nebenan
16 nützen
9 oberster, oberste,
    oberstes
16 ohne weiteres
12 s Pferd, -e
12 r Plan, ¨e
11 r Protest, -e
12 r Raum, ¨e
16 s Recht, -e
11 reich
12 e Rolle spielen
14 e Rücksicht
11 e Ruhe
15 r Schaden, ¨
15 r Schalter, -
14 schließen
15 s Schreiben, -
16 e Schwierigkeit,
    -en

8 sehen an
10 sofort
10 steigen
8 r Stein, -e
8 s Stockwerk, -e
15 e Summe, -n
11 e Tatsache, -n
10 tatsächlich
14 teilen
16 überhaupt
12 übernehmen
13 um
16 umziehen
11 ungestört
16 r Untermieter, -
11 verbessern
11 e Verbesserung,
    -en
11 verlieren
16 r Vermieter, -
14 verstehen
8 s Vieh
14 e Voraussetzung,
    -en
9 r Vorort, -e
16 e Vorschrift, -en
8 e Wärme
15 e Wasserleitung,
    -en
10 r Weg, -e
10 weit
11 weiter
12 e Wiese, -n
11 zeigen
10 s Ziel, -e
15 r Zustand, ¨e
14 zwar

Lektion 1

B1/2
WS

1. Was paßt wo? Wiederholen Sie Nomen zum Thema Wohnen.

| Badewanne | Schrank | Sessel | Kühlschrank | Waschmaschine | Heizung | Bett | Spiegel |
| Stuhl | Teppich | Dusche | Tapete | | Regal | Tisch | Lampe | Sofa |

a) Darauf stellt man Teller und Gläser beim Essen: _____
b) Darauf sitzt man: _____
c) Damit wärmt man im Winter die Wohnung: _____
d) Darin bleiben Lebensmittel länger frisch: _____
e) Darin kann man sich sehen: _____
f) Darin liegen oder hängen Kleidungsstücke: _____
g) Braucht man abends, wenn es dunkel ist: _____
h) Macht die Wände schöner: _____
i) Darin werden Kleidungsstücke wieder sauber: _____
j) Darin kann man sich im Stehen waschen: _____
k) Darin kann man sich im Liegen waschen: _____
l) Darin schläft man: _____
m) Darauf kann man zum Beispiel Bücher stellen: _____
n) Darauf können mehrere Personen sitzen: _____
o) Darauf sitzt eine Person sehr bequem: _____

B1/2
WS

2. Ordnen Sie.

Eßzimmer	Zimmerdecke	Toilette	Küche	Zentralheizung	Kleinstadt	Zentrum
Erde	Schlafzimmer	Vorort	Kinderzimmer	Fenster	Mauer	Wand	Treppe	Holz
Dach	an einer Hauptverkehrsstraße	Tür	Wohnzimmer	Bad	Couch	Glas	Beton	Regal	Fußboden	Bett
Eingang	Wasserleitung	Stuhl	am Wald	Innenstadt	Dorf	Sessel	Stein	Tisch

Baumaterial	Wohnlage	Möbel	Räume im Haus	feste Teile des Hauses

B1/2
WS

3. Was paßt nicht? (ein oder zwei Wörter)

a) erledigen: Einkauf – Gewohnheit – Arbeit – Abwasch – Schreiben – Loch
b) schließen: Auge – Tür – Fenster – Protest – Licht – Eingang
c) teilen: Schwierigkeit – Miete – Baukosten – Ziel – Wohnung – Summe
d) zeigen: Wohnung – Schaden – Strom – Weg – Brief – Raum
e) verlieren: Ruhe – Protest – Weg – Fußballspiel – Kreis – Arbeit
f) verbessern: Mieter – Vorschrift – Gesetz – Voraussetzung – Ergebnis – Zustand

Schreiben Sie Sätze mit den Verben und den passenden Nomen; Ihre Lehrerin/Ihr Lehrer
kann korrigieren.

4. Wiederholen Sie ‚Wo + Präposition?'. (Vergl. Arbeitsbuch Themen 2, Seite 37 ff., Übung 17, 18, 20, 21 und Seite 99, Übung 7.)

B1/2 GR

gegen	zu	(r)an	(r)auf	für	(r)über	von	(r)aus	durch	mit

a) Wo_____ heizte man vor 1000 Jahren? _____ Holz.

b) Wo_____ baut man heute die meisten Hochhäuser? _____ Beton.

c) Wo_____ erkennt man alte Häuser? _____ der Bauform und _____ Baumaterial.

d) Wo_____ träumt Familie Kurz? _____ einer ruhigen Wohnung.

e) Wo_____ freut sich Jochen? _____ die herrliche Aussicht in seiner Neubauwohnung.

f) Wo_____ brauchte man vor 1000 Jahren Holz? _____ den Hausbau, _____ Heizen und _____ die Möbelherstellung.

g) Wo_____ fährt Herr Janßen zur Arbeit? _____ dem Bus oder _____ der S-Bahn.

h) Wo_____ beschweren sich die Leute im Altbau? _____ den kaputten Aufzug.

i) Wo_____ warten die Leute im neuen Vorort? _____ die neue Schnellstraße.

j) Wo_____ gibt es so viel Lärm am Kirchplatz? _____ die Baustelle.

k) Wo_____ demonstrierten die Leute gestern? _____ das häßliche Hochhaus am Kirchplatz.

5. Sehen Sie sich die Zeichnung von Lernschritt B 1–2 im Kursbuch an und ergänzen Sie die Sätze. Benützen Sie dafür nur die folgenden Wörter und denken Sie an die Artikel.

B1/2 GR

entlang	gegenüber	um … herum	innerhalb	außerhalb	um	nebenan

a) Ein Fahrradfahrer fährt _____ Fluß _____.

b) _____ Kirche wird ein Hochhaus gebaut. (_____ Kirche _____ baut man ein Hochhaus.)

c) Ein Bus fährt _____ Park _____.

d) _____ Stadt gibt es keinen Park, nur Häuser und Straßen.

e) Aber _____ Stadtzentrums gibt es viele Wiesen, Felder, Bäume und einen kleinen Park.

f) _____ Kirche stehen nur Bauernhäuser. (_____ Kirche _____ stehen nur Bauernhäuser.)

g) Wenn man im ersten Stadthaus an der Ecke wohnt, hat man das Kino direkt _____.

h) Ist neben dem Kino ein Park? – Nein, der ist _____.

i) Ist der Strand innerhalb der Stadt? – Nein, der ist _____.

6. Ergänzen Sie. Wiederholen Sie den Konjunktiv II. (Vergl. Kursbuch „Themen 2", Seite 135 und Arbeitsbuch „Themen 2", Seite 35 f., Übung 11–16.)

B1/2 GR

können	dürfen	müssen	sein	haben

Wohnen in einem modernen Hochhaus.

Was wäre gut, was wäre nicht so gut?

a) Man _____ eine herrliche Aussicht. (Man _____ sehr weit sehen.)

b) Man _____ keine großen Hunde haben.

c) Man _____ immer ruhig sein, weil noch viele andere Leute im Haus wohnen.

d) Man _____ viel Komfort, z. B. eine Tiefgarage, ein Schwimmbad auf dem Dach, Zentralheizung und immer warmes Wasser.

e) Man _____ immer lange auf den Aufzug warten.

f) Man _____ nur einen Balkon, aber keinen Garten.

g) Man _____ vielleicht oft allein, weil die Atmosphäre in einem Hochhaus meistens sehr unpersönlich ist.

h) Man _____ keinen Lärm machen, weil das die Nachbarn stört.

i) Man _____ keinen Hausflur putzen, weil es einen Hausmeister gibt.

B1/2 GR

7. Noch eine Wiederholungsübung zum Konjunktiv II. Schreiben Sie mit den Stichworten kleine Texte. Verwenden Sie die Form ‚würde + Infinitiv' und den Konjunktiv II von ‚sollen', ‚müssen', ‚können' und ‚haben'

a) schönen alten Bauernhof kaufen / Wiese mit Pferden haben / Scheune als Schwimmbad ausbauen / Wohnräume mit alten Bauernmöbeln einrichten

☐ *Ich würde gern einen schönen ...* _____

b) schönes Haus am Waldrand bauen / ein bis zwei Zimmer mehr / Zimmer ein bißchen größer / muß Balkon und Garten haben

☐ *Wir würden ...* _____

c) großes Bauernhaus / viel basteln können / viele Leute einladen können

☐ *Jens und Maria ...* _____

d) eigenes Haus am Stadtrand einer Großstadt bauen lassen / mit einem Architekten zusammenarbeiten / Innenausstattung selber machen / im spanischen Stil einrichten

☐ *Frau Richter ...* _____

e) Haus mit großem Grundstück haben / soll Kamin haben / große Schiebetüren / schnell in den Garten gehen können / muß Fußbodenheizung haben

☐ *Herr Gabriel ...* _____

B1/2 GR

8. Ergänzen Sie die Artikel. Finden Sie eine Regel?

a) *das* Haus *der* Bau → *der* Hausbau

b) _____ Wohnung _____ Markt → _____ Wohnungsmarkt

c) _____ Grundstück _____ Preis → _____ Grundstückspreis

d) _____ Jahr _____ Einkommen → _____ Jahreseinkommen

e) _____ Quadrat _____ Meter → _____ Quadratmeter

f) _____ Sprache _____ Schülerin → _____ Sprachenschülerin

g) _____ Leben _____ Ziel → _____ Lebensziel

h) _____ Luft _____ Schloß → _____ Luftschloß

i) _____ Obst _____ Garten → _____ Obstgarten

j) _____ Hobby _____ Raum → _____ Hobbyraum

k) _____ Wohnung _____ Anzeige → _____ Wohnungsanzeige

9. Ergänzen Sie.

B1/2
GR

a) Ein Haus, in dem man vieles kaufen kann, ist *ein Kaufhaus*.
   Wenn man ein Haus kauft, nennt man das *einen Hauskauf*.

b) Eine Zeitung, in der nur Anzeigen erscheinen, ist _____.
   Eine Anzeige in der Zeitung nennt man _____.

c) Ein Garten, in dem es nur Obstpflanzen gibt, ist ein _____.
   Obst, das aus dem Garten kommt, nennt man _____.

d) Die Sprache, die Studenten sprechen, nennt man _____.
   Die Studenten, die Sprachen lernen, nennt man _____.

e) Ein Kanal für Schiffe ist _____.
   Schiffe, die nur auf Kanälen fahren, sind _____.

f) Den Wunsch nach einer bestimmten Wohnung nennt man _____.
   Eine Wohnung, die man sich sehr wünscht, ist _____.

g) Eine Wohnung, die man mieten kann, ist _____.
   Die Miete, die man für eine Wohnung bezahlt, ist _____.
   Aber Vorsicht ! Nicht alle zusammengesetzten Nomen lassen sich so einfach umkehren.

10. Lesen Sie die Texte im Kursbuch Seite 10 (Mitte) und Seite 11 (oben). Ordnen Sie die zusammengesetzten Nomen, die Sie in den Texten finden.

B1/2
GR

a) Nomen (im Singular + Plural) + Nomen
   Arbeitnehmer
   _____
   _____
   _____

c) Nomen + (e)s + Nomen
   Jahreseinkommen
   _____
   _____
   _____

b) Verbstamm + Nomen
   Wohnfläche
   _____
   _____
   _____

d) Adjektiv + Nomen
   Altbau
   _____
   _____
   _____

Versuchen Sie jetzt selbst, zusammengesetzte Nomen zu bilden. Ordnen Sie diese auch unter a–d.

Bauern   Neu   Zentral   Grundstücks   Wohnungs   Kauf   Wald   Schiebe
Wohnungs   Schwimm   Spiel   Ehe   Land   Obst
Zeitungs   S-Bahn   Hobby   (Bauern)   Familien   Fuß   Hoch   Wohn

haus   kiosk   bau   treffpunkt   (möbel)   angebot   bad   garten   paar
preis   tür   haus   haus
rand   bereich   haus   boden   raum   heizung   raum   platz   anzeige

Sie können natürlich viel mehr Nomen bilden, als Sie im Lösungsschlüssel finden. Aber Vorsicht, man kann nicht alle benutzen !

Lektion 1

B1/2
GR

11. Karin und Ludwig Schröder möchten ein Haus kaufen. Sie haben unterschiedliche Wünsche und diskutieren.

☐ Eine größere Küche wäre _wichtig_ / _eine wichtige Sache_ / _etwas Wichtiges_ .

○ Das finde ich nicht! _Wichtiger_ / _eine wichtigere Sache_ / _etwas Wichtigeres_ wäre ein großes Wohnzimmer.

☐ Nein, _am wichtigsten_ / _die wichtigste Sache_ / _das Wichtigste_ wäre eine große Küche.

Bilden Sie jetzt die Formen mit anderen Adjektiven.

a) _schön_ ___ _eine schöne Sache_ ___ _etwas Schönes_ ___
   schöner ___ _eine schönere_ ___ _etwas_ ___
   _am_ ___ ___ ___

b) gut   c) praktisch   d) bequem   e) ärgerlich

B1/2
BD

12. ‚Finden' hat verschiedene Bedeutungen.

A. Die Häuser und Wohnungen in den Großstädten sind sehr teuer. Trotzdem *findet* man dafür Käufer oder Mieter.
   In den Großstädten ist es schwer, eine ruhige und preiswerte Wohnung zu *finden*.
   (finden = bekommen, was man möchte oder braucht)

B. Ich habe im Aufzug einen Schlüssel *gefunden*. Ich weiß nicht, wem er gehört.
   Ich kann meine Brille nicht *finden*. Weißt du, wo sie ist?
   (finden = etwas zufällig sehen; entdecken, was man gesucht hat)

C. Bad und Zentralheizung *findet* man in fast allen Wohnungen.
   Wenn Sie mich sprechen wollen, *finden* Sie mich in meinem Büro.
   (finden = erwarten dürfen, daß jemand/etwas an einem Ort ist)

D. Ich *finde*, daß Wohnen im Hochhaus sehr bequem ist.
   Jens *findet* den Stadtpark nicht sehr schön.
   (finden = der Meinung sein, daß…)

Welche Bedeutung hat ‚finden' in den folgenden Sätzen?

1. Wolfgang *findet* Spazierengehen langweilig. ☐
2. Holger hat seine Traumwohnung noch nicht *gefunden*. ☐
3. Knut hat im zweiten Stock eine Brieftasche *gefunden*. ☐
4. Frau Ludwig kann das Schreiben von ihrem Vermieter nicht *finden*. ☐
5. Besonders in Universitätsstädten *findet* man viele Wohngemeinschaften. ☐
6. Frau Bayer hat eine neue Stelle *gefunden*. ☐
7. Viele Leute *finden* unsere Wohnung zu klein. ☐
8. Hochhäuser kann man in jeder Großstadt *finden*. ☐

13. ,Nah(e)-, näher-, nächst-' hat verschiedene Bedeutungen.

B1/2
BD

A. Der Hafen ist sehr *nahe*.
Der Weg durch den Park ist *näher*.
Das ist zwar nicht der *nächste* Weg, aber der schnellste.
(nahe = nicht weit weg; in kurzer Entfernung)

B. *Nächste* Woche können Sie mich im Büro nicht erreichen.
(,nächst-' vor Zeitangaben wie ,Tag, Stunde, Jahr' = ,folgend-')

C. *Nähere* Informationen bekommen Sie bei Frau Rückert.
(,näher-' vor Nomen wie ,Auskunft', ,Information' und nach ,etwas' und ,nichts' =
,genau(er)')

D. An der *nächsten* Ecke ist ein Kiosk.
Das Büro von Frau Franzen ist am *nächsten* Zimmer.
(nächst = nebenan; der, die, das erste... von hier gesehen)

Welche Bedeutung hat ,nah(e)-, näher-, nächst-' in den folgenden Sätzen?

1. An der *nächsten* Haltestelle müssen Sie aussteigen. □
2. Alle Geschäfte sind sehr *nah*; man muß nicht weit laufen. □
3. Der Makler konnte uns keine *näheren* Informationen über die Wohnung geben. □
4. Hier sind Sie falsch. Die Arztpraxis ist im *nächsten* Haus. □
5. Carlo muß *nächsten* Monat ausziehen. □
6. Ich weiß auch nichts *Näheres* über den neuen Mitarbeiter. □
7. Die Buslinie Nr. 5 fährt *nahe* an unserem Haus vorbei. □
8. Warten Sie noch ein bißchen; Herr Thomsen muß in den *nächsten* Minuten kommen. □

14. ,Erst' hat verschiedene Bedeutungen.

B1/2
BD

A. Eva wohnt *erst* zwei Monate in der Wohngemeinschaft.
Das Haus ist *erst* fünf Jahre alt.
(erst = nur; noch nicht viel; noch nicht lange)

B. Wir renovieren unsere Wohnung *erst* nächstes Jahr.
(erst = nicht vor einem bestimmten Zeitpunkt; später als geplant, gewünscht oder ver-
mutet)

C. *Erst* muß Herr Klaasen die Wohnung renovieren, dann kann er ausziehen.
Erst wohnte er ganz gerne in der Stadt, aber dann wollte er doch in sein Dorf zurück.
(erst = zuerst; am Anfang)

Welche Bedeutung hat ,erst' in den folgenden Sätzen?

1. *Erst* wollten sie ein Haus kaufen, doch jetzt wohnen sie wieder in einer Mietwohnung. □
2. *Erst* wenn der Vermieter ,ja' gesagt hat, können wir das Bad renovieren. □
3. Christa verdient *erst* nächstes Jahr genug Geld, um sich eine eigene Wohnung zu mieten. □
4. Carlo wollte *erst* nicht, aber dann ist er doch noch zum Mieterverband gegangen. □
5. Uta und Eva kennen sich *erst* ein oder zwei Monate. □
6. Das Wohnzimmer haben wir *erst* vor zwei Jahren tapeziert. □

Lektion 1

15. Was können Sie auch sagen?

a) *Womit wird geheizt?*
   - Ⓐ Aus welchem Material ist die Heizung?
   - Ⓑ Womit heizt man?
   - Ⓒ Wozu wird geheizt?

b) *Wozu wird Kunststoff gebraucht?*
   - Ⓐ Wozu verwendet man Kunststoff?
   - Ⓑ Wofür braucht man Kunststoff?
   - Ⓒ Woraus wird Kunststoff gemacht?

c) *Billige Mietwohnungen zu bauen lohnt sich nicht.*
   - Ⓐ Billige Mietwohnungen zu bauen, ist kein gutes Geschäft.
   - Ⓑ Billige Mietwohnungen zu bauen, ist viel Arbeit.
   - Ⓒ Billige Mietwohnungen bauen können nur arme Leute.

d) *Gaby muß innerhalb eines Monats ausziehen.*
   - Ⓐ Gaby muß ihre Wohnung spätestens in einem Monat verlassen.
   - Ⓑ Gaby kann noch höchstens einen Monat in ihrer Wohnung bleiben.
   - Ⓒ Gaby muß in einem halben Monat ausziehen.

e) *Das Haus ist in einem schlechten Zustand.*
   - Ⓐ Das Haus muß renoviert werden.
   - Ⓑ Das Haus hat zu kleine Räume.
   - Ⓒ Das Haus hat keinen Garten.

f) *Du hast ja wirklich eine Traumwohnung!*
   - Ⓐ Ich finde deine Wohnung phantastisch.
   - Ⓑ Ich habe gestern von deiner Wohnung geträumt.
   - Ⓒ Deine Wohnung ist viel zu teuer.

g) *In einer Wohngemeinschaft ist immer etwas los.*
   - Ⓐ In einer WG ist es nie langweilig.
   - Ⓑ In einer WG gibt es jeden Tag Streit.
   - Ⓒ In einer WG kann jeder machen, was er will.

h) *Woran erkennt man Bauernhäuser?*
   - Ⓐ Wie erkennt man Bauernhäuser?
   - Ⓑ Womit erkennt man Bauernhäuser?
   - Ⓒ Woran sieht man, welche Häuser Bauernhäuser sind?

i) *Woraus wird Beton gemacht?*
   - Ⓐ Wozu wird Beton gemacht?
   - Ⓑ Aus welchem Material ist Beton?
   - Ⓒ Woraus macht man Beton?

j) *Das neue Gesetz hat Verbesserungen für die Mieter gebracht.*
   - Ⓐ Das neue Gesetz bringt den Mietern Vorteile.
   - Ⓑ Die Mieter verstehen das neue Gesetz besser.
   - Ⓒ Das neue Gesetz ist besser für die Vermieter.

k) *Die wichtigste Voraussetzung ist, daß die Wohnung einen Balkon hat.*
   - Ⓐ Meine Wohnung muß unbedingt einen Balkon haben.
   - Ⓑ Wenn die Wohnung keinen Balkon hat, nehme ich sie nicht.
   - Ⓒ Ich sitze gern auf dem Balkon.

l) *Meiner Ansicht nach sind Hochhäuser häßlich.*
   - Ⓐ In Hochhäusern ist die Aussicht schlecht.
   - Ⓑ Hochhäuser gefallen mir nicht.
   - Ⓒ Niemand wohnt gern in Hochhäusern.

m) *Uta will ihre Gewohnheiten nicht ändern.*
   - Ⓐ Uta will die Wohnung nicht wechseln.
   - Ⓑ Uta will genauso weiterleben wie bisher.
   - Ⓒ Uta ändert sich gewöhnlich nicht.

n) *Ein eigenes Haus kann ich mir nicht leisten.*
   - Ⓐ Ein eigenes Haus lohnt sich nicht.
   - Ⓑ Ein eigenes Haus ist zu teuer für mich.
   - Ⓒ Ein eigenes Haus kann ich nicht bezahlen.

16. Was paßt nicht?

B3
WS

a) Toilette, Küche, Waschbecken, Badewanne

b) Fußboden, Zimmerdecke, Wand, Garage

c) Gebäude, Gas, Strom, Wasser

d) Dachboden, Keller, Altbau, Stockwerk

e) Steckdose, Ofen, Heizung, Kamin

f) Küche, Dach, Bad, Flur

g) Hochhaus, Neubau, Bauernhof, Keller

h) Teppich, Bild, Erdgeschoß, Tapete

i) Schalter, Loch, Birne, Licht

j) Fläche, Vieh, Pferd, Wiese

k) Kunststoff, Stein, Erde, Wärme

l) Vermieter, Mieter, Pferd, Mitarbeiter

m) Vorschrift, Recht, Gesetz, Tatsache

Wenn Sie glauben, daß Sie die richtige Lösung gefunden haben, ordnen Sie jeder Reihe eine Erklärung zu:

1	j	gehört zu einem Bauernhof
2		alles Personen
3		alles gegen Kälte
4		gehört zur elektrischen Lampe
5		alles im Badezimmer
6		bequem, wenn man es in der Wohnung hat
7		was man (nicht) tun muß, kann, darf

8		Material zum Bauen
9		alles Gebäude
10		feste Teile eines Hauses
11		sind zusammen ein Zimmer
12		macht Räume schöner
13		Räume in einer Wohnung

17. Welche Ergänzungen passen zu welchen Verben?

B3
WS

über den Mieter   an der Wasserleitung   über den Schaden   beim Vermieter
an den Plan   über das Ziel
bei der Fa. Gromann   über das Ergebnis   am Zustand des Baus   nach der Vorschrift.
am Gebäude   beim Mieterverband   an den Schaden   nach der Miete
nach der Entfernung   nach dem Mieterschutzgesetz   am Baumaterial   am Schaden
nach dem Ergebnis   an das Ziel   über eine Gewohnheit   über das Schreiben

a) über das Schreiben > Bescheid wissen
...

b) sich > beim Vermieter > erkundigen
nach der Vorschrift
...

c) an den Plan > erinnern
...

d) am Schaden > erkennen sehen
...

13

Lektion 1

B3
WS

18. Ergänzen Sie.

behaupten   bedeuten₁   Bescheid wissen   Rolle spielen   bedeuten₂   benutzen   beweisen   bereit sein

a) Der Mieter hat die Wasserleitung nicht kaputt gemacht. Aber er kann das nicht _____. Deshalb muß er jetzt den Schaden bezahlen.

b) Der Vermieter _____, daß der Mieter den Schaden bezahlen muß. Aber der Mieterverband sagt, daß der Vermieter die Reparatur bezahlen muß.

c) Meine Wohnung _____ mir nicht viel; für Möbel gebe ich kein Geld aus, weil ich sowieso wenig zu Hause bin.

d) Carlo _____ über das Mieterschutzgesetz nicht _____; er kennt es noch nicht.

e) Der Vermieter _____, die Wohnung selbst zu renovieren, obwohl er es eigentlich nicht machen muß.

f) Die Wörter ‚Ansicht' und ‚Aussicht' _____ nicht dasselbe.

g) Die Dusche kann man nicht _____, sie ist kaputt.

h) In einer Wohngemeinschaft leben meistens sehr verschiedene Leute zusammen, deshalb _____ Toleranz eine wichtige _____.

B3
WS

19. Was paßt wo?

gelegentlich   ab und zu   ohne weiteres   überhaupt   eigentlich

a) Meistens bin ich gern mit anderen Leuten zusammen, aber _____ möchte ich doch alleine sein und meine Ruhe haben.

b) Ich bin gerne allein, aber über _____ Besuch freue ich mich.

c) Diesen Mietvertrag kannst du _____ unterschreiben; der ist in Ordnung.

d) Hast du _____ gewußt, daß dieses Haus schon 250 Jahre alt ist?

e) Du willst ein Haus kaufen? Hast du _____ soviel Geld?

f) Die Miete ist zwar teuer, aber ich kann sie _____ bezahlen.

g) Ich wohne hier nicht schlecht, aber _____ werde ich eine ruhigere Wohnung suchen.

B3
GR

20. Was muß gemacht werden? Schreiben Sie.

Herr Eilers hat seine Wohnung gekündigt. Bevor er auszieht, muß er noch einige Sachen in Ordnung bringen. Was muß gemacht werden?

a) Wände streichen *Die Wände müssen gestrichen werden.* _____

b) Wasserleitung reparieren _____

c) Dusche reparieren _____

d) Heizung in Ordnung bringen _____

e) Keller reinigen _____

f) Räume tapezieren _____

g) Wohnung sauber machen _____

21. Was ist gemacht worden? Schreiben Sie.

B3
GR

Frau Gabriel hat diese Wohnungsanzeige in der Zeitung gelesen und ruft den Makler an, um sich über die Wohnung zu informieren.

3-Zi.-Whg. (ca. 60 m^2), Kü, voll eingerichtet, Stadtzentrum, sehr ruhig, 1000,– + NK, KT, **Imm. Fritsche, Tel. 5 54 29**

Ist die Wohnung renoviert worden? (Hat man die Wohnung renoviert?)

Ja, die ist renoviert worden. (Ja, die hat man renoviert.)

Und was ist gemacht worden?

Die Türen sind gestrichen worden. / Man hat die Türen gestrichen.

a) Türen streichen

Schreiben Sie, was der Makler antwortet.

b) Heizung in Ordnung bringen _____

c) Fenster erneuern _____

d) alle Räume tapezieren _____

e) Küche neu einrichten _____

f) Wasserleitungen reparieren _____

g) neuen Teppichboden verlegen _____

h) Wandschränke einbauen _____

i) Wohnzimmer größer machen _____

j) neues Bad einbauen _____

k) Keller putzen _____

22. ‚Kaum' hat verschiedene Bedeutungen.

B3
BD

A. Ich finde das Wohnzimmer viel zu klein; es hat *kaum* 14 m^2!
   (kaum = nicht einmal; weniger als)

B. Weil wir so weit außerhalb der Stadt wohnen, bekommen wir *kaum* Besuch.
   (kaum = selten)

C. Die Wohnung ist mir zu dunkel; sie hat *kaum* Licht.
   (kaum = fast kein(e); fast nicht)

D. In eurer Wohngemeinschaft gibt es keine Probleme? Das kann ich *kaum* glauben.
   (kaum = nur schwer)

Lektion 1

Was können Sie in den folgenden Sätzen für ‚kaum' noch sagen? (Oft passen mehrere Wörter.)

1. nicht einmal	3. selten	6. nur schwer	8. sicher nicht
2. weniger als	4. fast nicht		
	5. fast kein(e)	7. nur wenig	

a) Traumhäuser, die man auch bezahlen kann, gibt es *kaum*. __3,5__

b) Von unserer Wohnung laufe ich *kaum* 10 Minuten zur U-Bahn. _____

c) Mit vielen Kindern hat man *kaum* Chancen, eine gute Wohnung zu finden. _____

d) Mein Vater kommt *kaum* vor 20 Uhr nach Hause; meistens ist es sogar später. _____

e) Unser Haus ist *kaum* drei Jahre alt, und trotzdem muß ich dauernd etwas reparieren. _____

f) In den Großstädten wird *kaum* mit Holz gebaut. _____

g) Der letzte Mieter war sehr ordentlich; Sie brauchen die Wohnung *kaum* zu renovieren. _____

h) In diese Badewanne paßt ja *kaum* ein Kind! _____

i) Als ich noch studiert habe, konnte ich *kaum* die Miete für ein kleines Zimmer bezahlen. _____

j) Meine Eltern sind schon alt. Sie können *kaum* noch Treppen steigen. _____

k) In einem Hochhaus kennt man seine Nachbarn *kaum*. _____

B3
BD

23. Haben Sie die folgenden Begriffe richtig verstanden? Entscheiden Sie, ob die Sätze richtig (R) oder falsch (F) sind.

A. Untermieter

a) Ein Untermieter hat nur ein oder zwei Zimmer in einer größeren Wohnung gemietet. . . . . | R | F |

b) Ein Untermieter lebt mit dem Vermieter oder dem Hauptmieter in einer Wohnung zusammen. . . . . | R | F |

c) Die meisten Untermieter sind Studenten oder alleinstehende Personen in größeren Städten. . . . . | R | F |

d) Untermieter wohnen ein Stockwerk tiefer als der Vermieter. . . . . | R | F |

e) Zimmer für Untermieter sind meistens möbliert. . . . . | R | F |

B. Mietvertrag

a) Bei der Kündigung schließen Mieter und Vermieter einen Mietvertrag. . . . . | R | F |

b) Vor dem Einzug schließen Mieter und Vermieter einen Mietvertrag. . . . . | R | F |

Im Mietvertrag werden geregelt:

c) Preis der Monatsmiete und Höhe der Nebenkosten. . . . . | R | F |

d) Wann der Mieter oder Vermieter den Vertrag kündigen kann. . . . . | R | F |

e) Wer die Wohnung renovieren muß. . . . . | R | F |

f) Welche Möbel der Mieter haben muß. | R | F |

g) In welchem Zimmer der Mieter schlafen muß. . . . . | R | F |

16

h) Ob der Mieter einen Hund oder eine Katze haben darf. . . . . R F

i) Weil dem Vermieter die Wohnung gehört, darf er im Mietvertrag alles verlangen,
   was er möchte. . . . . R F

j) Durch das Mieterschutzgesetz hat jeder Mieter wichtige Rechte, gegen die auch
   ein Vermieter mit einem Mietvertrag nichts machen kann. . . . . R F

C. Wohngemeinschaft

,Wohngemeinschaft' heißt eigentlich nur ,Leute wohnen zusammen'. Wenn Sie allerdings heute hören oder lesen ,Er (sie/diese Leute) wohnt (wohnen) in einer Wohngemeinschaft.' ist damit eine ganz bestimmte Form des Zusammenlebens gemeint. Was glauben Sie, was ist die ,moderne' Bedeutung des Wortes?

Ⓐ Ein unverheiratetes Paar lebt in einer gemeinsamen Wohnung.
Ⓑ Großeltern, Eltern und Kinder wohnen zusammen in einem Haus.
Ⓒ Personen wohnen in einem Mietshaus im gleichen Stockwerk.
Ⓓ Studenten wohnen in einem Studentenheim zusammen.
Ⓔ Mehrere Leute teilen sich eine größere Wohnung.

24. Was können Sie auch sagen?

B3
BD

a) *Mein Geld reicht nicht für eine Eigentumswohnung.*
   Ⓐ Ich kann mir keine Eigentumswohnung leisten.
   Ⓑ Für eine Eigentumswohnung habe ich nicht genug Geld.
   Ⓒ Ich bin reich, aber trotzdem kaufe ich keine Eigentumswohnung.

b) *Der Dachboden ist über eine Treppe zu erreichen.*
   Ⓐ Wenn man auf den Dachboden gehen will, muß man eine Treppe benutzen.
   Ⓑ Es führt eine Treppe auf den Dachboden.
   Ⓒ Über dem Dachboden ist eine Treppe.

c) *Das nützt doch nichts.*
   Ⓐ Das gefällt mir nicht.
   Ⓑ Das hat doch keinen Zweck.
   Ⓒ Das hilft doch auch nicht.

d) *Carlo möchte (mit seinem Vermieter) keine Schwierigkeiten haben.*
   Ⓐ Carlo möchte keinen Streit haben.
   Ⓑ Carlo möchte keinen Ärger haben.
   Ⓒ Carlo möchte keinen Schaden haben.

e) *Die Baukosten sind stark gestiegen.*
   Ⓐ Wer bauen will, muß sehr stark sein.
   Ⓑ Der Hausbau ist in den letzten Jahren sehr teuer geworden.
   Ⓒ Früher war ein Hausbau wesentlich billiger.

f) *Carlo zieht nächste Woche um.*
   Ⓐ Carlo zieht nächste Woche in eine andere Wohnung ein.
   Ⓑ Carlo zieht nächste Woche aus seiner alten Wohnung aus.
   Ⓒ Carlo zieht sich um.

25. Schreiben Sie einen Brief.

B3
SA

Carlo macht in zwei Monaten seine Abschlußprüfung an der Universität. Er hat keine Zeit, selbst zum Mieterverein zu gehen, und schreibt deshalb einen Brief. Vorher notiert er sich ein paar Stichpunkte.

Schreiben Sie den Brief für Carlo. Beginnen Sie mit ‚Sehr geehrte Damen und Herren‘, und schreiben Sie zum Schluß ‚Mit freundlichen Grüßen‘ und dann Ihre Unterschrift.

- seit 6 Monaten ein Zimmer
- Untermieter
- kein Mietvertrag
- soll Zimmer innerhalb eines Monats verlassen (bis 31. 8.)
- Prüfung am 15. 9.
- keine Zeit, neues Zimmer zu suchen
- Vermieter will Zimmer für Sohn
- wußte es sicher vorher, hat aber nichts gesagt
- Frage: Was sagt Gesetz? Wann ausziehen? Möglichkeit, bis nach Prüfung zu bleiben?

B3
BD

26. Schreiben Sie einen Dialog.

Hallo Carlo, was ist denn passiert? Du siehst ja so traurig aus!

Na ja, ich muß schon wieder umziehen.

Du weißt doch, was das Gesetz sagt: Wenn der Vermieter das Zimmer für sich oder seine Familie braucht, kann er dem Mieter kündigen.

Kannst du nichts dagegen machen?

Was? Du wohnst doch erst seit 6 Monaten in deinem neuen Zimmer!

Das finde ich auch. Aber hilft mir das, wenn ich es nicht beweisen kann?

Das weiß ich auch nicht. Informiere dich doch mal beim Mieterverein. Der kann dir vielleicht helfen.

Aber das wußte er doch bestimmt schon vor einem halben Jahr. Das hätte er dir sagen müssen, daß du nur so kurz bei ihm wohnen kannst!

Mein Vermieter braucht das Zimmer für seinen Sohn, sagt er. Deshalb hat er mir gekündigt.

o Hallo Carlo, was ist ...

□ _____

o _____

□ _____

o ...

Oft Anlaß zum Streit: die Hausordnung

Was muß sich ein Wohnungsmieter eigentlich gefallen lassen? – Da hatte sich zum Beispiel ein junges Ehepaar im Mietvertrag verpflichtet, keine Kinder zu bekommen. Als dann doch ein Kind zur Welt kam, wurde den Eltern prompt die Wohnung gekündigt. Vor Gericht konnte der Vermieter diese Kündigung aber nicht durchsetzen: der Richter stellte fest, daß die Vorschrift »Keine Kinder« in einem Mietvertrag nicht erlaubt ist und daß deshalb eine Verletzung dieser Vorschrift kein Grund für eine Kündigung der Wohnung sein kann.

Solche Fälle sind aber nicht sehr häufig. Denn wer eine Wohnung mietet, der liest den Mietvertrag meistens genau durch und wird lieber auf eine Wohnung verzichten, als eine Bestimmung wie »Keine Kinder« zu akzeptieren.

Auf eines achtet man allerdings oft nicht so sehr: auf die Hausordnung. Daher kommt es, daß in den meisten Fällen nicht die Regelungen im Mietvertrag, sondern die Bestimmungen der Hausordnung später zum Streit zwischen Vermieter und Mieter führen. Und mancher erlebt eine böse Überraschung, wenn er plötzlich merkt, daß er nur drei Stunden am Tag das Fenster zum Lüften öffnen darf oder daß abends das Duschen verboten ist. Klar, daß man sich dann ärgert und sich fragt, was man gegen eine solche Hausordnung unternehmen kann.

Wie eine Hausordnung aussehen sollte, darüber gibt es keine allgemeingültige Regelung. Jeder Vermieter darf sich eine eigene Ordnung für sein Mietshaus ausdenken. Aber in einigen Grundsatzfragen haben sich die Gerichte – durch die mancher Streit um die Hausordnung schließlich geklärt werden muß – geeinigt. So gilt es zum Beispiel als unzulässig, wenn

– ein Vermieter Baden und Duschen nach 22 Uhr verbieten will;
– das Musizieren völlig untersagt werden soll;
– Besuch nach 22 Uhr verboten ist;
– der Vermieter vorschreibt, wann und wie lange man seine Wohnung lüften darf.

Es gibt noch krassere Fälle, ähnlich wie das Kinderverbot. Vorschriften zum Beispiel wie »Besuche sind nur an Wochenenden gestattet« oder »nach 20 Uhr darf die Toilette nicht gespült werden«. Eine Lehrerin mietete eine Wohnung mit der Vorschrift »kein Herrenbesuch nach 22 Uhr abends, nur ein Wannenbad in der Woche, keine Straßenschuhe in der Wohnung«. All dies muß sich ein Mieter natürlich nicht gefallen lassen.

Schwieriger wird es allerdings, wenn die Hausordnung Teil des Mietvertrags ist. Dann hat man nämlich zusammen mit dem Mietvertrag auch die Hausordnung unterschrieben, und da hilft dann meist nur noch ein Rechtsanwalt und – wenn der Vermieter nicht nachgeben will – das Gericht.

Was der Vermieter bestimmen darf, wird von den Juristen so beschrieben: Es sind nur solche Anordnungen möglich, die notwendig sind, um die Ordnung im Haus zu bewahren und ein »gedeihliches Zusammenleben« der Mieter zu ermöglichen. Dazu gehört zum Beispiel die Bestimmung, daß die üblichen Ruhezeiten (nachts von 22 bis 7 Uhr, mittags von 13 bis 15 Uhr) eingehalten werden. Oder daß nur tagsüber Staub gesaugt werden darf.

Ein Vermieter kann außerdem dem Mieter verbieten,
– in der Wohnung Wäsche zu trocknen;
– Fahrräder im Treppenhaus abzustellen;
– Hunde oder Katzen in der Wohnung zu halten.

Die Frage, ob man auf dem Balkon einer Mietwohnung grillen darf oder nicht, ist bei den Rechtsanwälten und Richtern immer noch ungeklärt.

Wenn man mit seiner Hausordnung nicht einverstanden ist, sollte man den Vermieter darauf ansprechen. Sagt man nichts, kann dies als Zustimmung zur Hausordnung verstanden werden. In jedem Fall ist es besser, wenn man zuerst versucht, sich direkt mit dem Vermieter einig zu werden. Schließlich will man sich ja nicht mit dem Hausbesitzer vor Gericht treffen.

Wenn aber alles nichts hilft, kann man sich bei einem Rechtsanwalt, aber auch bei Mietervereinen oder in größeren Städten bei den Amtsgerichten erkundigen, die oft besondere Beratungsstellen eingerichtet haben. Solche Beratungsstellen sind allerdings nur für solche Mieter, die zuwenig Geld haben, um einen Rechtsanwalt zu bezahlen.

Und da wir gerade beim Geld sind: Wenn das Gericht einem Mieter Recht gibt, kann der vom Vermieter verlangen, daß er ihm nicht nur Beratungs- und Anwaltskosten ersetzt, sondern auch finanzielle Nachteile, die ihm durch das vertragswidrige oder unerlaubte Verhalten des Vermieters entstanden sind. Schmerzensgeld kann er allerdings im allgemeinen nicht verlangen.

Lektion 2

26 aber
21 abfliegen
29 r Abschnitt, -e
24 abwärts
27 allerdings
23 allgemein
30 r Angehörige, -n
30 ansehen
30 anstrengen
28 auch wenn
23 e Aufgabe, -n
29 e Ausfahrt, -en
30 ausnahmsweise
29 e Ausreise, -n
27 ausziehen
30 s Bad
21 e Bank, ˸e
30 e Bedeutung, -en
20 begrüßen
20 beobachten
30 berufstätig
28 besondere
29 bestehen
29 betragen
30 r Betrieb, -e
26 bitten
24 bremsen
30 buchen
30 r Campingplatz, ˸e
22 desto
23 dienen
26 drüben
25 einander
26 r Eindruck, ˸e
22 einmal
29 e Einreise, -n
26 s Ende
23 e Erfahrung, -en
30 sich erholen
26 e Erinnerung, -en
23 erkennen

28 e Erlaubnis
27 s Fach, ˸er
20 faul
27 s Feld, -er
30 fern
25 folgen
29 in Frage kommen
24 frieren
23 furchtbar
21 s Gasthaus, ˸er
28 gehen um
30 gelten
28 s Gespräch, -e
22 halb
30 hassen
22 häufig
20 s Heft, -e
23 hinsetzen
30 e Hitze
22 s Hobby, Hobbies
30 jährlich
27 jedenfalls
28 jedoch
30 r Kontinent, -e
26 e Kopie, -n
24 e Kurve, -n
27 e Küste, -n
30 laufen
30 e Mehrheit, -en
29 melden
30 e Menge, -n
25 e Mitte
27 s Motorrad, ˸er
21 r Nagel, ˸
21 nähen
28 neugierig
30 operieren
24 östlich
21 e Pause, -n
24 s Rad, ˸er
21 radfahren

30 rechnen (mit etwas)
23 e Regel, -n
30 -reich
30 s Reisebüro, -s
26 r Scheinwerfer, -
24 schieben
21 schlagen
27 schließen
23 r Schritt, -e
29 sicher
27 sobald
30 s Sonderange- bot, -e
26 r Sonderbus, -se
22 s Spielzeug, -e
21 springen
24 steil
29 e Stelle, -n
23 stellen
29 e Strecke, -n
21 stürzen
24 südlich
24 s Tal, ˸er
30 r Tanz, ˸e
20 s Taschenbuch, ˸er
21 turnen
29 überhaupt
29 übernachten
22 übrig
20 s Ufer, -
29 e Umleitung, -en
26 unsicher
23 unter
30 e Unterkunft, ˸e
23 unterscheiden
22 e Veranstaltung, -en
31 verbinden
29 verbringen
29 r Vergleich, -e
23 r Vertreter, -

24 viel
24 von
28 vor
26 vorbereiten
26 vorstellen
26 e Vorstellung, -en
23 was
23 weiter
22 wenig
30 werden
28 westlich
28 wie
20 winken
21 e Wirtschaft, -en
30 e Zahl, -en
30 s Zelt, -e
26 zu

1. Was paßt nicht?

B1/2
WS

a) fahren: Eisenbahn, Motorrad, Fahrrad, Auto, Bus, Flugzeug, Schiff, Boot

b) lesen: Zeitung, Zeitschrift, Postkarte, Paket, Taschenbuch, Heft, Stadtplan, Kurve

c) malen: Gespräch, Bild, Landschaft, Blumenfeld, Vogel, Kontakt, Meer, Kind

d) machen: Pause, Schulfach, Kopie, Kaffee, Schulaufgabe, Hobby, Lärm

e) springen: vom Tisch, ins Wasser, mit den Armen, aus dem Flugzeug, morgens aus dem Bett, zwei Meter hoch

f) ausziehen: die Schuhe, das Kleid, das Ufer, den Pullover, die Strümpfe, den Hut, das Hemd

g) ausziehen: vom Arbeitsplatz, aus einem Haus, aus einer Wohnung, aus dem Kino, aus einem möblierten Zimmer, aus seinem Büro

h) beobachten: im Wald die Tiere, in der Wüste die Vögel, einen Sessel im Wohnzimmer, den Sonnenuntergang am Meer, das Fernsehprogramm

i) stellen: ein Fahrrad an die Mauer, eine Bank in den Garten, eine Hose in den Schrank, ein Motorrad in die Garage, ein Taschenbuch ins Regal

2. Was paßt wozu? Ergänzen Sie.

B1/2
WS

sehen	ansehen	beobachten	erkennen

a) Viele alte Leute können nicht mehr gut _____. Sie brauchen eine Brille.

b) _____ du das schwarze Motorrad dort? Das gehört mir.

c) Ohne Brille kann ich noch nicht einmal meine besten Freunde _____.

d) Die Scheinwerfer sind aber schwach. Man kann ja kaum etwas _____.

e) Er hat das Bild lange _____, weil es ihm so gut gefallen hat.

f) Ich habe Fotos vom Urlaub dabei. Möchtest du sie _____.

g) Ich möchte mir heute abend einen Film _____.

h) Der Nachbar ist ein komischer Mensch. Er sitzt oft stundenlang am Fenster und _____ mich.

3. Bilden Sie neue Wörter.

B1/2
WS

Im Deutschen kann man neue Wörter bilden. Dafür gibt es Regeln. Aber Vorsicht: Die Regeln sind zwar meistens einfach, es ist aber schwer zu lernen, welche Wörter man wirklich verwendet und welche nicht – denn dafür gibt es keine Regeln. (Natürlich versteht ein Deutscher Sie in den meisten Fällen auch dann, wenn Sie ein Wort bilden, das normalerweise nicht verwendet wird.)

Man kann zum Beispiel neue Adjektive nach den Formeln

Nomen + los   – der Baum + los → baumlos (ohne Bäume)

Nomen + reich   – der Wald + reich → waldreich (mit viel Wald)

bilden. Bei manchen Nomen muß man allerdings ein „s" einsetzen:

Nomen + s + los   – die Bedeutung + s + los → bedeutungslos

Nomen + s + reich   – die Arbeit + s + reich → arbeitsreich

Leider gibt es dafür keine einfache Regel. Auch nicht dafür, ob das Nomen im Singular oder im Plural benutzt wird, wenn daraus ein Adjektiv auf -los oder -reich werden soll.

Lektion 2

Versuchen Sie es: Bilden Sie selbst Adjektive, mit denen Sie die Sätze sinnvoll ergänzen können.

| die Arbeit   die Kinder   die Pausen   der Verkehr   das Wort   der Wald | + | reich   los |

a) 4-Zimmer-Wohnung zu vermieten. Nur an berufstätiges _____ Ehepaar über 35, Nichtraucher. DM 1200,– + NK, 3 MM Kaution.

b) Mein Vater schimpfte gar nicht, als er das schlechte Zeugnis sah. Er drehte sich nur um und ging _____ hinaus.

c) Die letzten Monate waren für alle Kolleginnen und Kollegen besonders _____. Jetzt haben alle ihren Urlaub wirklich verdient.

d) Ferien im Hotel sind sehr teuer. Besonders für _____ Familien ist es viel besser, eine Ferienwohnung zu mieten.

e) Die Wohnung ist sehr schön, aber sie liegt an einer _____ Straße. Man kommt kaum auf die andere Seite, weil _____ Autos daherkommen.

f) Ich kann mich bei Waldspaziergängen am besten erholen. Deshalb mache ich immer in _____ Gebieten Urlaub.

g) Mit 48 ist es schwer, eine neue Stelle zu finden. Vielleicht bleibe ich für immer _____.

h) Herr Abt langweilt alle mit seinen _____ Erklärungen, die keiner versteht.

B1/2
WS

4. ‚Miteinander' oder ‚gegeneinander'. Ergänzen Sie.

a) Stefan und sein Freund sind _____ den Rhein hinauf bis Straßburg gefahren.

b) Die Schüler sprachen nach der Reise in die DDR _____ über ihre Erlebnisse und Eindrücke.

c) Die Sowjetunion und Deutschland haben im 2. Weltkrieg _____ Krieg geführt. Die Sowjetunion hat den Krieg gewonnen, und deshalb wurde Deutschland geteilt.

d) Großbritannien, Frankreich, die USA und die Sowjetunion haben _____ den 2. Weltkrieg gewonnen.

e) Bei der Fußballweltmeisterschaft 1972 haben die Bundesrepublik und die DDR _____ gespielt. Die DDR hat damals gewonnen.

f) Im Schwimmbad haben die Kinder _____ gespielt.

5. Bilden Sie Verben mit ‚weiter' und ergänzen Sie.

B1/2 WS

Im Deutschen kann man vor ein Verb das Wort ‚weiter' setzen. Das bedeutet dann, daß die Handlung, die das Verb beschreibt, nicht zu Ende ist, sondern bis zu einem genauen oder unbestimmten Zeitpunkt in der Zukunft dauert. Zum Beispiel:

weiter + fahren → weiterfahren

Der Rundfunk hat einen Stau gemeldet und empfohlen, die Autobahn zu verlassen. Trotzdem ist Herr Anders auf der Autobahn *weiter*gefahren.

weiter + frieren, lesen, sehen, nähen, feiern, schwimmen, arbeiten, wissen, klettern, laufen

a) Ich habe alles versucht, den Motor zu reparieren. Aber jetzt _____ ich nicht mehr _____. Ich muß einen Fachmann fragen.
b) Jetzt ist zwar Pause, aber ich muß unbedingt _____.
c) Mach doch das Buch zu, ich möchte gerne schlafen. Oder willst du noch _____?
d) Die Nachbarn haben sich über den Lärm beschwert. Aber Meiers haben mit ihren Gästen trotzdem bis Mitternacht _____.
e) Wir sind noch nicht am Ziel, es sind noch drei Kilometer. Wir müssen noch _____.
f) Als Sonja in der Mitte des Berges war, wurde das Wetter schlecht. Trotzdem ist sie _____.
g) Langsam wird es mir zu kalt im Wasser. Ich habe keine Lust mehr _____.
h) Es ist draußen fünf Grad unter Null. Wollen wir nicht die Heizung anmachen? Oder willst du _____.
i) Willst du den Film noch _____? Der ist furchtbar langweilig.
j) Ich muß noch _____, denn ich habe versprochen, daß das Kleid morgen fertig ist.

6. ‚Übrig' und ‚weiter'.

B1/2 WS

Das Wort ‚übrig' verwendet man oft zusammen mit den Verben ‚sein', ‚haben', ‚bleiben' und ‚lassen'. Zum Beispiel:
– Es ist kein Geld mehr *übrig*. Wir haben alles ausgegeben.
– Für den Urlaub bleibt kein Geld mehr *übrig*. Es ist alles ausgegeben worden.
– Wir lassen immer Geld für den Urlaub *übrig*.
Als Attribute vor Nomen haben ‚übrig' und ‚weiter' fast dieselbe Bedeutung. Vergleichen Sie:
– Am Anfang war der Film sehr interessant, der *übrige/weitere* Teil war sehr langweilig.
– Auf einige Fragen habe ich Antworten bekommen, die *übrigen/weiteren* konnte man mir nicht beantworten.

7. ‚Sehr', ‚besonders', ‚ziemlich', ‚ganz', ‚ein wenig/bißchen', ‚viel', ‚furchtbar', ‚schrecklich'.

B1/2 WS

Im Deutschen gibt es einige besondere Wörter, um Adjektiven oder Verben eine stärkere oder schwächere Bedeutung zu geben. Sie stehen vor dem Positiv oder Komparativ eines Adjektivs oder vor einem Verb.

Lektion 2

Beispiele:

a) vor einem Positiv

Adjektiv als Adverb
- Für die jungen Menschen in der Provinz ist es

(nicht) sehr	schwierig,	mit
ziemlich	einfach	
(nicht) besonders		
(nicht) ganz		
nicht) furchtbar	schwierig	
schrecklich		

ihren Eltern über ihre Probleme zu sprechen.

Adjektiv als Attribut
- Linz ist

eine	*sehr*	schöne	Stadt.
keine	*besonders*	häßliche	
eine nicht			
eine	*ziemlich*	schöne	Stadt.
	ganz	häßliche	
eine	*furchtbar*	häßliche	Stadt.
	schrecklich		

‚Furchtbar' und ‚schrecklich' verwendet man normalerweise nur vor Adjektiven, deren Bedeutung für den Menschen negativ ist (z. B. häßlich, teuer, langweilig, heiß, kalt).

b) vor einem Komparativ

Adjektiv als Adverb
- Reisen im Bus ist

(nicht)	*sehr viel*	langsamer als im Auto.
(nicht)	*viel*	
(nur)	*ein wenig*	
(nur)	*ein bißchen*	

Adjektiv als Attribut
- In der Bundesrepublik gibt es

sehr viel	schnellere Autos als in der DDR.
viel	

c) vor einem Verb

- Die Schüler haben nach der Reise

(nicht)	*sehr*	viel über die DDR diskutiert.
(nicht)	*besonders*	
	ziemlich	
	furchtbar	
	schrecklich	

8. Bilden Sie Sätze mit ‚je ... desto'.

a) lange in der Wirtschaft sitzen / viel Bier trinken

Je länger man in der Wirtschaft sitzt, desto mehr Bier trinkt man.

Ebenso:

b) oft eine Pause machen /
   die Arbeit macht viel Spaß

c) gut kochen / häufig Besuch haben

d) viel turnen / gesund leben

e) lange in der Sonne liegen / braun werden

f) lange tanzen / müde werden

g) alt sein / Erfahrung haben

h) weit reisen / gut die Welt kennenlernen

i) gut verdienen / viel Geld für die Freizeit
   ausgeben

9. Wer ist das?

B1/2
GR

a) Wer ist Nr. 1? Es gibt verschiedene Lösungen. Hier einige Beispiele:

der Mann auf dem Berg (mit der Kamera)

der Mann mit der Kamera

der Mann, der auf dem Berg sitzt und fotografiert

der Mann auf dem Berg (, der fotografiert)

Lektion 2

Ebenso:
b) Nr. 2? c) Nr. 3? d) Nr. 4? e) Nr. 5? f) Nr. 6? g) Nr. 7? h) Nr. 8? i) Nr. 9?
j) Nr. 10?

**B1/2
GR**

10. Aus Verben kann man im Deutschen Nomen machen.

spazierengehen → Ich gehe täglich im Park spazieren. Das ist gesund.
das Spazierengehen → Das tägliche Spazierengehen im Park ist gesund.
Manchmal gibt es auch extra ein Nomen dafür, zum Beispiel:
der Spaziergang → Der tägliche Spaziergang im Park ist gesund.

Machen Sie aus dem Verb ein Nomen, und bilden Sie Sätze.

a) Verwandte besuchen → das Besuchen von Verwandten / der Besuch von Verwandten
   häufig Verwandte besuchen / langweilig
   Ich besuche häufig Verwandte. Das ist langweilig.
   Das häufige Besuchen von ...
   Der häufige Besuch ...

Ebenso:
b) im See baden → _____ / das Bad im See
   regelmäßig im See baden / Spaß machen
c) im Fluß schwimmen → _____ / *(gibt es nicht)*
   häufig im Fluß schwimmen / gut für die Gesundheit
d) in der Natur wandern → _____ / die Wanderung in der Natur
   täglich in der Natur wandern / interessant
e) bei Sportveranstaltungen zuschauen → _____ / *(gibt es nicht)*
   bei Sportveranstaltungen zuschauen / bequemer als selbst Sport zu treiben
f) radfahren auf einsamen Landstraßen → _____ / *(gibt es nicht)*
   radfahren auf einsamen Landstraßen / Spaß machen

**B1/2
GR**

11. Bilden Sie Sätze.

a) In der Natur wandern / gesund sein
   Das Wandern in der Natur ist gesund.
   In der Natur zu wandern ist gesund.

Ebenso:
b) Tiere beobachten / interessant sein _____
c) Kleider nähen / Geld sparen _____
d) Feste feiern / Spaß machen _____
e) Alkohol trinken / ungesund sein _____
f) In fremde Länder reisen / teuer sein _____
g) Im Schwimmbad schwimmen / langweilig sein _____

*Vorsicht! Den Infinitiv mit einer Ergänzung (z. B. ,in der Natur zu wandern') kann man
immer verwenden, aber viele Nomen mit präpositionalem Attribut (z. B. ,das Hören von
Radio') kann man zwar bilden, aber man gebraucht sie nicht.*

12. Ihre Grammatik. Ergänzen Sie.

	Perfekt	Präteritum	Plusquamperfekt
Ich	habe die Reise vorbereitet.	bereitete die Reise vor.	hatte die Reise vorbereitet.
Du			
Er/Sie Man			
Wir			
Ihr			
Sie			

13. Präteritum oder Plusquamperfekt? Was paßt?

Am 4. Juni *(starten)* startete der Sonderbus in die DDR _____. Vor der Fahrt
① *(sammeln)* _____ die Schüler viele Informationen über den zweiten deutschen
Staat _____. Im Unterricht ② *(diskutieren)* _____ sie vorher über die politische
Situation zwischen der DDR und der Bundesrepublik _____, und der Lehrer ③ *(vorbereiten)* _____ die Reise gut _____. Jetzt am Grenzübergang ④ *(sein)*
_____ die Schüler trotzdem sehr nervös _____. Die DDR-Grenzbeamten
⑤ *(steigen)* _____ zwar in den Bus _____, aber sie ⑥ *(kontrollieren)*
_____ weder die Personen noch das Gepäck _____. Warum? Die Schüler
⑦ *(schreiben)* _____ vor der Reise einen Brief an den DDR-Staatsratsvorsitzenden
Honecker _____ und ⑧ *(fragen)* _____ _____, ob sie eine Klassenfahrt in
die DDR machen dürften. Als Antwort ⑨ *(bekommen)* _____ sie ein Empfehlungsschreiben _____, das ihnen jetzt die Grenze ohne Probleme ⑩ *(öffnen)* _____
_____. Vor der Abfahrt ⑪ *(erwarten)* _____ die Schüler nicht _____, daß
sie ohne lange Wartezeit und ohne große Kontrollen einreisen könnten. Jetzt, fünf Kilometer
nach der Grenze ⑫ *(sein)* _____ sie nicht mehr nervös _____, und alle ⑬ *(sich
freuen)* _____ _____, die DDR genauer kennenzulernen. Sie ⑭ *(besuchen)*
_____ nicht nur die touristischen Sehenswürdigkeiten _____, sondern ⑮ *(treffen)* _____ sich auch mit Jugendlichen aus der DDR _____ und ⑯ *(sein)*
_____ Gäste in verschiedenen Industriebetrieben _____. Diese Termine ⑰ *(vorbereiten)* _____ das DDR-Reisebüro ‚Jugendtourist' schon vor der Reise _____.
Die Schüler ⑱ *(lernen)* _____ viel Neues über die DDR _____, obwohl sie sich
vorher schon sehr genau über das Land dort ⑲ *(informieren)* _____ _____.
Zurück in der Bundesrepublik ⑳ *(aufschreiben)* _____ sie diese neuen Erfahrungen
_____. In der Schule ㉑ *(diskutieren)* _____ sie dann über ihr neues Bild von der
DDR _____ und ㉒ *(vergleichen)* _____ es mit ihren alten Vorstellungen
_____.

Lektion 2

14. ‚Hinaus‘, ‚hinunter‘, ‚hinein‘, ‚hindurch‘, ‚hinüber‘. Ergänzen Sie.

a) Du kennst bestimmt das alte Stadttor in Linz. Da sind wir _hindurch_ gefahren.

b) Du kennst bestimmt das Siebengebirge. Von dort oben sind wir _____ ins Rheintal gefahren.

c) In Leutersdorf mußten wir über den Rhein fahren. Dort gibt es keine Brücke, und wir fuhren deshalb mit einer Fähre _____ nach Andernach.

d) Die Jugendherberge lag auf einem hohen Berg. Deshalb mußten wir abends unsere Fahrräder _____ schieben. Morgens konnten wir dann aber bequem _____ fahren.

e) Im Norden von Berlin ist ein Grenzübergang nach Ost-Berlin. Er heißt Heiligensee/Stolpe. Dort sind die Schüler _____ gefahren.

f) Die Schüler fuhren mit einem Empfehlungsschreiben von Erich Honecker in die DDR. Sie mußten deshalb ihr Gepäck nicht öffnen und konnten ohne Kontrolle _____ fahren.

g) Sie durften auch ohne Kontrolle die DDR verlassen. Sie fuhren ohne Kontrolle _____.

Ihre Grammatik. Ergänzen Sie.

Präposition + Nomen	hin + Präposition (Präpositionalpronomen)
Sie fahren a) durch das Stadttor. b) vom Siebengebirge ins Rheintal. c) über den Rhein nach Andernach. d) auf den Berg zur Jugendherberge. e) ohne Kontrolle in die DDR.	Sie fahren hindurch. hin…

15. ‚Bei + Artikel (Dativ) + Nomen‘, ‚während + Artikel (Dativ o. Genitiv) + Nomen‘, oder ‚während + Nebensatz‘. Sie können es auch anders sagen.

Um auszudrücken, daß zwei Sachverhalte gleichzeitig geschehen, verwendet man die beiden Präpositionen ‚bei‘ und ‚während‘ oder einen Nebensatz mit dem Subjunktor ‚während‘. Zum Beispiel:

a) *Während* unserer Rast in Carwitz zeigte sich, daß die Natur in der DDR noch in Ordnung war.
Während wir in Carwitz Rast machten, zeigte sich, daß in der DDR die Natur noch in Ordnung war.
Bei unserer Rast in Carwitz zeigte sich, daß die Natur in der DDR noch in Ordnung war.

Ebenso:

b) *Während* ihrer Fahrt nach Italien mußten Herr und Frau Gebhardt in vielen Verkehrsstaus warten.

c) *Bei* einem Kaufhausbesuch machten die Schüler die Erfahrung, daß es große Preisunterschiede zwischen Lebensmitteln und Luxuswaren gibt.

d) *Während* Iris sich mit den Jugendlichen unterhielt, lernte sie, daß die Jugendlichen in der DDR ähnliche Wünsche wie die Jugendlichen in der Bundesrepublik haben.

e) *Bei* ihrer Fahrt durch das Rheintal besuchten die Jungen viele Burgen.

f) *Während* der Prüfung waren die Studenten sehr nervös.
g) Bei der Fahrt auf der Autobahn gab es sehr viel Verkehr.

Vorsicht! ‚Bei' bedeutet nicht immer dasselbe wie ‚während'. Es hat auch noch andere Bedeutungen. ‚Bei' kann man nur für Zeiträume verwenden, die nicht zu lang sind.

16. Was paßt? Setzen Sie ‚sobald' oder ‚bevor' ein.

B1/2 GR

a) _____ die Schüler in die DDR fuhren, hatten sie sich auf die Reise gut vorbereitet.
b) _____ der Bus den Grenzübergang verlassen hatte, waren die Schüler nicht mehr so nervös.
c) _____ der Bus wieder zu Hause in West-Berlin ankam, stürzten sich Journalisten auf die Schüler, um sie nach ihren Erfahrungen in der DDR zu fragen.
d) _____ sie die DDR kannte, hatte Carola nicht gedacht, daß sie dort so viel erleben würde.
e) _____ eine Ausfahrt kommt, verlassen wir die Autobahn, denn vor uns ist ein großer Stau.
f) _____ die Urlaubszeit beginnt, ist auf den Autobahnen viel mehr Verkehr.
g) _____ wir die Stadtbesichtigung machen, sollten wir noch etwas essen.
h) _____ die Schüler die Antwort vom Staatsratsvorsitzenden hatten, konnten sie mit der genauen Planung der Reise beginnen.

17. ‚Jedoch / allerdings' oder ‚jedenfalls'? Was paßt?

B1/2 GR

a) Ich habe nicht genau verstanden, warum Werner keine Zeit hat. Jedenfalls kann er heute abend nicht zu uns kommen.
jedenfalls = obwohl etwas nicht klar oder sicher ist, weiß man etwas anderes genau
b) Werner kommt nächste Woche bei uns vorbei, jedoch / allerdings hat er wenig Zeit.
jedoch / allerdings = etwas ist doch nicht ganz so gut (oder ganz so schlecht), weil...
c) Die Häuser in der DDR waren alle sehr sauber, _____ sahen sie meistens sehr alt aus.
d) Ich glaube, daß den Schülern die Reise in die DDR sehr gut gefallen hat; _____ haben sie das den Journalisten nach der Fahrt erzählt.
e) Wahrscheinlich sind die meisten Leute in der DDR ganz zufrieden mit ihrem Land. _____ hat den Schülern keiner gesagt, daß er aus der DDR auswandern möchte.
f) In der DDR findet man viele Buchgeschäfte, _____ verkaufen sie fast nur Bücher von Autoren aus sozialistischen Ländern.
g) Die DDR-Bürger ärgern sich oft über die Qualität des DDR-Kleinwagens ‚Trabbi', die meisten _____ lieben ihr Auto trotzdem sehr.
h) Nach meinem Eindruck sind die Leute in der DDR sehr nett zueinander. _____ wird dort mehr gefeiert und gelacht als in der Bundesrepublik.
i) Die Schüler wollen jetzt auch regelmäßig Briefe in die DDR schreiben; _____ haben sie viele Adressen von neuen Freunden mitgebracht.
j) Die DDR ist ein schönes und interessantes Land. _____ muß man mit Problemen bei der Einreise rechnen.

Lektion 2

B1/2
BD

18. ‚Viel‘ hat verschiedene Bedeutungen.

A. Die Leute in der DDR sind mit *vielem* (wenigem, manchem, einigem, allem) nicht einverstanden, aber trotzdem wollen *viele* (wenige, manche, einige, alle) nicht in der Bundesrepublik wohnen.
(‚Viel‘ ist in diesen Sätzen ein Indefinitpronomen, das eine unbestimmte, größere Menge bedeutet. Seine Form ist veränderbar: ‚Vieles/vielem‘ für Sachen und ‚viele/vielen‘ für Personen. Genauso verwendet man die anderen Indefinitpronomen ‚wenige(s)‘, ‚manche(s)‘, ‚einige(s)‘, und ‚alle(s)‘.)

B. Die Schüler sind in den Städten der DDR *viel* (wenig) spazierengegangen.
(Hier ist ‚viel‘ ein Adverb. Es bedeutet, daß die Handlung, die das Verb ausdrückt, sehr häufig geschieht, lange dauert oder besonders intensiv ist. ‚Wenig‘ bedeutet das Gegenteil.)

C. In der DDR gibt es noch *viel* (nur wenig) gesunde Natur.
In der DDR gibt es in *vielen* (manchen, einigen, wenigen, allen) Seen eine Menge Fische.
(‚Viel‘ ist in diesen Sätzen Artikelwort. Es ist, wie auch ‚wenig‘, entweder unveränderbar (für nicht zählbare Sachen) oder, wie auch ‚manche‘, ‚einige‘, ‚wenige‘ und ‚alle‘, veränderbar (für zählbare Dinge oder für Personen).)

D. Die Leute waren *viel* zu neugierig.
Nach der Reise waren die Schüler *viel* besser über die DDR informiert als vorher.
(Hier ist ‚viel‘ ein Adverb und steht vor ‚zu + Adjektiv‘ oder einem Komparativ. Es verstärkt diese Formen des Adjektivs. Siehe auch Übung Nr. 8.)

Welche Bedeutung hat ‚viel‘ in den folgenden Sätzen?

1. Vor unserer Fahrt in die DDR habe ich mir nicht vorgestellt, daß *vieles* in den Dörfern noch so wie vor zwanzig Jahren ist.
2. In der DDR gibt es *viele* interessante Buchläden.
3. Die Leute waren *viel* netter, als wir geglaubt hatten.
4. Auf der Autobahn gibt es während der Urlaubszeit *viel* Verkehr.
5. Herr und Frau Gebhardt sind heute *viel* gefahren und sind deshalb sehr müde.
6. Die Leute in der DDR möchten *viel* lieber ein modernes Auto, aber trotzdem lieben sie ihren kleinen ‚Trabbi‘ mit der Technik von vorgestern.
7. Die Schüler haben nach der Fahrt über *vieles* diskutiert, was sie in der DDR erlebt haben.
8. Die Schüler haben nach der Fahrt *viel* diskutiert.
9. Die Schüler hätten noch *vieles* fragen wollen, aber die Zeit war zu kurz.
10. Alle sind der Meinung, daß sie in der DDR sehr *viel* gesehen und gelernt haben.
11. Die Einreise war *viel* einfacher als die Schüler gedacht hatten.

B1/2
BD

19. Jugendsprache

Sicher haben Jugendliche und junge Erwachsene auch in Ihrem Land eine besondere ‚Sprache‘. Dafür, wie deutsche Jugendliche sprechen, ist der Text auf Seite 23 im Kursbuch ein Beispiel. Haben Sie ganz verstanden, was die jungen Leute von ihren Freizeitproblemen erzählen? Wir wollen Ihnen hier ein paar Sätze ‚übersetzen‘ und erklären. Natürlich sollen Sie nicht lernen, diese ‚Sprache‘ selbst zu benutzen, aber vielleicht macht es Ihnen Spaß, sie ein bißchen zu verstehen.

a) ‚Daß *du* viel reisen mußt.‘ ‚*Du* reist von einer Gegend in die andere.‘
= Man muß oft wegfahren (weil es am Ort keine Freizeitangebote gibt), immer in eine andere Stadt oder Kleinstadt.

> ‚*Du*‘ *wird anstelle von* ‚*man*‘, ‚*ich*‘ *oder* ‚*wir*‘ *gebraucht. Das kommt nicht nur in der Sprache der Jugendlichen, sondern auch in der Alltagssprache häufig vor:* ‚*Ich fahre dieses Jahr auf die Insel Sylt; da kannst du gut Vögel beobachten.*‘ = ‚*Da kann man (ich) gut Vögel beobachten!*‘

b) ‚Aber es fällt mir *ungeheuer* schwer, da *laß* ich lieber mal *was sausen* und geh meinen Gewohnheiten nach.‘
= Aber es fällt mir schwer. Da lasse ich lieber etwas ausfallen (z. B. eine Veranstaltung) und gehe meinen Gewohnheiten nach.

> *Typisch für die Jugendsprache ist der häufige Gebrauch von bestimmten Adverbien, die eine Aussage verstärken sollen. Anstatt* ‚*Das finde ich gut*‘ *könnte es heißen* ‚*Das finde ich ungeheuer / total / echt / wahnsinnig / irre gut*‘.
> *Das Weglassen von Endvokabeln (*‚*ich geh*‘ *anstatt* ‚*ich gehe*‘*) ist auch in der Alltagssprache von Erwachsenen üblich.*
> ‚*Etwas sausen lassen*‘ *bedeutet* ‚*etwas, was man tun wollte, aus irgendwelchen Gründen nicht tun*‘ *oder* ‚*mit etwas aufhören*‘.

c) ‚Geh in die Flipperhalle, weil ich da andere *Typen* treffe.‘
= Ich gehe in die Flipperhalle (Spielsalon), weil ich da andere junge Leute treffe.

> *Allgemein ist es nicht höflich, eine Person als* ‚*Typ*‘ *zu bezeichnen, und Sie sollten deshalb mit diesem Wort vorsichtig sein. Unter Jugendlichen ist es allerdings nur ein anderes Wort für* ‚*Mensch*‘, ‚*Mann*‘, ‚*junger Mann*‘, ‚*jemand*‘. (‚*Ich kenne einen Typ, der ein großes Motorrad hat.*‘; ‚*Der Typ da drüben gefällt mir.*‘; ‚*Der Typ, der über mir wohnt, ist ganz nett.*‘)

d) ‚Aber zu Hause dich hinsetzen, das ist einfach nicht drin.‘
= Ich kann meine Freizeit nicht zu Hause verbringen; das geht nicht. (Wahrscheinlich gibt es zu Hause Probleme mit den Eltern.)

> ‚*Dich*‘ *wie unter a) erklärt.* ‚*Das ist nicht drin.*‘ *heißt* ‚*Das geht nicht.*‘, ‚*Das klappt nicht.*‘, ‚*Das ist nicht möglich.*‘

e) ‚Du bist abgeschlafft.‘
= Ich habe keine Energie.

> ‚*Abgeschlafft sein*‘ *bedeutet, daß man zu nichts Lust hat, sich ohne Energie und Kraft fühlt, keinen Plan für sein Leben hat. Für die gleiche Sache gibt es noch die Ausdrücke* ‚*keinen drive haben*‘ *und* ‚*durchhängen*‘.

f) ‚Wenn man permanent frustriert wird, . . .‘
= Wenn man immer nur Enttäuschungen erlebt, . . .

Lektion 2

g) '..., im Winter gammeln zu Hause'
   = ... im Winter zu Hause sein und nichts tun

'Gammeln' bedeutet 'nicht arbeiten, nichts tun'. 'In den Ferien haben wir nur gegammelt.' heißt 'In den Ferien haben wir uns ausgeruht, viel geschlafen, kein Freizeitprogramm gemacht'.

20. Was paßt zusammen?

A	Warum schiebt ihr denn die Räder?
B	Warum winken die Leute denn?
C	Vor dieser Kurve mußt du stark bremsen!
D	Wohin kommen wir, wenn wir dem Fluß folgen?
E	Hast du heute nacht auch gefroren?
F	Bevor wir zur Burg hinaufsteigen, möchte ich in eine Wirtschaft gehen, etwas trinken und mich ausruhen!

1	Weißt du das nicht? Du hast wohl gar keine Vorstellung von unserer Fahrtroute.
2	Sei nicht so faul!
3	Der Weg ist zu steil zum Fahren.
4	Ich glaube, sie wollen uns begrüßen.
5	Ganz furchtbar! Das nächste Mal gehen wir in ein Hotel oder Gasthaus!
6	Warum das denn? Bist du da schon mal gestürzt?

A	B	C	D	E	F

21. Was paßt wo?

den französischen Wein mit dem spanischen – mit einem Gewitter – die Eltern um Erlaubnis – ~~als faul~~ – auf einen ereignisreichen Urlaub – als guter Sportler – sich von einer Krankheit – den jüngeren Bruder mit dem älteren – den Lehrer um eine Pause – mit Schwierigkeiten bei der Ausreise – auf gutes Wetter – sich von einer anstrengenden Reise

a) _als faul_ _____ gelten
   _____ gelten

b) _____ bitten
   _____ bitten

c) _____ erholen
   _____ erholen

d) _____ rechnen
   _____ rechnen

e) _____ hoffen
   _____ hoffen

f) _____ vergleichen
   _____ vergleichen

22. ,Zeigen' hat verschiedene Bedeutungen.

A. In der Provinz bestimmen vor allem die Erwachsenen. Das *zeigt* besonders die Situation im Stadtjugendring. Von 17 Mitgliedern sind nur 4 unter dreißig.
   (zeigen = beweisen)

B. Rostock *zeigte* schon ein wenig mehr Großstadtflair als Neubrandenburg.
   Ein Junge *zeigte* große Enttäuschung darüber, daß ich nicht Break-Dance konnte.
   (zeigen = eine Person oder Sache zeigt selbst den eigenen Zustand, man kann ihn sehen)

C. Ich kann das Fahrrad nicht allein reparieren. Kannst du mir *zeigen*, wie man das macht?
   (zeigen = etwas machen und dabei erklären)
   Während der Führung im Schloß wurden uns alle Räume *gezeigt*.
   (zeigen = auf etwas hinweisen, was sonst nicht gesehen, erkannt oder gefunden würde)

Welche Bedeutung hat ,zeigen' in den folgenden Sätzen?

1. Ein Autofahrer *zeigte* den Jungen den richtigen Weg. □
2. Die Schüler waren mit der Reise sehr zufrieden. Das *zeigten* ihre Berichte, die sie später geschrieben hatten. □
3. Der Fotograf *zeigte* den Leuten, wie man richtig fotografiert. □
4. Sein Gesicht *zeigte* deutlich, daß es ihm nicht gut ging. □
5. Die Untersuchung *zeigte*, daß wir immer mehr Geld für unsere Freizeit ausgeben. □
6. Die Schüler *zeigten* deutlich, daß sie mit der Reise in die DDR zufrieden waren. □

23. Ihre Grammatik. Ergänzen Sie.

	Präsens	Futur I
Ich	*bleibe zu Hause.*	*werde zu Hause bleiben.*
Du		
Er/Sie/Man		
Wir		
Ihr		
Sie		

24. Das Futur hat drei wichtige Funktionen.

A. Ich *werde* wohl im Urlaub zu Hause *bleiben*.
   (= Es passiert vielleicht/wahrscheinlich in der Zukunft.)

B. Ich *werde* mich im Urlaub auf die Prüfung *vorbereiten*.
   (= Es passiert ganz bestimmt in der Zukunft.)

C. Ich weiß nicht genau, wo er im Moment ist, aber er *wird* wohl im Keller *arbeiten*.
   (= Es passiert wahrscheinlich in der Gegenwart.)

Welche Funktion hat das Futur I in den folgenden Sätzen?

1. Ich *werde* ins Krankenhaus *gehen* und mich *operieren lassen*. Ich habe schon einen Termin.
2. Gerd ist ganz rot im Gesicht. Er *wird* Fieber *haben*.
3. Vom 1. 6. bis 14. 6. *werden* wir unsere Verwandten in der DDR *besuchen*.
4. Wir *werden* Campingurlaub in Italien *machen*. Den Campingplatz haben wir schon gebucht.

5. Den Urlaub *werde* ich mit meiner Freundin *verbringen*. Das ist klar, aber wohin wir fahren, das wissen wir noch nicht.

6. Wir brauchen Ruhe, um uns zu erholen. Ich denke, wir *werden* nach Schweden *fahren*.

7. Ich weiß noch nicht genau, aber ich *werde* wohl wieder an die Nordsee *fahren*.

8. Ich muß schnell nach Hause gehen. Meine Frau *wird* sich bestimmt schon *Sorgen machen*.

9. Geh du bitte ans Telefon. Der Anruf *wird* für dich *sein*.

10. Ich *werde* in die Alpen *fahren* oder nach Nord-Italien. Mal sehen.

B3 GR

25. Ergänzen Sie die Dialoge. Beachten Sie: Manchmal steht die Ergänzung am Satzanfang und manchmal nicht. Können Sie den Grund dafür erkennen?

große Hitze stört mich nicht	Ich mag keine Campingplätze
ich mag keine große Hitze	Radfahren kann man doch immer
Ich mache keinen Urlaub	genaue Pläne habe ich noch nicht
Ich habe noch keine genauen Pläne	Fremde Länder und Kontinente finde
Campingplätze mag ich nicht	ich aufregend

a) O Was machst du denn dieses Jahr im Urlaub?
   □ Ich mache eine Radtour den Rhein entlang.
   O Das ist doch langweilig. _____.

b O Was planst du für den Urlaub?
   □ Ich werde wohl wieder in die Türkei fahren, doch _____.
   O Ist es dort nicht zu heiß?
   □ Sicher, aber _____.

c) O Wir haben dieses Jahr eine Urlaubsreise nach Skandinavien gebucht.
   □ Warum das denn? In Skandinavien werdet ihr doch gar nicht braun.
   O Vielleicht, aber _____. In Skandinavien ist das Klima sehr angenehm. Es ist nicht zu warm, und man kann sich gut erholen.

d) O Fahrt ihr dieses Jahr wieder nach Spanien?
   □ Ja, aber diesmal machen wir Urlaub im Zelt.
   O Findest du das gut?
   □ Eigentlich nicht. _____

e) O Ich mache dieses Jahr wieder Campingurlaub in Spanien. Willst du nicht mitkommen? Unser Campingplatz liegt direkt am Meer.
   □ Nein, _____, das weißt du doch. Ich mache lieber Urlaub in einem bequemen Hotel.

f) O Wohin fährst du dieses Jahr?
   □ Nach Indien oder Pakistan.
   O Ist das nicht gefährlich?
   □ Ich glaube nicht. _____, aber nicht gefährlich.

g) O Im Sommer fahre ich nach Dänemark. Und du?
   □ _____, ich bleibe zu Hause.

h) O Ich verbringe dieses Jahr meinen Urlaub auf einem Bauernhof. Und was machst du?
   □ _____

26. Welches Pronomen paßt wo? Ergänzen Sie.

B3
GR

Im Deutschen gibt es nicht nur Pronomen für Dinge oder Personen, zum Beispiel:

○ Gefällt dir der Campingplatz hier am Meer?
□ Ja, er liegt sehr schön und ist ruhig.,

sondern auch für einen Sachverhalt, zum Beispiel:

○ Wir fahren in die Alpen, um klettern zu lernen.
□ Ist das nicht gefährlich?

darüber	das		dafür		damit	das
	daran	damit		das		

a) ○ Du bleibst also im Urlaub zu Hause. Was machst du denn die ganze Zeit?
□ _____ habe ich noch nicht nachgedacht.
b) ○ Letztes Jahr im Urlaub war unser Campingplatz laut und dreckig.
□ _____ muß man rechnen, wenn man Campingurlaub macht.
c) ○ Diese Hose ist viel zu weit.
□ Stimmt, _____ siehst du aus wie ein Clown.
d) ○ Vor zehn Jahren haben wir einen ganz tollen Urlaub auf Kreta verbracht. Weißt du das noch?
□ Nein, _____ kann ich mich nicht erinnern.
e) ○ Ich fliege im Sommer in die USA. Machst du auch Urlaub?
□ Nein, _____ habe ich keine Zeit.
f) ○ Im Urlaub nehme ich Fahrstunden und mache die Führerscheinprüfung.
□ _____ ist doch kein richtiger Urlaub.
g) ○ Wir werden mit dem Motorrad durch die Sahara fahren.
□ Ist _____ nicht langweilig?
h) ○ Wir verbringen unseren Urlaub dieses Jahr an der Nordseeküste. Willst du nicht mitkommen?
□ Mal sehen, _____ muß ich mir noch mal überlegen.

Unterstreichen Sie die Sachverhalte, für die die Pronomen stehen.

27. Was können Sie auch sagen?

B3
BD

a) *Auf der Sportveranstaltung war sehr viel Betrieb.*
   Ⓐ Ich war mit meinen Arbeitskollegen schon sehr oft auf Sportveranstaltungen.
   Ⓑ Die Sportveranstaltung wurde von sehr vielen Menschen besucht.
   Ⓒ Es waren sehr viele Leute auf der Sportveranstaltung.

b) *,Je kleiner der Campingplatz, desto besser!'*
   Ⓐ Kleine Campingplätze mag ich lieber als große.
   Ⓑ Besser ein kleiner Campingplatz als gar keiner.
   Ⓒ Es gibt nur wenige Campingplätze, die gut sind.

c) *Es kommt nicht in Frage, daß wir im Auto übernachten!*

   Ⓐ Frag doch mal, wer mit uns im Auto schlafen will.

   Ⓑ Wir schlafen auf keinen Fall im Auto!

   Ⓒ Ich bin unbedingt dagegen, daß wir die Nacht im Auto verbringen.

d) *Dieses Café dient als Treffpunkt für Studenten.*

   Ⓐ In diesem Café treffen sich viele Studenten.

   Ⓑ Das ist ein Studentencafé.

   Ⓒ Hier können Studenten einen Job als Kellner finden.

e) *(Meinen Reisepaß wollen Sie behalten?) Besteht diese Regel in allen Hotels?*

   Ⓐ Gilt diese Vorschrift in allen Hotels?

   Ⓑ Stellen Sie den Paß ins Regal?

   Ⓒ Können Sie mir ein anderes Hotel nennen?

f) *Wie unterscheiden sich die DDR und die Bundesrepublik?*

   Ⓐ Wie ist das Verhältnis von DDR und Bundesrepublik?

   Ⓑ Was ist in der DDR anders als in der Bundesrepublik?

   Ⓒ Welche Probeme gibt es zwischen der DDR und der Bundesrepublik?

**B3
BD**

28. Welcher Satz paßt zu welchem Bild?

a) Er stellt das Fahrrad auf den Hof.

b) Das Fahrrad steht auf dem Hof.

c) Er setzt das Kind auf einen Stuhl.

d) Das Kind sitzt auf einem Stuhl.

e) Er legt das Buch auf den Tisch.

f) Das Buch liegt auf dem Tisch.

g) Er hängt die Uhr an die Wand.

h) Die Uhr hängt an der Wand.

i) Er steckt den Brief in den Briefkasten.

j) Der Brief steckt im Briefkasten.

29. ,Liegen', ,legen', ,sitzen', ,hängen', ,stehen', ,stellen' oder ,stecken'? Was paßt?

a) ○ Hast du schon die Hemden in den Koffer _____?
   □ Nein, die _____ noch im Schrank.

b) ○ Wo ist der Autoschlüssel?
   □ Der _____ schon im Schloß.

c) ○ Weißt du, wo die Kinder sind?
   □ Die _____ schon im Auto.

d) ○ Wer hat die Campingstühle vor die Tür _____?
   □ Ich weiß nicht. Jedenfalls _____ sie schon seit gestern da.

e) ○ Ist Peter vom Fußballspielen zurück?
   □ Ja, er _____ schon in der Badewanne.

f) ○ Hast du den Kleinen schon mal auf die Toilette _____?
   □ Nein, er wollte nicht.

g) ○ Sind die Wolldecken im Auto?
   □ Nein, die habe ich gewaschen und zum Trocknen in den Garten _____.

30. ,Liegen' hat verschiedene Bedeutungen.

A. Die Zeitschriften *liegen* auf dem Teppich.
   (Lage von Dingen, wenn sie nicht stehen oder hängen)

B. Eva liegt seit zwei Wochen krank im Bett.
   (Lage von Menschen oder Tieren, wenn sie nicht stehen oder sitzen)

C. Ich bin schon wieder erkältet; das liegt am schlechten Wetter.
   (Grund)

D. Die Fabrik liegt außerhalb der Stadt.
   (geographische Lage, Ort)

Finden Sie zu jeder Bedeutung drei Beispielsätze.

a) Unsere Wohnung	1. in der Garage
b) Mein Freund	2. sehr schön am Waldrand
c) Das neue Gummiboot	3. in der Sonne, um braun zu werden
d) Nur wenige Ferienhäuser	4. direkt am Meer
e) Der Kinderspielplatz	5. gern auf dem Bauch
f) Jedes Baby	6. bestimmt an der Hitze
g) Heute fühle ich mich nicht wohl. Das	7. zwischen den Büchern
h) Georg	8. am guten Essen in Spanien
i) Deine Kamera	9. mitten im Stadtzentrum
j) Mein Mann hat 2 Kilo zugenommen. Das	10. abends immer lange in der Badewanne
k) Das Spielzeug	11. auf dem Schrank
l) Dieses Jahr war ich von unserem Hotel sehr enttäuscht. Das	12. an der schlechten Information des Reisebüros

+ liegen +

Münsterland

Schlittschuhlaufen vor alten Schlössern

Eisiges Gleiten vor alten Mauern

Meistens ruhen die Wasserburgen des Münsterlandes geschützt und unnahbar in ihren dunkelgrünen Ringen von Wasser, den Gräften, wie man hierzulande sagt. Nur im Winter, im klirrenden Frost, frieren diese Wassergräben zu und geben den Weg frei, sich den alten Mauern auf winterliche Weise zu nähern: auf Schlittschuhen. Natürlich ist das Eis auf den Gräften nicht so gut, daß man beim Schlittschuhlaufen ins Träumen geraten kann. Es ist huckelig und buckelig, eingefrorene Holzstückchen oder Wasserpflanzen und herabgefallene Äste stoppen die Fahrt und lassen den Läufer aufs Eis stürzen. Doch es gibt auch Abschnitte, wo das Wasser glattgefroren und mit Schnee dünn überpudert ist. Und manchmal hört man ein Knacken unter den Kufen der Schlittschuhe: beschwert sich die Eisjungfrau da unten, weil wir sie in ihrem Winterschlaf gestört haben?

Auf der doppelten Gräfte von Schloß Westerwinkel im südlichen Münsterland scheint das Eis meterdick zu sein. Unter einer Steinbrücke hindurch bin ich bis zur inneren Gräfte vorgedrungen. Glatt wie ein Spiegel glänzt das Eis in der Morgensonne des klaren Wintertages. Bei den Ecktürmen mit ihren grauen Schieferdächern wage ich ein paar Drehungen, bei denen nur die Pfauen zusehen können, die ihre langen, bunten Schwänze von dem zierlichen Balkon hinabhängen lassen. Sie wohnen also den Winter über im Schloß. Und: Sie sollten nicht gestört werden, ruft plötzlich eine Stimme von oben, nicht unhöflich. Aus einem der Fenster mit schwarzweißen Holzläden schaut ein Herr

mit Samtmütze. Ist es der Schloßherr persönlich? Ich entschuldige mich für die Störung und füge hinzu, daß mein Morgenlauf ohnehin beendet sei.

Wenige Autominuten von Westerwinkel entfernt liegt Burg Vischering. Hier störe ich niemanden. In der malerischen Burg, die seit sieben Jahrhunderten den Grafen Droste zu Vischering gehört, befindet sich heute ein Museum. Auf dem Schloßteich haben die Schlittschuhläufer am Wochenende ein großes Stück Eis freigewischt und dort ihre Kreise gezogen. Ich fahre eine Acht und beginne dann mit der Untersuchung des großen Systems von Gräften und Teichen, die die Natur um die Burg angelegt hat. Nach einigen Stürzen kehre ich zur Burg zurück: Siebenhundert Jahre alte Mauern, uralte Steine bilden das Fundament; weiter oben sind die Mauern

verputzt, nur der Renaissance-Vorbau im Süden ist mit roten Klinkersteinen verkleidet.

Schloß Nordkirchen wurde zu Beginn des 18. Jahrhunderts auf den Grundmauern einer älteren Wasserburganlage gebaut. Die Stimmung hier ist heiter, es wimmelt von Fußgängern, Schlittschuhläufern, Kindern mit Schlitten und herumtollenden Hunden. Eine breite Treppe aus Sandstein führt zum Wasser hinunter, vielmehr zum Eis; der Ort ist gerade recht, die Stiefel aus- und die Schlittschuhe anzuziehen. Ich umkreise zügig das große Schloß. Eine sportliche Mama auf Schlittschuhen schiebt einen Kinderwagen, Pärchen laufen gemeinsam über das Eis. Auf den Brücken stehen Fußgänger und beobachten die Läufer, die gebückt unter den niedrigen Brückenbogen hindurchsausen…

Brigitte Macher

39 abgeben	36 erschrecken	40 s Mittel	36 von
40 abstimmen	40 evangelisch	43 e Mittel (Pl.)	39 vorläufig
36 ähnlich	42 eventuell	42 öffnen	40 e Ware, -n
41 allein	43 e Existenz	43 e Panne, -n	40 wegfallen
41 andere	43 r Fachmann,	36 r Praktikant, -en	43 s Werk, -e
39 e Änderung, -en	Fachleute	36 recht	40 wertvoll
40 ankommen	34 fest	40 e Rede, -n	41 e Wirklichkeit
43 r Artikel, -	41 r Fortschritt, -e	34 regeln	39 zeichnen
36 auch	43 s Gebiet, -e	36 rein	39 e Zeichnung, -en
42 aufgeben	42 e Gebrauchs-	42 scheinen	39 e Zeile, -n
42 r Auftrag, ¨e	anweisung, -en	43 schließen	39 zusammenhalten
39 ausrechnen	40 gehen	39 e Schrift, -en	36 zusammen-
42 ausschalten	40 gelten	43 r Schritt, -e	kommen
42 r Automat, -en	41 e Gesellschaft	41 r Schutz	36 zusammenstellen
42 beachten	43 e Gesellschaft,	43 e Sicherheit	36 zwingen
39 r Bedarf	-en	42 e Sicherheitsvor-	
42 bedienen	41 r Gewinn, -e	schrift, -en	
36 e Bedienung, -en	39 e Größe, -n	41 sichern	
39 bei	43 großzügig	35 r Soldat, -en	
39 beraten	39 haben	42 stecken	
43 beruflich	39 halten	42 e Stellung, -en	
43 beschäftigen	43 handeln	43 s Taxi, -s	
35 besondere	39 herstellen	36 teilnehmen	
41 r Beweis, -e	39 hin	36 s Ticket, -s	
42 e Breite	42 e Höhe, -n	43 tragen	
35 dankbar	39 innen	35 s Trinkgeld, -er	
41 dienen	41 s Interesse, -n	43 überdurch-	
42 drehen	42 jeweils	schnittlich	
39 drucken	42 s Kapital	40 überflüssig	
36 einiges	39 kommen	39 r Umfang	
42 einschalten	41 e Kontrolle, -n	43 e Verantwortung	
40 einstellen	42 r Kredit, -e	43 s Verfahren, -	
36 einzeln	43 e Lage	39 vergrößern	
39 endgültig	39 e Leitung, -en	40 sich verhalten	
39 entscheiden	39 e Linie, -n	41 s Verhalten	
36 entschließen	34 e Macht	41 verhindern	
43 entwickeln	42 s Maß, -e	43 r Verlust, -e	
43 e Entwicklung,	35 e Meister-	43 verpassen	
-en	prüfung, -en	41 verteilen	
42 erfinden	42 e Menge, -n	39 r Vertreter, -	
40 r Erfolg, -e	41 menschlich	43 verursachen	
43 erfüllen	43 r Mißerfolg, -e	36 e Verwaltung,	
39 erscheinen	41 e Mitbestimmung	-en	

Lektion 3

1. Was paßt wo?

die Bedienung um ein Glas Wasser   die Zeilen der Buchseite   das Trinkgeld
die notwendigen Geldmittel   die Geschäftsleitung um längere Mittagspausen
die gerade angekommenen Waren   die Änderung der Arbeitszeit   die Fehler
den Praktikanten um einen Gefallen   die Größe der neuen Büroräume
den Bedarf an Heizmaterial   die Qualität der Zeichnungen
den Umfang der Betriebskosten   das unfreundliche Verhalten eines Kollegen
die Linien auf der Kopie   die Gesellschaft wegen ihrer Personalpolitik
den Meister um einen freien Tag   den Kunden um Geduld
den Gewinn der letzten zwei Jahre   die Zahl der verkauften Tickets
die langweilige Rede des Betriebsleiters

a) _den Bedarf an Heizmaterial_ > ausrechnen   c) _____ > bitten

b) _____ > kritisieren   d) _____ > zählen

2. ,Besonders / vor allem' oder ,allein'? Ergänzen Sie.

,allein + genaue Mengenangabe'
,besonders / vor allem + allgemeine Mengenangabe oder ohne Mengenangabe'

a) In einigen Wirtschaftsbereichen wurden von 1960 bis 1980 mehr Leute entlassen als in anderen.
   _Allein_____ in der Landwirtschaft verloren über 2 Millionen Menschen ihren Arbeitsplatz.
   Besonders/Vor allem in der Landwirtschaft verloren viele Menschen ihren Arbeitsplatz.
b) Durch die 38,5-Stunden-Woche waren die Arbeitgeber gezwungen, neue Arbeiter einzustellen.
   _____ in der Metallindustrie mußten wegen der 38,5-Stunden-Woche über 100 000 neue Leute eingestellt werden.
   _____ in der Metallindustrie brachte die 38,5-Stunden-Woche neue Arbeitsplätze.
c) In meinem Beruf bleibt mir nicht viel Zeit für Fortbildung.
   _____ die Routinearbeiten kosten sehr viel Zeit.
   _____ die Routinearbeiten kosten 60% meiner Arbeitszeit.
d) Georg hat eine sehr gut bezahlte Stellung.
   _____ im letzten Jahr hat er über 80 000 DM verdient.
   _____ im letzten Jahr hat er sehr gut verdient.

40

e) In kleinen Reisebüros gibt es mehr Arbeit als in den großen.

_____ in der letzten Woche mußte Eva sehr lange arbeiten.

_____ in der letzten Woche mußte Eva 50 Stunden arbeiten.

3. Zwei Nomen in jeder Reihe passen nicht. Ergänzen Sie dann den Beruf, der zu den ‚richtigen‘ Nomen paßt.

B1/2 WS

> Sekretärin – Bauer – Krankenschwester – Friseur – Soldat – Bedienung – Bäcker Feuerwehrmann – Lehrer

a) _____: Haare, Bart, Schatten, Haarbürste, Spiegel, Schere, Magen
b) _____: Hals, Brot, Brötchen, Mehl, Grippe, Backofen, Kuchen
c) _____: Kellner, Ober, Speisekarte, Trinkgeld, Kaufhaus, Zuschauer
d) _____: Hilfe, Seife, Feuer, Gewitter, Werkstatt, Wasser, Gefahr
e) _____: Klinik, Fieberthermometer, Verband, Metzgerei, Verletzung, Pflaster, Wald, Krankenhaus
f) _____: Mond, Schirm, Landwirtschaft, Boden, Vieh, Pferd, Pflanzen, Hof
g) _____: Schule, Beamter, Glückwunsch, Note, Prüfung, Hunger, Unterricht
h) _____: Angestellte, Kirche, Gewürz, Betrieb, Büro, Firma, Schreibmaschine
i) _____: Krieg, Tod, Feind, Grenze, Krise, Angst, Politik, Kofferraum, Bleistift

4. Was paßt nicht?

B1/2 WS

a) dienen: der Höhe – dem Fortschritt – der sozialen Entwicklung – dem Land
b) diktieren: einen Brief – eine Zeichnung – eine Rede – einen Bericht
c) drucken: einen Schreibtisch – einen Prospekt – ein Buch – eine Rede – eine Zeitung
d) messen: den Umfang – das Trinkgeld – die Höhe – die Breite – die Zeit
e) ausrechnen: einen Gewinn – einen Verlust – einen Beruf – Maße – eine Zahl
f) unterrichten: die Studenten – Deutsch – an einer Berufsschule – eine Antwort
g) verteilen: Kopien – Prospekte – Zeitungen – Arbeit – Freude
h) zeichnen: eine Linie – einen Brief – ein Bild – einen Bauplan

5. Sagen Sie es anders.

B1/2 GR

a) Zuerst müssen die Texte gesetzt werden, erst dann kann man das Layout machen.
Erst wenn die Texte gesetzt sind, kann das Layout gemacht werden.

Ebenso:

b) Zuerst müssen Texte und Materialien gesammelt werden, erst dann kann man das Manuskript schreiben.
c) Zuerst müssen die Bücher gedruckt werden, erst dann kann man sie binden.
d) Zuerst müssen die Bücher gebunden werden, erst dann kann man sie ins Lager des Verlags bringen.
e) Zuerst muß das Manuskript korrigiert werden, erst dann kann man die Texte setzen.
f) Zuerst müssen die Fotos verkleinert werden, erst dann kann man sie für das Buch gebrauchen.

Lektion 3

B1/2 GR

6. Wie wurde es früher gemacht?

Heute
Heute macht man Kopien von Briefen mit Fotokopierern.

Früher
Früher sind Briefe mit der Hand geschrieben worden.
Früher wurden Briefe mit der Hand geschrieben.

Ebenso:

a) Heute setzt man Texte mit einem Computer. (früher: mit der Hand setzen)
b) Heute heizt man meistens mit Öl oder Gas. (früher: mit Holz oder Kohle heizen)
c) Heute baut man die Häuser aus Beton und Stein. (früher: aus Holz bauen)
d) Heute arbeitet man mit Maschinen. (früher: ohne Maschinen arbeiten)
e) Heute wird weniger gearbeitet und mehr produziert als früher. (früher: mehr arbeiten und weniger produzieren)
f) Heute diktiert man Geschäftsbriefe auf Kassettengeräte. (früher: Briefe der Sekretärin direkt diktiert.)

Ihre Grammatik. Ergänzen Sie.

	Präsens Passiv	Perfekt Passiv	Präteritum Passiv
Ich	werde kritisiert	bin...	
Du			
Er/sie/ man			
Wir			
Ihr			
Sie			

B1/2 GR

7. Passiv Präteritum. Ergänzen Sie.

So ist „Themen 3" entstanden.
Natürlich ① (schreiben) _____ das Manuskript nicht ohne Vorbereitung _____.
Zuerst ② (entwickeln) _____ das endgültige Konzept für „Themen 3" _____.
Von den Autoren ③ (sammeln) _____ gleichzeitig Texte und Materialien _____.
Im Verlag ④ (besprechen) _____ inzwischen die Planung _____, und die Kosten
⑤ (ausrechnen) _____ _____. Außerdem ⑥ (abschließen) _____ mit den
Autoren die Verträge _____. Erst viel später begann die eigentliche Arbeit am Manuskript: Zuerst ⑦ (aussuchen) _____ die endültigen Texte _____ und dann
⑧ (verteilen) _____ die Grammatik und der Wortschatz für die einzelnen Lektionen
_____. Danach ⑨ (schreiben) _____ dann das Manuskript _____. Nach-
dem es fertig war, ⑩ (setzen) _____ die Texte _____ und die Fotos (besorgen) _____. Von Herrn Faltermeier ⑪ (machen) _____ dann das Layout
_____ und von Herrn Schuster ⑫ (zeichnen) _____ die Zeichnungen
_____. Schließlich ⑬ (herstellen) _____ die Druckfilme _____. Kurz
danach ⑭ (drucken) _____ das Buch _____ und (binden) _____. Zum
Schluß ⑮ (bringen) _____ die fertigen Bücher in das Lager des Verlags _____.

8. Zeitliche Reihenfolge im Text.

Um die zeitliche Reihenfolge der Produktion eines Buches zu beschreiben, werden im Text der Übung 7 folgende Wörter verwendet: ‚zuerst', ‚gleichzeitig', ‚inzwischen', ‚später', ‚dann', ‚danach', ‚schließlich', ‚zum Schluß'. Es gibt aber noch ein paar andere Wörter, um einen Text zeitlich zu ordnen: ‚davor', ‚vorher', ‚zuletzt', ‚am Ende', ‚später', ‚nachher' und ‚hinterher'. Vielleicht hilft Ihnen die folgende Zeichnung, die Bedeutung dieser Wörter besser zu verstehen.

Beispiele im Text:

Feierabend im Reisebüro
Zuerst schließt Eva die Eingangstür zu. *Danach* räumt sie ihren Schreibtisch auf. *Inzwischen* kontrolliert ihr Chef die Kasse. *Zum Schluß* schaltet Eva das Licht aus und macht alle Fenster zu. *Hinterher* bringt sie noch das Geld zur Bank.

Was passiert zuerst, danach, später, ...? Machen Sie eine solche Zeichnung der zeitlichen Reihenfolge der Handlungen in den folgenden Texten a) und b).

a) Am Anfang werden die Texte gesetzt und gleichzeitig die Fotos besorgt. Dann wird das Layout gemacht und danach die Zeichnungen. Zuletzt wird das Buch gedruckt und später gebunden.

b) Zuerst sucht der Verlag die Autoren. Davor wurde jedoch ein allgemeines Konzept für das Buch entwickelt. Danach wird das endgültige Konzept mit den Autoren diskutiert, und gleichzeitig werden die Autorenverträge abgeschlossen. Dann schreiben die Autoren das Manuskript, das nachher von den Lektoren im Verlag korrigiert wird.

Lektion 3

B1/2
GR

9. Ergänzen Sie das passende Nomen.

Präposition		Nomen		
Gegen-		wäsche	zimmer	ort
Neben-		mieter	kosten	
Nach-	+	job	wind	
Vor-		verkehr	prüfung	
Unter-		name	raum	
Zwischen-		mittag	kriegsgeschichte	

a) die Zeit vor 12 Uhr: _____

b) Die Zeit nach 14 Uhr: _____

c) Das Geld, das ein Mieter für Heizung, Wasser, Strom usw. bezahlen muß: _____

d) Wer in einer Wohnung nur ein Zimmer gemietet hat, ist ein _____

e) Die Arbeit, mit der man vor oder nach der eigentlichen Arbeit Geld verdient: _____

f) Wenn man eine Wohnung ganz in der Nähe einer größeren Stadt hat, die aber nicht in der Stadt selbst liegt, wohnt man in einem _____

g) Der Wind, der von vorne kommt: _____

h) Ein Zimmer in einer Wohnung, das klein und nicht so wichtig ist: _____

i) Ein Zimmer, das neben einem anderen Zimmer liegt: _____

j) Autos, die aus der anderen Richtung kommen: _____

k) Examen während eines Studiums oder einer Ausbildung: _____

l) Kleidung, die man direkt auf der Haut trägt: _____

m) Der zweite Name von Personen: _____

n) Der erste Name von Personen: _____

o) Die Geschichte, die einem Krieg folgt: _____

B1/2
GR

10. ‚Hauptsatz mit nämlich' oder ‚weil + Nebensatz'. Sagen Sie es anders.

a) Ich würde jedem raten, an Praktika und Lehrgängen teilzunehmen. Man lernt *nämlich* doch so einiges dazu.

Ich würde jedem raten, an Praktika und Lehrgängen teilzunehmen, weil man doch so einiges dazulernt.

Ebenso:

b) Ich mag meinen Beruf. Ich arbeite *nämlich* in einem kleinen Büro, wo ich alle Aufgaben erledigen muß.

Ich ...

c) Der Firma geht es sehr gut, *weil* sie mit ihrem letzten Produkt großen Erfolg hatte.

d) Klaus hat gekündigt. Er hat *nämlich* eine bessere Stelle gefunden.

e) Das Gesetz muß verbessert werden, *weil* es einige Fehler hat.

f) Der Kellner verdient recht gut. Er bekommt *nämlich* hohe Trinkgelder.

g) Die Maschine muß schnell repariert werden, *weil* sie sehr wichtig für die Produktion ist.

h) Die Berufsschule fand ich ganz gut. Wir haben dort *nämlich* nur das gelernt, was wir in unserem Beruf auch wirklich brauchen.

11. ‚Von' hat verschiedene Bedeutungen.

B1/2
BD

A. *Vom* nächsten Jahr an gibt es in der Metallindustrie die 38,5-Stunden-Woche.
  (‚von + Zeitangabe + an' = Zeitpunkt, zu dem etwas beginnt (z. B. eine Entwicklung)*

B. *Vom* Lager im Verlag ist „Themen 3" zu den Kunden gekommen.
  Ich komme gerade *von* Herrn Schuster.
  (‚von + Ort' / ‚von + Name' = der Ort, wo eine Entwicklung, Handlung oder ein
  Geschehen beginnt)*

C. Nicht der Mensch, sondern die Produktion *von* Waren ist der Zweck eines Betriebs.
  Das Gehalt *von* Frau Kacmarek (von ihr) ist recht gut.
  (‚von + Nomen/Pronomen/Name' = Attribut)*

D. „Themen 3" ist *von* Herrn Aufderstraße und Herrn Lohfert (von ihnen) geschrieben worden
  (*von* einer großen Maschine gedruckt worden).
  (‚von + Name/Pronomen/Nomen' steht in Passivsätzen = Ursache eines Sachverhalts,
  Geschehens, einer Handlung)*

Welche Bedeutung hat ‚von' in den folgenden Ausdrücken?

1. *von* morgen an beginnen □
2. *von* Bremen nach Oldenburg fahren □
3. die Zeichnung *von* Herrn Schuster ansehen □
4. *von* der Geschäftsleitung entschieden werden □
5. auf die Tochter *von* meiner Nachbarin aufpassen □
6. *vom* Chefingenieur erfunden worden □
7. *von* nachmittags bis abends arbeiten □
8. *von* der Schule kommen □
9. *von* 8 Uhr an fernsehen □
10. die Schreibmaschine *vom* Personalbüro benutzen □
11. *von* Routinearbeiten erschreckt werden □
12. *von* zu Hause abholen □
13. *vom* dritten Lebensjahr an eine Brille tragen □
14. die Maße *von* der neuen Wohnung ausrechnen □
15. *von* der technischen Entwicklung verursacht werden □
16. *von* April bis heute ohne Arbeit sein □
17. *von* Herrn Schuster gezeichnet werden □
18. *vom* Kino nach Hause gehen □
19. an einem Lehrgang *von* der Gewerkschaft teilnehmen □
20. *vom* Tisch fallen □

12. ‚Werden' hat verschiedene Bedeutungen.

B1/2
BD

A. Die Bücher *werden* mit der Post geschickt.
  (‚Werden' verwendet man hier, um das Passiv zu bilden.)*

B. Ich *werde* die Fotos nächste Woche vergrößern lassen.
  (‚Werden' verwendet man hier, um das Futur zu bilden.)*

C. Er *wird* Vertreter einer deutschen Firma im Ausland. – Ein Traum *wird* selten wahr.
  (‚Werden' ist hier ein normales Verb und bedeutet, daß sich eine Person oder Sache zu
  einem bestimmten Ziel oder Zustand entwickelt.)*

Welche Bedeutung hat ‚werden' in den folgenden Sätzen?

1. Von wem ist das Foto gemacht *worden?*
2. Einige Fotos sind zu dunkel *geworden.*
3. Die Fotos *werden* morgen neu gemacht.
4. Die Fotos müssen neu gemacht *werden.*
5. Wir *werden* die Fotos morgen machen.
6. Die Fotos *werden* bestimmt gut *werden.*

Lektion 3

B1/2 BD

13. ‚Haben + zu + Infinitiv'.

Herr Faltermeier *hat zu entscheiden*, wie die Texte und Bilder auf der Seite stehen.
Es paßt mir nicht, den Abwasch sofort zu erledigen, wenn ich Wichtigeres *zu tun habe*.
(‚haben + zu + Infinitiv' = müssen)

Sagen Sie es anders. Bilden Sie Sätze mit ‚haben + zu + Infinitiv'.

a) Eva muß abends das Geld zur Bank bringen.
b) Der Fabrikdirektor meint: Ein Arbeiter muß genauso funktionieren wie eine Maschine.
c) Der Meister muß die Qualität der Produkte ständig kontrollieren.
d) Die Arbeiter müssen am Eingang zur Fabrik ihre Betriebsausweise zeigen.

B1/2 BD

14. ‚Besonders, recht, ziemlich, ganz, sehr'.

Im Deutschen werden Adjektive durch die Wörter ‚besonders', ‚recht', ‚ziemlich', ‚ganz' und ‚sehr' verstärkt. Zum Beispiel:

– Er schreibt *recht* schnell.
– Den Sprachkurs fand ich *ganz* gut.
– Die Arbeit wird *ziemlich* gut bezahlt.

– Eva arbeitet in einem *sehr* kleinen Reisebüro.
– Routinearbeiten sind *besonders* langweilig.

Es ist unmöglich, die Bedeutungsunterschiede zwischen diesen Wörtern mit einer Regel genau zu erklären, weil sie je nach Situation verschieden verwendet werden. Man kann aber sagen, daß ‚ganz', ‚recht' und ‚ziemlich' schwächer sind als ‚sehr' und ‚besonders'.

B1/2 BD

15. Was können Sie auch sagen?

a) *Bei einem Ferienjob kommt es mir nur auf das Geld an.*
   Ⓐ Ich bekomme bald einen guten Ferienjob.
   Ⓑ Bei einem Ferienjob ist für mich die Bezahlung das wichtigste.
   Ⓒ Ich nehme jeden Ferienjob.

b) *Wenn das neue Produkt keinen Erfolg hat, müssen 200 Arbeiter gehen.*
   Ⓐ Wenn das neue Produkt keinen Gewinn bringt, wird 200 Arbeitern gekündigt.
   Ⓑ Wenn das neue Produkt ein Mißerfolg wird, werden 200 Arbeiter entlassen.
   Ⓒ Wenn das neue Produkt schlecht ist, müssen 200 Arbeiter laufen.

c) *Was stellt diese Maschine her?*
   Ⓐ Wohin kann man diese Maschine stellen?
   Ⓑ Was steht auf dieser Maschine?
   Ⓒ Was produziert diese Maschine?

d) *Ein Bauer hat keine geregelte Arbeitszeit.*
   Ⓐ Ein Bauer arbeitet nicht jeden Tag die gleiche Stundenzahl.
   Ⓑ Ein Bauer hat viel Zeit und wenig Arbeit.
   Ⓒ In der Regel hat ein Bauer keine Zeit.

e) *Die Maschine muß täglich gereinigt werden, sonst hält sie nicht lange.*
   Ⓐ ..., sonst geht sie bald kaputt.
   Ⓑ ..., dann sieht sie besser aus.
   Ⓒ ..., damit sie immer sauber ist.

f) *Bitte halten Sie mein Kind für einen Moment!*
   Ⓐ Bitte helfen Sie meinem Kind!
   Ⓑ Bitte nehmen Sie mein Kind kurz auf den Arm.
   Ⓒ Bitte spielen Sie ein bißchen mit meinem Kind.

g) *Die Gewerkschaft konnte die Entlas-*
   sungen nicht verhindern.
   Ⓐ Die Gewerkschaft konnte nichts gegen
      die Entlassungen tun.
   Ⓑ Die Gewerkschaft hat niemanden
      entlassen.
   Ⓒ Die Gewerkschaft hatte mit den Ent-
      lassungen nichts zu tun.

h) *Mein Vater hat mir zum Bäckerberuf*
   geraten.
   Ⓐ Mein Vater hat mir den Rat gegeben,
      Bäcker zu werden.
   Ⓑ Mein Vater zwingt mich, Bäcker zu
      werden.
   Ⓒ Mein Vater möchte, daß ich zum
      Bäcker gehe.

16. Ergänzen Sie die Verben. Manchmal passen zwei.

B3
WS

> zwingen – sichern – erfüllen – aufgeben – einstellen$_1$ – erfinden – verursachen – verpassen
> sich verhalten – entwickeln – einstellen$_2$ – einstellen$_3$ – beschäftigen – gezwungen sein –

a) Wenn Herr K. nicht mehr Auto fahren kann, muß der Betrieb einen neuen Fahrer

   _____ .

b) Damit die Maschinen gut funktionieren, müssen sie jede Woche neu _____ werden.

c) Die Gewerkschaften fordern, daß die Arbeitgeber sich sozial _____ .

d) Viele Eltern _____ ihre Kinder, einen Beruf zu lernen, den sie nicht mögen.

e) Georg hat seine Stelle _____ . Er hat letzte Woche gekündigt.

f) Der Betrieb machte keine Gewinne mehr. Er war _____ , Leute zu entlassen.

g) Ernst hat seinen Plan _____ , Drucker zu werden. Er lernt jetzt Automechaniker.

h) Die Firma hat einen neuen Ticketautomaten _____ , der viel besser funktioniert als die
   alten und sogar Geldscheine wechselt.

i) Die Ingenieure haben ein neues Produktionsverfahren _____ , das den neuen Sicher-
   heitsvorschriften entspricht.

j) Die Fabrik hat letzten Monat neue Großaufträge bekommen. Das _____ die Arbeitsplätze für ein halbes Jahr.

k) Die Geschäftsleitung hat viele Pannen _____ . Deshalb sind die wirtschaftlichen Erwar-
   tungen der Besitzer nicht _____ worden.

l) Der technische Fortschritt _____ viele soziale Probleme, denn die Betriebe
   _____ immer schnellere Produktionsverfahren und Automaten und _____
   immer weniger Angestellte und Arbeiter _____ .

m) Der Betrieb hat die Entwicklung des technischen Fortschritts _____ , deshalb produziert er jetzt zu teuer und macht keine Gewinne mehr.

17. Was paßt nicht?

B3
WS

a) Kredit – Gewinn – Kapital – Verlust – Erfolg

b) Geschäftsleitung – Bedienung – Macht – Verantwortung – Verwaltung

c) Gebrauchsanweisung – Entwicklung – Verfahren – Fortschritt – Automat

d) Betrieb – Werk – Fabrik – Verwaltung – Gesellschaft – Firma

e) Höhe – Größe – Mittel – Maß – Menge – Breite

f) Praktikant – Verhalten – Meister – Soldat – Fachmann – Taxifahrer

g) Schutz – Sicherheit – Gefahr – Unfall – Interesse

h) Information – Erfahrung – Ausbildung – Umfang – Wissen

i) Änderung – Fehler – Panne – Unfall – Krise

j) Artikel – Ware – Produkt – Bedarf

Vergleichen Sie Ihre Lösung noch nicht mit dem Lösungsschlüssel! Hier ist noch eine Hilfe, wenn Sie Schwierigkeiten hatten:

1. ☑ Vier Wörter haben mit der Gesundheit am Arbeitsplatz zu tun.
2. ☐ Drei Wörter bedeuten Dinge, die in Fabriken zum Verkauf gemacht werden.
3. ☐ Vier Wörter gehören zu großen Industriebetrieben.
4. ☐ Fünf Wörter haben mit Zählen oder Messen zu tun.
5. ☐ Vier Wörter haben mit Geld in der Wirtschaft zu tun.
6. ☐ Vier Wörter bedeuten Dinge, über die man sich nicht freut.
7. ☐ Vier Wörter haben allgemein mit moderner Technik zu tun.
8. ☐ Vier Wörter haben mit Lernen und Denken zu tun.
9. ☐ Fünf Wörter bedeuten Personen.
10. ☐ Fünf Wörter haben (fast) die gleiche Bedeutung.

B3
WS

18. Ergänzen Sie Adjektive und Nomen.

sozial großzügig wirtschaftlich technisch stark	+	(s) Interesse (r) Bedarf (r) Mißerfolg (r) Meister (r) Fortschritt (e) Geschäftsleitung (s) Verfahren (e) Kontrolle (e) Lage (e) Verantwortung (e) Leistung

a) Der schnelle technische Fortschritt ist heute ein soziales Problem, weil die neuen Maschinen und Automaten immer mehr Menschen arbeitslos machen.

b) Die _____ in der Druckindustrie sind besser geworden. Vor allem gibt es jetzt mehr Urlaubsgeld als früher.

c) Die _____ des Betriebs ist nicht sehr gut; in diesem Jahr werden keine Gewinne gemacht.

d) Der Chefingenieur trägt die Verantwortung für die _____ aller Maschinen, damit keine Pannen passieren.

e) Für die Produktion von Kunststoffen sind in den letzten Jahren neue _____ entwickelt worden.

f) Die Gewerkschaft ist der Meinung, daß die Betriebe für die Arbeiter eine _____ haben, denn die Technik soll dem Menschen dienen und nicht der Mensch der Technik.

g) Die neuen Artikel sind ein _____; sie können nur schwer verkauft werden.

h) Unsere Abteilung hat einen _____, mit dem wir alle gern zusammenarbeiten.

i) Natürlich hat jeder Betrieb ein _____ daran, so viel und billig wie möglich zu produzieren.

j) Das Werk hat eine sehr _____. Die Arbeiter und Angestellten werden viel besser bezahlt als in anderen Betrieben.

k) Es gibt in der Wirtschaft einen _____ an Ingenieuren und Technikern, die neue Produktionsverfahren entwickeln und kontrollieren können.

19. Welche Ergänzungen passen wo?

> mit Computern – an einem Praktikum – auf den wirtschaftlichen Erfolg
> mit netten Kunden – auf die Geschäftsleitung – aus Metall
> mit wichtigen Reiseinformationen – aus Kunststoff – an der Konferenz – mit Kleidern
> aus Holz – auf einen hohen Gewinn – für die Druckindustrie – mit Reisegruppen
> mit ganz verschiedenen Waren – für die Großbetriebe – aus einem neuen Material
> mit vielen verschiedenen Arbeiten – mit Spielautomaten – auf gute Fachleute
> an einem Sprachkurs – für das nächste Jahr – an der Meisterprüfung

a) Die neuen Arbeitszeiten gelten *für alle Arbeiter* _____.
   _____.
   _____.
   _____.

b) Georg arbeitet in einem Betrieb, der _____ handelt.
   _____
   _____
   _____

c) Eva hat letztes Jahr _____ teilgenommen.
   _____
   _____
   _____

d) Im Reisebüro hat man _____ zu tun.
   _____
   _____
   _____

e) Der Fabrikdirektor meint: Im Betrieb kommt es _____ an.
   _____
   _____
   _____

f) Die Maschine besteht _____.
   _____.
   _____.
   _____.

Lektion 3

**B3
WS**

20. ‚Jeweils‘, ‚jeder-jede-jedes‘, ‚ein paar‘, ‚alle‘ oder ‚einzelne‘? Ergänzen Sie.

a) _____ das zweite Glas hat einen Punkt.

b) _____ zweite Glas hat einen Punkt.

c) In _____ Gläsern ist Bier.

d) In _____ Glas ist Bier.

e) _____ Gläser sind kaputt.

f) _____ Glas ist kaputt.

g) _____ vierte Glas steht auf einem Teller.

h) _____ das vierte Glas steht auf einem Teller.

**B3
WS**

21. Ergänzen Sie.

passieren – anfangen – schimpfen
versuchen – geben – arbeiten
bedienen – beginnen
kriegen – aufhören – besorgen
gefallen – verdienen
aufstehen – trinken
vergessen – stehlen
gehen – beschweren – sagen

‚Den Job hat mir eine Freundin ①_____, die hier an den Wochenenden

②_____. Ich ③_____ ganz gut, und das Trinkgeld darf man auch nicht

④_____. Die Arbeitszeit ⑤_____ mir auch. Ich ⑥_____ um 4 Uhr nach-

mittags und kann meistens schon vor Mitternacht ⑦_____. Wissen Sie, ich

⑧_____ lieber abends, weil ich dann morgens nicht so früh ⑨_____ muß.

Natürlich ⑩_____ es auch manchmal Ärger. Manche Gäste ⑪_____ zum Bei-

spiel, Gläser zu ⑫_____. Wenn das zum zweiten Mal ⑬_____, ⑭_____

der Gast Hausverbot. Oder wenn jemand zuviel Bier ⑮_____ hat, muß ich ihm

⑯_____, daß er nach Hause ⑰_____ soll. Die meisten wollen dann einen Streit

⑱_____ und ⑲_____ laut. Manche wollen sich sogar beim Chef über mich

⑳_____.

**B3
WS**

22. ‚Über‘ + Adjektiv. Ergänzen Sie.

übergenau				überglücklich
	überdurchschnittlich	überängstlich		
		überpünktlich	übermenschlich	

a) Ein Betrieb, der mehr Gewinne macht als andere Betriebe, macht _____ Gewinne.

b) Eine Person, die so stark ist, daß man es gar nicht glauben kann, hat _____ Kräfte.

50

c) Eine Person, die in allen Dingen viel zu vorsichtig ist, ist _____.
d) Eine Person, der ein ganz großer Wunsch erfüllt worden ist, ist _____.
e) Eine Person, die alles ohne den kleinsten Fehler machen will, ist _____.
f) Eine Person, die zu Terminen und Verabredungen immer zu früh kommt, ist _____.

23. Schreiben Sie einen Dialog.

B3
BD

- Die Firma ist verkauft worden und unsere Abteilung wurde geschlossen.
- Nein. Hast du selbst gekündigt?
- Ich wünsche dir jedenfalls viel Glück.
- Nicht besonders gut. Vorläufig werde ich wohl keine neue Stelle finden.
- Was machst du denn hier?
  Bist du etwa arbeitslos?
- Und warum haben sie dich entlassen?
- Ich bin doch nicht verrückt!
- Ja, seit drei Wochen. Hast du das nicht gewußt?
- Wie sind denn die Chancen auf dem Arbeitsmarkt?

○ Was machst du denn hier? Bist du etwa arbeitslos? _____

□ _____

24. Beschreiben Sie, wie diese Maschine funktioniert.

B3
SA

der Wecker   der Hammer   klingeln

der Wassereimer   durchschneiden

das Scharnier   der Faden   der Klöppel

die Wippe   fallen   das Brettchen

wecken   der Haken   das Messer

_____
_____
_____
_____

Animateurin – ein Traumjob?

Klingt schon toll: Animateurin auf einem Luxusdampfer. Wir wollten mal wissen, wie so ein Job wirklich aussieht, und unterhielten uns mit Beate Tradt.

Sie sind jetzt 34 und arbeiten als Animateurin auf Kreuzfahrtschiffen und in Ferienclubs. Wie sind Sie dazu gekommen? Hat Sie einfach irgendwann das Fernweh gepackt?
Eigentlich war es purer Zufall. Ich habe Grafik-Design studiert, aber keinen Job gefunden. Ich habe dann ein Lehramtsstudium drangehängt, aber auch als Lehrer gab es praktisch keine Hoffnung, eine feste Anstellung zu finden. Damals habe ich in einer Zeitung einen Leserbrief gelesen, in dem ganz begeistert über eine Sängerin an Bord eines Kreuzfahrtdampfers berichtet wurde. Das hat mich interessiert. Was die kann, das kann ich auch – dachte ich mir. Schließlich hatte ich ja schon zehn Jahre lang so nebenher in einer Band gesungen. Ich habe mich also bei verschiedenen Reiseveranstaltern beworben, als Sängerin und Animateurin.

Und dann hat es sofort geklappt?

Ja, ich war ganz erstaunt, weil ich selbst nicht so recht daran geglaubt hatte. Ich wurde als Sängerin für eine sechswöchige Kreuzfahrt von Caracas in Venezuela nach Genua engagiert.

War diese Reise so, wie Sie es sich vorgestellt hatten?
Nur teilweise. Der Job als Sängerin war etwas schwierig, ich mußte viele Schlager singen, die ich vorher gar nicht gekannt hatte. Mein nächster Job war dann in einem Ferienclub auf Mallorca, als Animateurin. Und danach wurde ich wieder für Kreuzfahrten engagiert, ebenfalls als Animateurin.

Welche Aufgaben hat man denn da?
Morgens gegen halb acht mache ich erst einmal eine kleine Radiosendung, mit der Schiffsradiostation. Ich wecke die Passagiere, gratuliere denen, die Geburtstag haben, erzähle, was wir an diesem Tag tun werden, und spiele viel Musik. Später leite ich die Morgengymnastik, dann bereite ich Bordspiele vor, zum Beispiel

Shuffle-board, Volleyball, Skat-Turniere oder die Wahl der schönsten Dame oder des bestaussehenden Herrn an Bord. Abends gibt es dann noch irgendeine Aufführung oder ein Bingo-Spiel. Und außerdem plane ich die Landausflüge…

Haben Sie keine Angst, daß Ihnen mal die Ideen ausgehen?
Eigentlich nicht. Ich habe ein bewährtes Programm im Kopf, dazu probiere ich manchmal etwas Neues aus.

Sie sind durch Ihre Kreuzfahrten schon viel herumgekommen. Würden Sie sagen, daß Sie diese Länder jetzt wirklich kennen?
Nein, sicher nicht. Um ein Land richtig kennenzulernen, muß man zu den Menschen dort Kontakte knüpfen. Bevor es dazu kommen kann, sind wir schon wieder auf See.

Sie sind oft monatelang an Bord eines Schiffes, haben dann drei, vier Wochen Pause, bis Sie wieder auf Reisen oder in einen Ferienclub ge-

hen. Ist das nicht sehr anstrengend? Oder ein bißchen traurig, wenn man immer wieder Abschied nehmen muß?
Natürlich bin ich durch meinen Beruf ziemlich entwurzelt. Mein Apartment habe ich gerade aufgegeben und lebe – wenn ich mal zu Hause bin – bei meinen Eltern. Dort in Bonn wohnen auch die meisten meiner Freunde. Eine feste Partnerschaft kann man bei diesem Job nicht führen. Auf der anderen Seite lerne ich unheimlich viele Menschen kennen. Mit einigen Berufskollegen bin ich inzwischen befreundet – dann ist es natürlich herrlich, wenn man irgendwann gemeinsam arbeiten kann.

Sie versuchen, anderen Menschen einen schönen Urlaub zu machen. Was tun sie eigentlich, wenn Sie selber Ferien haben?
Ich reise – wie alle anderen. Allerdings meist allein oder mit Freunden auf eigene Faust quer durch irgendein Land, das ich noch nicht kenne.

50 alles
54 e Anmeldung,
   -en
54 r Antrag, ̈e
54 s Antragsformu-
   lar, -e
50 auf
50 aus
53 ausfüllen
50 e Ausnahme, -n
54 e Ausstellung,
   -en
54 e Bedingung, -en
52 r Beginn
48 begründen
56 behalten
54 behandeln
50 sich bemühen
54 r Bescheid, -e
55 bestimmt
48 bestrafen
47 rauchen
50 r Briefkasten, ̈
56 e Drucksache, -n
48 einfach
56 s Einschreiben, -
56 r Empfänger, -
49 entsprechen
52 erhöhen
54 e Erkältung, -en
51 erreichen
50 r Fall, ̈e
54 fließend
54 s Formular, -e
54 e Gebühr, -en
54 s Gegenteil
50 grundsätzlich
54 halten
54 r Hammer, ̈
54 r Himmel
54 husten
56 r Kamm, ̈e
55 klar

56 s Kleingeld
54 kostenlos
56 e Krankenkasse,
   -n
50 kümmern
54 r Künstler, -
51 locker
56 e Luftpost
56 merken
55 e Methode, -n
56 minus
56 s Mißtrauen
50 mitmachen
54 s Mittel, -
52 mitzählen
56 e Nadel, -n
56 r Notruf
54 nützlich
50 e Pflicht, -en
56 s Rezept, -e
56 e Rückfahrkarte,
   -n
54 e Salbe, -n
50 sein
49 selbstverständ-
   lich
52 s Semester, -
54 sowohl
56 e Speisekarte, -n
54 stattfinden
48 e Strafe, -n
56 s Taschentuch,
    ̈er
55 teils
54 e Tropfen (Pl.)
52 um
55 unterrichten
54 verbinden
56 e Verbindung,
   -en
50 s Verhältnis
54 verschreiben
50 r Vertreter, -

49 viel
54 r Vortrag, ̈e
52 warnen
56 r Waschlappen, -
48 wiederholen
54 e Wunde, -n
56 r Zahnarzt, ̈e
54 e Zange, -n
50 e Zeitschrift, -en
51 r Zusammen-
   hang, ̈e

Lektion 4

B1/2
WS

1. Was paßt wo?

die Zahl der Fächer – den Satz – um einen Kindergartenplatz – eine Strafe –
eine Ausnahme – vor der schwierigen Aufgabe – der Schwierigkeit der Aufgabe –
seiner beruflichen Stellung – vor München – um eine gute Stellung – Deutsch –
die Aufgabe – einen Fehler – vor der großen Verantwortung – ein Interesse –
um bessere Leistungen – die Schülerin – eine Meinung – der großen Bedeutung des
Falles – vor der Schulleitung – die ganze Klasse – um bessere Kontakte –
den Preis der Zeitschrift – eine schlechte Leistung – Informatik –
die Menge der Aufgaben – um gutes Deutsch – der Vorstellung von moderner Kunst

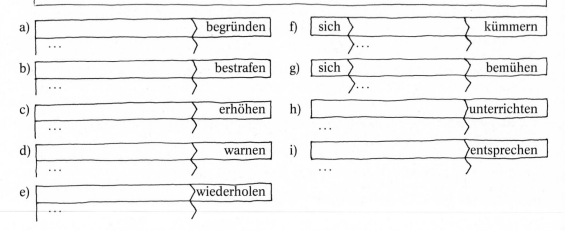

a) [...] ⟩ begründen   f) sich ⟩ ... ⟩ kümmern

b) [...] ⟩ bestrafen   g) sich ⟩ ... ⟩ bemühen

c) [...] ⟩ erhöhen   h) [...] ⟩ unterrichten

d) [...] ⟩ warnen   i) [...] ⟩ entsprechen

e) [...] ⟩ wiederholen

B1/2
WS

2. ‚Mit + Verb'. Bilden Sie neue Verben.

| mit | + | helfen bezahlen lernen fliegen laufen nehmen rechnen |
| | | reparieren kommen lernen |

Ergänzen Sie.

a) Wir können den Schrank nicht alleine tragen. Können Sie nicht _mithelfen_?

b) Wir fahren morgen nach Bremen. Willst du nicht _____?

c) Wenn Sie gleich _____, dann können Sie meine Rechnung sofort kontrollieren.

d) Reparieren Sie bitte die Bremse vorne. Die Handbremse funktioniert auch nicht richtig.
   Können Sie die bitte _____?

e) Im Deutschen darf man die Nomen nicht allein lernen. Man muß auch die Artikel immer

   _____.

f) Ich mache einen Waldlauf. Hast du Lust _____?

g) Heute abend wiederholen wir in der Gruppe die letzte Lektion. Möchtest du _____?

h) Du bringst doch das Radio zu Wolfgang. Kannst du bitte diese Schallplatte _____; die
   habe ich ihm versprochen.

i) Ich habe kein Geld bei mir. Kannst du meine Rechnung bitte _____?

j) Wir nehmen das nächste Flugzeug. _____ Sie auch _____?

mit₁ + Verb z. B. mitgehen, mitfahren   *(mit anderen Personen zusammen zu einem Ort gehen, fahren, ...)*

mit₂ + Verb z. B. mitmachen, mitzählen   *(mit anderen Personen zusammen etwas tun, machen, ...)*

mit₃ + Verb z. B. mitnehmen, mitreparieren   *(eine Sache gleichzeitig mit einer anderen Sache erledigen oder tun)*

Welche Bedeutung hat ‚mit' in den Sätzen a) bis j)?

mit₁: _____   mit₂: *a)*, _____   mit₃: _____

3. Einige wichtige Indefinitpronomen.

B1/2
WS

Wenn man im Deutschen über eine allgemeine Sache oder über einen Teil einer allgemeinen Sache sprechen möchte, dann verwendet man dafür Indefinitpronomen.

> einzelnes   alles   nichts   vieles   manches   weniges   einiges

Zum Beispiel:
- Vieles hat sich schon verbessert, aber um *einiges* müssen wir uns noch kümmern.
- Ich bin mit *allem* einverstanden.
- *Einzelnes* haben wir verändern können, doch es gibt noch *manches*, was nicht geregelt ist.
- Wir haben in der Schule immer *alles* auswendig lernen müssen.

Ordnen Sie die Indefinitpronomen von ‚+' nach ‚–'.

+ alles _____ –

Für die Indefinitpronomen können Sie auch folgende Ausdrücke verwenden:
alle Dinge/Sachen, einige Dinge/Sachen, viele Dinge/Sachen, einzelne Dinge/Sachen, wenige Dinge/Sachen, manche Dinge/Sachen.
Für Personen heißen die Indefinitpronomen: manche, einzelne, alle, wenige, viele, einige, niemand (!), mehrere, jede(r).
Beachten Sie: Die Formen der Indefinitpronomen kann man verändern.

4. Bilden Sie Sätze mit ‚nicht/nie/nur/selten/ ... + brauchen + (zu) + Infinitiv' (= nicht/nie/nur/selten/ ... müssen).

B1/2
GR

a) Früher mußten alle Schüler dieselbe Kleidung tragen, heute *(keine Uniform mehr tragen)*
brauchen sie keine Uniformen mehr (zu) tragen. _____
Ebenso:

b) Der Kindergarten ist freiwillig. Die Kinder *(nicht in den Kindergarten gehen)* _____
_____ .

c) Carola hat heute nachmittag frei, sie *(keine Hausaufgaben machen)* _____
_____ .

d) Claudia muß ihrer Mutter im Haushalt sehr viel helfen, aber Michael *(nie zu Hause zu helfen)* _____
_____ .

Lektion 4

e) Michael kann mit seinem Vater über Probleme diskutieren. Er *(nicht alles machen, was sein Vater vorschlägt)* _____.

f) In der Bundesrepublik ist Schule meistens nur vormittags, die Schüler *(selten am Nachmittag zur Schule gehen)* _____.

g) Ich kann die Aufgabe allein lösen. Du *(mir nicht helfen)* _____.

h) Wir treffen uns in der Wirtschaft ‚Zur Post'. Ihr *(uns nicht abholen)* _____.

i) München ist ein Freizeitparadies. Man *(nur eine Stunde fahren)* _____, und schon ist man in den Alpen.

B1/2
GR

5. Warum war es früher anders? Ein Kind fragt seine Eltern.

a) O Warum habt ihr immer das getan, was euch der Lehrer sagte?
   □ Damals *(den Lehrer nicht kritisieren dürfen)* haben wir den Lehrer nicht kritisieren dürfen.

b) O Warum seid ihr nicht länger zur Schule gegangen?
   □ Wir *(das nicht dürfen)* _____. Unsere Eltern *(das nicht wollen)* _____.

c) O Warum haben euch die Lehrer geschlagen?
   □ Das war nicht verboten. Die Lehrer *(uns schlagen dürfen)* _____.

d) O Warum habt ihr nicht studiert?
   □ Wir *(es wollen)* _____, aber *(es nicht können)* _____, weil wir *(kein Abitur machen dürfen)* _____.

e) O Warum haben die Mädchen keine Hosen getragen?
   □ Sie *(Hosen tragen wollen)* _____, aber sie *(es nicht dürfen)* _____.

f) O Warum habt ihr in der Schule nie frei eure Meinung gesagt?
   □ Wir *(in der Schule nicht diskutieren dürfen)* _____ und *(das tun müssen)* _____, was der Lehrer uns gesagt hat.

   Tip: Sie müssen das Perfekt der Modalverben nicht unbedingt verwenden. Das Präteritum ist einfacher und wird deshalb auch öfter verwendet.

B1/2
GR

6. Sagen Sie es anders.

a) Während sie zu Abend essen, läuft der Fernseher.
   Beim Abendessen läuft der Fernseher.
   Ebenso:

b) Während Claudia in der Küche lernt, spielt immer das Radio.

c) Wenn er Rechnungen schreibt, macht er meistens Fehler.

d) Während wir arbeiten, dürfen wir in der Fabrik nicht rauchen.
e) Wenn Claudia spielt, vergißt sie alle Probleme, die sie in der Schule hat.
f) Während er auf der Bank Geld gewechselt hat, hat er seine Brieftasche verloren.
g) Wenn sie ißt, darf man sie nicht stören.
   Vorsicht! Nicht bei allen Verben kann man die Konstruktion ‚bei + Infinitiv‘ oder
   ‚bei + Nomen + Infinitiv‘ als Nomen verwenden!

7. Ein alter Lehrer beschwert sich über die jungen Schüler. Er findet, daß früher alles besser war.

B1/2
GR

Er sagt: Wenn es so wie früher wäre, dann
a) (früher ins Bett gehen) *gingen die Schüler früher ins Bett*
   (nicht zu spät in die Schule kommen) *Sie ...*
   Ebenso:
b) (besser über die deutsche Geschichte Bescheid wissen) _____
c) (sich nicht mit anderen Schülern schlagen) _____
d) (auch an ihre Pflichten denken) _____
e) (für schlechte Leistungen keine guten Noten bekommen) _____
f) (mehr Respekt vor den Lehrern haben) _____
g) (nicht in Diskotheken gehen) _____
h) (nicht nur an die Freizeit denken _____ sondern
   (mehr auswendig lernen müssen) _____
   Tip: Den Konjunktiv II der Verben brauchen Sie nicht unbedingt lernen. Es reicht, wenn
   sie die Formen mit ‚würde + Infinitiv‘ kennen. Das ist einfacher. Auch die Deutschen
   verwenden im täglichen Leben meistens diese Formen.

Ihre Grammatik. Ergänzen Sie.

	Konjunktiv II	würde + Infinitiv
Ich	bekäme bessere Noten.	würde bessere Noten bekommen.
Du		
Er/Sie Man		
Wir		
Ihr		
Sie		

8. Sagen Sie es anders.

B1/2
GR

a) Die Münchner Studenten gehen in den Englischen Garten, nicht um zu studieren, sondern
   um in der Sonne spazierenzugehen.
   Die Münchner Studenten gehen nicht zum Studium, sondern zum Spazierengehen
   in den Englischen Garten.
   Ebenso:
b) Die Bücher halten sie vor die Nase, um sich vor der Sonne zu schützen.
c) Die Studenten fahren am Wochenende nach Südtirol, um dort zu klettern.

Lektion 4

d) Um Ski zu fahren, fahren sie im Winter in die bayerischen Berge.

e) Nach Jugoslawien ans Mittelmeer fahren sie, um zu schwimmen und zu surfen.

f) Um Bier zu trinken, gehen sie in ganz normale Wirtschaften. Typische Studentenkneipen gibt es nicht.

g) Um Geld zu verdienen, arbeiten sie als Skilehrer, Dolmetscher, Kellner oder Babysitter.

B1/2
GR

9. Nomen und Pronomen im Text.

a) Um gutes Deutsch zu schreiben, darf man in Texten nicht nur Nomen verwenden, sondern man muß dort, wo es möglich ist, auch Pronomen gebrauchen.
Ergänzen Sie die folgenden Nomen und Pronomen im Text unten.

beide   er   sie   ihre   er   Claudia
Claudia und Michael. Beide   sie   Claudia und Michael   Claudia
er   sie   Michael   sie   ihr   Michael   ihre   er   sie

Zwei Lebenswege

In der zweiten Klasse der Grundschule sitzen sie nebeneinander: sind   sieben Jahre alt. In der Pause tauschen   Tierfotos gegen Buntstifte. Am Nachmittag gehen   zum Schwimmtraining ins Schwimmbad. Viele glauben, daß   Geschwister sind. Aber   sind in Wirklichkeit sehr weit voneinander entfernt.
     hat in der zweiten Klasse Grundschule keine schlechteren Noten als Michael. Nach zwei Jahren geht   zur Hauptschule. Danach sinken   Leistungen in der Schule. Mit 13 Jahren muß   die Klasse wiederholen. Im Unterricht ist   still, macht   Hausaufgaben nicht immer regelmäßig und bleibt zum zweitenmal sitzen. Die Lehrer sagen, daß es   an Fleiß, Interesse und Begabung fehlt.   macht keine Abschlußprüfung in der Hauptschule. Nach einem halben Jahr zu Hause findet   einen Job in einer Schuhfabrik.
     dagegen wechselt nach dem 4. Schuljahr ins Gymnasium und hat durchschnittliche Noten. Mit fünfzehn Jahren bekommt   Schwierigkeiten in Mathematik und Physik. Deshalb bekommt   nach dem Unterricht Privatunterricht: 35 Mark für 45 Minuten. Mit 16 und 17 Jahren entwickelt   sehr gute Leistungen in Deutsch und Geschichte. Am Ende macht   ein befriedigendes Abitur. Nach dem Dienst in der Bundeswehr studiert   Jura und wird später Rechtsanwalt.
. . .

Vergleichen Sie jetzt ihre Lösung mit dem Text im Kursbuch. Sie muß nicht genauso aussehen. Wichtig ist aber,
– daß klar ist, für welche Nomen die Pronomen stehen, und
– daß am Anfang jedes Absatzes ein Nomen steht.
Unterstreichen Sie jetzt (mit Bleistift) die Nomen so ‚⌇⌇⌇‘ und die Pronomen so ‚_____‘ und kontrollieren Sie, ob immer klar ist, für welche Nomen die Pronomen stehen.

b) Es gibt verschiedene Arten von Pronomen. Recht häufig sind die Pronomen, die so gebildet werden:
– ‚da + Präposition‘ (z. B. dazu, damit, danach, dadurch, dafür, dagegen, . . .)
Sie können sowohl für einzelne Dinge stehen, als auch für einen Sachverhalt.

Im Sommersemester 1984 studierten 48 000 junge Menschen an der Universität und 19 000 an der Technischen Universität. Dazu kommen noch die verschiedenen Fachhochschulen. Zusammen sind es rund 80 000 Studenten. Damit ist München die größte Studentenstadt der Bundesrepublik.

In diesem Teil eines Textes aus dem Kursbuch (S. 51) kann man klar erkennen, für welche Sache die Pronomen ‚dazu' und ‚damit' stehen:

… 48 000 junge Menschen …   Dazu kommen …

Zusammen … 80 000 Studenten. Damit ist …

Diese Pronomen sind schon im Arbeitsbuch Lektion 2 Übung Nr. 26 geübt worden.

10. Wie war es früher? Wie ist es heute? Ergänzen Sie ‚dürfen' oder ‚müssen'.

B1/2 GR

a) Früher ___mußten___ die Schüler ganz still in Bänken sitzen, und wir ___durften___ nur etwas sagen, wenn der Lehrer uns fragte. Heute ___dürfen___ die Schüler ganz normal an Tischen sitzen. Sie _____ frei diskutieren und _____ etwas sagen, auch wenn sie der Lehrer nicht direkt etwas fragt.

b) Heute _____ die Kinder in der Schule anziehen, was sie wollen. Früher _____ sie Schuluniformen tragen, und die Mädchen _____ nicht mit Hosen in die Schule gehen.

c) Früher _____ der Lehrer die Schüler schlagen. Heute _____ der Lehrer zwar mit anderen Mitteln bestrafen, aber er _____ die Schüler nicht schlagen.

d) Heute _____ die Schüler offen ihre Meinung sagen. Früher _____ man in der Schule nicht frei diskutieren.

e) Früher _____ die Schüler aufstehen, wenn der Lehrer sie etwas fragte. Heute _____ sie sitzen bleiben, wenn sie eine Frage des Lehrers beantworten.

f) Heute _____ die Schüler auch selber Vorschläge dafür machen, was sie lernen wollen. Früher _____ die Schüler immer das tun, was der Lehrer wollte. Mitbestimmen, was sie lernen wollten, _____ sie nicht.

11. ‚Erreichen' hat verschiedene Bedeutungen.

B1/2 BD

A. Detlef muß jetzt gehen, weil er den letzten Bus um 23 Uhr *erreichen* will.
   (erreichen = ein Verkehrsmittel bekommen; pünktlich vor der Abfahrt da sein)
B. Bis 14 Uhr können Sie den Schulleiter in seinem Büro *erreichen*.
   (erreichen = jemanden treffen; jemanden sprechen können)
C. Eine Schülervertretung hat nicht viele Rechte, aber sie kann trotzdem einiges *erreichen*.
   (erreichen = an einem Ziel ankommen; bekommen, was man wollte; etwas mit Erfolg tun)
D. Damals *erreichte* die Studentenzahl bereits 2000.
   (erreichen = im Lauf einer Entwicklung bei einer Zahl/Menge ankommen)

Welche Bedeutung hat ‚erreichen' in den folgenden Sätzen?

1. Wie hast du *erreicht*, daß die Krankenkasse dir so schnell Bescheid gegeben hat? □
2. Gegen 17 Uhr *erreicht* der Verkehr in München einen Höhepunkt. □
3. Der Briefträger kann den Empfänger des Schreibens nicht *erreichen*. □
4. Mit ihrer Warnung, nicht in München zu studieren, hat die Universität nichts *erreicht*. □
5. Jetzt kann ich länger bleiben; den Zug um 17 Uhr *erreiche* ich doch nicht mehr. □

Lektion 4

6. Die Entwicklung der Studentenzahl an der Münchner Uni hat ihr Ende noch längst nicht *erreicht*. ☐

7. Frau Wulf ist heute nicht in der Firma, aber Sie können sie zu Hause *erreichen*. ☐

8. Wenn du diese U-Bahn noch *erreichen* willst, mußt du dich beeilen. ☐

B1/2 BD

12. ‚Bekommen' hat viele Bedeutungen. Wiederholen Sie die wichtigsten.

was 〉 bekommen

A. Zu meinem fünften Geburtstag habe ich ein Fahrrad *bekommen*.
   ○ Von wem hast du die Blumen *bekommen*?
   ☐ Die habe ich nicht *bekommen*, die habe ich mir selbst gekauft.
   als Geschenk erhalten

B. Wenn ich mich beeile, *bekomme* ich noch den Zug um 19.10 Uhr.
   ein Verkehrsmittel erreichen

C. *Im Restaurant:* Ich *bekomme* den Schweinebraten und ein Bier, bitte.
   Im Lebensmittel-Laden: Ich *bekomme* ein Pfund Erdbeeren.
   bestellen oder kaufen wollen

D. Briefmarken *bekommen* Sie auf der Post.
   Ich habe die Stelle in Freiburg nicht *bekommen*.
   erhalten können

E. Beim Schwimmen *bekomme* ich immer großen Hunger.
   Ich glaube, ich *bekomme* eine Grippe.
   Es ist so dunkel. Langsam *bekomme* ich Angst.
   Veränderungen im Körper oder im Gefühl spüren

F. Wir *bekommen* einen neuen Abteilungsleiter.
   Nächstes Jahr *bekomme* ich ein größeres Büro.
   erhalten, ob man will oder nicht

G. Hoffentlich *bekommen* wir bald Schnee!
   Ich glaube, wir *bekommen* heute noch ein Gewitter.
   Bekommst du am Wochenende wieder Besuch von deinen Eltern?
   erwarten dürfen oder müssen

H. Meine Schwester *bekommt* nächste Woche ihr erstes Kind.
   Müllers haben schon drei Jungen. Hoffentlich *bekommen* sie das nächste Mal ein Mädchen.
   zur Welt bringen

wem 〉wie 〉bekommen

I. Obwohl das Essen sehr fett war, ist es mir gut *bekommen*.
   Alkohol *bekommt* mir gar nicht.
   gesundheitlich gut tun

Wozu passen die folgenden Sätze? (Zur weiteren Übung können Sie jeweils noch zwei Beispielsätze selbst bilden; die Stichworte sollen nur eine Anregung sein.)

1. Ich habe gehört, daß du kein Fleisch mehr ißt. Wie *bekommt* dir das? ☐
   (große Hitze / neues Medikament)

2. Meine Tochter *bekommt* ein Kind, aber sie will den Vater nicht heiraten! □
   (Kollege gestern einen Sohn / Freundin keine Kinder)

3. Dieses Jahr *bekommen* wir bestimmt einen schönen Sommer. □
   (heute Regen? / Winter hoffentlich kalt)

4. Ich habe von meinen Freunden ein Paket *bekommen*. □
   (Weihnachten Freund Bücher / Schwester Pullover)

5. Morgen *bekommen* wir zwei Praktikanten, die uns bei den Schreibarbeiten helfen. □
   (gestern neue Kollegin / vielleicht neuen Chef)

6. Gestern mußte ich nach Hause laufen, weil ich die letzte Straßenbahn nicht mehr *bekommen* habe. □
   (Sonntag Schiff Athen müssen / nächster Bus)

7. Können wir bitte für das Kind eine kleine Portion *bekommen*? □
   (Käse 4 Scheiben / Eis zum Nachtisch)

8. Formulare für die Anmeldung zur Prüfung *bekommen* Sie im ersten Stock. □
   (Stadtplan wo? / Obst am besten auf dem Markt)

9. Als der Arzt ihm eine Spritze geben wollte, hat er einen Schreck *bekommen*. □
   (großen Hund sehen komisches Gefühl / Spaziergang Regen hohes Fieber)

13. Was paßt wo?

B3
WS

> Waschlappen – Notruf – Kamm – Speisekarte – Kleingeld – Luftpost – Gebühr –
> Briefträger – Rückfahrkarte – Einschreiben – Nadel – Anmeldung – Briefkasten –
> Rezept – Antrag – Taschentuch – Notausgang – Himmel – Hammer – Formular –
> Empfänger – Drucksache – Methode – Rasierklinge

a) Geldbetrag, den man z. B. für Verwaltungsarbeit bezahlen muß: _____

b) Papier, das man für einen bestimmten Zweck ausfüllen muß: _____

c) Post, die besonders gesichert ist: _____

d) Person, die einen Brief oder ein Paket bekommen soll: _____

e) Schriftlicher Wunsch an eine Behörde oder Verwaltung: _____

f) Mit dieser Aufschrift kann man Bücher billiger mit der Post schicken: _____

g) Geld, aber nicht aus Papier: _____

h) Briefe, Karten und Päckchen, die mit dem Flugzeug geschickt werden: _____

i) Art und Weise, wie etwas geschieht oder gemacht wird: _____

j) Bekommt man vom Arzt, wenn man ein Medikament aus der Apotheke braucht: _____

k) Damit kann man sich in einem Restaurant informieren, was es zu essen und zu trinken gibt: _____

l) Braucht man zum Reinigen der Nase: _____

m) Benutzt man zusammen mit Seife unter der Dusche oder in der Badewanne: _____

n) Wird von Männern benutzt, die keinen Bart tragen wollen: _____

o) Damit näht man: _____

p) Damit kann man seine Haare in Ordnung bringen: _____

Lektion 4

q) Erster Schritt, wenn man an einem Kurs teilnehmen möchte: _____

r) Der Mann, der die Post zu den Leuten bringt: _____

s) Telefonnummer, die man anrufen kann, wenn man dringend Hilfe braucht (z. B. bei Feuer): _____

t) Tür, die man bei Gefahr benutzt, um nach draußen zu kommen: _____

u) Hängt an Hauswänden, damit man Post hineinwerfen kann: _____

v) Werkzeug, mit dem man Nägel in die Wand schlägt: _____

w) Fahrschein für beide Richtungen: _____

x) Ist immer über uns: _____

B3
WS

14. Ergänzen Sie.

> Beginn – Ausstellung – Mißtrauen – Verhältnis – Vertreter – Pflichten – Bescheid –
> Gegenteil – Rechte – Bedingungen – Künstlerin

a) Die _____ hat ihre neuen Bilder in einer Privat_____ vorgestellt.

b) Zwischen den Lehrern und Schülern in unserer Schule gibt es kein _____. Im _____: Das _____ ist sehr gut.

c) Die Studenten wissen darüber _____, daß die Studien_____ in München vor allem beim _____ des Studiums nicht sehr gut sind. Trotzdem steigt die Zahl der Studienanfänger jedes Jahr.

d) Der Schulleiter hat uns über unsere _____ und _____ als Schüler_____ informiert.

B3
WS

15. Was paßt wo?

> Krankenkasse – Verletzung – Schmerzen – Fieber – Mittel – Verband – Zahnarzt – Salbe –
> Wunde – Tropfen – Husten – Erkältung – Apotheke – Grippe – Krankheit – Medikament

a) verschreiben: _____, _____, _____, _____

b) behandeln: _____, _____, _____, _____, _____, _____, _____

c) verbinden: _____ _____

d) (nach dem Essen) nehmen: _____, _____, _____

e) wechseln: _____, _____, _____, _____, _____, _____, _____

f) hingehen zum/zur: _____, _____, _____

B3
GR

**16. Sagen Sie es anders. Verwenden Sie die Konjunktoren ,entweder – oder',
,sowohl – als auch', ,weder – noch', ,zwar – aber nicht'.**

a) Im Kurs wird beides unterrichtet, die Methoden der Datenverarbeitung und die wichtigsten Computersprachen.
   Im Kurs werden sowohl die Methoden der Datenverarbeitung ...

b) Man kann an dem Kurs teilnehmen, wenn man ein bißchen über Mathematik oder Informatik Bescheid weiß. Beides zusammen wird nicht verlangt.

c) Man kann an dem Kurs teilnehmen, wenn man ein bißchen über Mathematik und Informatik Bescheid weiß. Man verlangt beides.

d) In diesem Kurs lernt man, wie man einen Computer mit fertigen Programmen bedient. Man lernt nicht, wie man Programme für einen Computer selbst schreibt.

e) In diesem Kurs wird man nicht in die Bedienung eines Computers oder in das Schreiben von Programmen eingeführt. Man bekommt nur allgemeine Informationen über den Gebrauch von Computern im Büro.

17. ‚Irgend-‘.

Wenn man eine Person, eine Sache, eine Uhrzeit, einen Ort oder die Art einer Handlung nicht genau kennt, dann verwendet man folgende Wörter:

A. Starker Indefinitartikel

irgend + Indefinitartikel Sgl. alle Formen — (irgendein, -eine, -einen, -einer, ...)

irgend + welche Pl. alle Formen — (irgendwelche, -welche-, -welche, ...)

Zum Beispiel:

– Braucht man für den Informatikkurs *irgendwelche* Voraussetzungen?

– Wird für den Informatikkurs irgendeine Voraussetzung verlangt?

B. Starkes Indefinitpronomen

irgend + Indefinitpronomen Sgl. + Pl. alle Formen — (irgendeiner, -eine, -eins, -welche, ...; bedeutet eine unbekannte Person/Sache)

irgendetwas (irgendwas) — (bedeutet eine allgemeine, unbekannte Sache)

irgendjemand (-jemanden, -jemandem) — (bedeutet eine unbekannte Person)

Zum Beispiel:

– ○ Mit welchem Buch werdet ihr Deutsch lernen?

  □ Mit *irgendeinem*, das ich nicht kenne. Das ist mir auch egal.

C. Indefinitadverbien

irgend + Fragewort (irgendwann, irgendwo, irgendwohin, irgendwie, ...) — bedeutet einen unbekannten Ort, eine unbekannte Zeit oder eine unbekannte Art einer Handlung

Zum Beispiel:

– ○ Wann bekommst du Urlaub?

  □ *Irgendwann* im August, ich weiß das auch noch nicht genau.

Was paßt wo? Ergänzen Sie.

> irgendwo – irgendetwas/irgendwas – irgendwelche – irgendeinen – irgendwelche
> irgendwie – irgendeinen – irgendjemandem – irgendeine – irgendwann

1. Wenn man an dem Computerkurs teilnehmen möchte, muß man da nicht _____ Voraussetzungen erfüllen?

2. Fragen Sie _____ Mann oder _____ Frau am Anmeldungsschalter. Die können Ihnen Auskunft über den Kurs geben.

Lektion 4

3. ○ Was lernt man eigentlich in dem Informatikkurs?

  □ Ich weiß das auch nicht genau; _____ Methoden der Datenverarbeitung, glaube ich.

4. ○ Gibst du mir mal einen Kugelschreiber?

  □ Welchen denn?

  ○ _____, das ist mir egal.

5. ○ Hast du _____ für die Prüfung getan?

  □ Nein, ich hatte keine Zeit.

6. ○ Was machst du mit deiner alten Kleidung? Brauchst du die nicht mehr?

  □ Nein, du kannst sie mitnehmen oder _____ schenken.

7. ○ Wann kümmerst du dich mal um die Anmeldung zur Prüfung?

  □ _____ im Februar, noch habe ich Zeit.

8. ○ Wo kann ich bitte Frau Anders erreichen?

  □ Ich glaube, sie sitzt _____ in der Kantine.

9. ○ Wenn du weiter so wenig arbeitest, dann schaffst du die Prüfung bestimmt nicht.

  □ Keine Angst, das schaffe ich schon _____.

  Welche der ergänzten Wörter sind starke Indefinitartikel (A), welche sind starke Indefinitpronomen (B) und welche sind Indefinitadverbien (C)?

B3
BD

18. Schreiben Sie einen Dialog

Und dann sollen alle entlassen werden,
die nicht mit Computern arbeiten können?

Bestimmt hast du recht. Außerdem ist es
nie ein Fehler, wenn man etwas Neues lernt.

Ich nehme ab nächstem Monat an einem
Computerkurs teil. Wie findest du das?

Warum das denn?

Das wurde zwar nicht gesagt, aber ich könnte
es mir gut vorstellen.

Ganz einfach: Ab nächstem Jahr wird in unserer
Firma alles mit Computer gemacht; das hat uns
die Geschäftsleitung letzte Woche gesagt.

Das stimmt auch, aber jetzt muß sich das
ändern, sonst verliere ich meinen Arbeitsplatz.

Ganz gut, aber ich dachte immer, daß du dich für
Technik nicht interessierst.

○ Ich nehme ab nächstem Monat ... _____

□ _____

○ ... _____

64

19. ‚Hoch/hohe-' hat verschiedene Bedeutungen.

B3
BD

A. Die Gebühren für den Computerkurs sind ziemlich *hoch*.
   Die Studenten in den *höheren* Semestern wissen, wie man in München einen Job bekommt.
   Die Zahl der Studenten in München wird immer *höher*.
   (hoch = groß an Zahl oder Menge)
B. Studenten wohnen oft in kleinen Zimmern *hoch* oben unter dem Dach.
   Der Briefkasten hängt sehr *hoch* an der Wand, man kann die Post kaum hineinwerfen.
   (hoch = weit oben; in großer Höhe)
C. Die Lebensgeschichte der beiden Kinder ist *hochinteressant/höchst* interessant.
   (hoch/höchst vor Adjektiven = sehr, besonders. Es sind allerdings nur bestimmte Adjektive, vor denen ‚hoch/höchst' stehen kann!)

Welche Bedeutung hat ‚hoch/hohe-' in den folgenden Sätzen?
1. Das Gebäude der Bibliothek ist ziemlich *hoch*. ☐
2. Die finanziellen Hilfen des Staates für Studenten sind nicht sehr *hoch*. ☐
3. Wegen der *hohen* Mietpreise wohnen viele Studenten in Wohngemeinschaften. ☐
4. Die Jobs, die den Studenten angeboten werden, sind *höchst* unterschiedlich. ☐
5. In den bayrischen Alpen gibt es recht *hohe* Berge. ☐
6. Informatik ist eine *hoch*komplizierte Sache. ☐

20. ‚Bis' hat verschiedene Bedeutungen.

B3
BD

A. 70 *bis* 80 Prozent der Studenten an der Münchner Universität kommen aus Bayern.
   (bis = zwischen ... und ...; ,bis' steht zwischen zwei Angaben zu Menge, Zeit oder Zahl)
B. Dieser Zug fährt *bis* Rom.
   (bis + Angabe eines Zielorts = nicht weiter als)
C. Die Semesterferien dauern noch *bis* Dienstag nächste Woche.
   (bis + Angabe eines Zielzeitpunktes = nicht über ... hinaus)
D. Früher waren *bis* zu 60 Schüler in einer Klasse.
   (bis (+ zu) + Angabe einer Höchstmenge oder Höchstzahl)
E. Viele Studenten wohnen in einer Wohngemeinschaft, *bis* sie mit dem Studium fertig sind.
   (Hauptsatz + bis + Nebensatz; der Nebensatz gibt das Ende oder Ergebnis einer Handlung oder eines Zustandes an)

Welche Bedeutung hat ‚bis' in den folgenden Sätzen?
1. Wie lange mußt du noch studieren, *bis* du die Vorprüfung machen kannst? ☐
2. Von Juni *bis* Oktober finden keine Kurse statt. ☐
3. *Bis* zu sieben Studenten ziehen in eine Wohnung, damit sie die Miete bezahlen können. ☐
4. Wer sich *bis* zum 15. September nicht angemeldet hat, kann keine Prüfung machen. ☐
5. Ein Mittagessen in der Universität kostet für Studenten 2.50 *bis* 5.00 DM. ☐
6. Claudia war keine schlechte Schülerin, *bis* sie in die fünfte Klasse kam. ☐
7. Von hier sind es nur 5 Minuten *bis* zur Universität. ☐
8. Wer unbedingt Medizin studieren will, muß mit Wartezeiten *bis* zu 5 Jahren rechnen. ☐
9. *Bis* 9 Uhr findet man in der Nähe der Universität einen Parkplatz. ☐
10. Mit dieser U-Bahn können Sie *bis* zur Volkshochschule fahren, ohne umzusteigen. ☐

Lektion 4

B3
BD

21. Was können Sie auch sagen?

a) *Im Kurs werden wir von einem Compu-*
   terfachmann unterrichtet.
   - A An unserem Kurs nimmt auch ein
     Computerfachmann teil.
   - B Unser Lehrer ist Computerfachmann.
   - C Der Kurs wird von einem Computer-
     fachmann gehalten.

b) *Ist doch klar, daß wir uns zusammen*
   auf die Prüfung vorbereiten.
   - A Natürlich bereiten wir uns zusammen
     auf die Prüfung vor.
   - B Vielleicht bereiten wir uns zusammen
     auf die Prüfung vor.
   - C Selbstverständlich lernen wir zusam-
     men für die Prüfung.

c) *Wenn sich zu wenig Teilnehmer anmelden,*
   kann der Kurs nicht stattfinden. Dann
   bekommen Sie aber von uns Bescheid.
   - A ... Dann bekommen Sie Ihr Geld zurück.
   - B ... Dann tut es uns sehr leid.
   - C ... Dann schreiben wir Ihnen oder wir
     rufen Sie an.

d) *Ich wollte Antonio erklären, wie man*
   sich zur Prüfung anmeldet, aber er
   wußte schon Bescheid.
   - A ..., aber er hatte sich schon informiert.
   - B ..., aber er wollte nichts wissen.
   - C ..., aber er hatte keine Zeit.

e) *Er lernt sowohl Englisch als auch*
   Deutsch.
   - A Er lernt weder Englisch noch Deutsch.
   - B Wenn er Englisch lernt, lernt er auch
     Deutsch.
   - C Er lernt Englisch und Deutsch.

f) *Wörter kann ich besser behalten als*
   Zahlen.
   - A Wörter mag ich lieber als Zahlen.
   - B Wörter kann ich mir besser merken als
     Zahlen.
   - C Wörter vergesse ich nicht so schnell
     wie Zahlen.

a)	b)	c)	d)	e)	f)

B3
BD

22. Ordnen und ergänzen Sie.

stattfinden	merken	ausfüllen	halten	begründen

1. Hast du das Formular schon bekommen?
2. Willst du dir die Anfangszeiten für den
   Kurs aufschreiben?
3. Weißt du schon den Tag?
4. Und warum kommt Alfonso nicht mit?
5. Heute abend kann ich nicht kommen,
   weil es an der Uni eine Veranstaltung
   zum Thema Lernmethoden gibt.

a) Wird auch ein Vortrag _____?
b) Er hat es damit _____, daß ihm der
   Weg zu weit ist.
c) Ja, aber ich weiß nicht, wie man es
   _____.
d) Ja, ich kann mir so schlecht Termine
   _____.
e) Ja, der Kurs _____ jeden Montag
   _____.

1.	2.	3.	4.	5.

Der Kampf um Sein oder Nichtsein

Mit ungewöhnlichen Methoden werben viele Schulen um den Nachwuchs. Denn nach dem Lehrermangel der siebziger Jahre gibt es jetzt zuwenig Schüler – Folge des »Pillenknicks«

Schach, Töpfern, Gitarre und Tennis – was wie ein Urlaubs-Programm klingt, ist in Wirklichkeit Werbung um Schüler. Quer durch die Bundesrepublik kämpfen die weiterführenden Schulen mit »Lockangeboten« um den Nachwuchs. Fehlten den Schulen in den sechziger Jahren Lehrer und in den siebzigern Schulräume, so fehlen ihnen in den achtziger Jahren Schüler. Nur die Oberstufen der Gymnasien und die Berufsschulen können noch von einem Schülerberg reden. In den Klassen fünf bis zehn geht es dagegen mit den Schülerzahlen steil bergab.

Allein mit Computerkursen auf dem Stundenplan läßt sich noch kein Schüler für eine bestimmte Schule gewinnen. Eher schon mit einem Bauernhof auf der Schwäbischen Alb, wie ihn der Förderverein einer Tübinger Schule erworben hat. Wer erst einmal seine künftigen Lehrer testen will, der kann in Köln und auch an anderen Orten »Probeunterricht« nehmen.

Aus Angst vor der Schließung der Schule wurden an der Hamburger Gesamtschule Farmsen-Berne sogar schon »Phantomschüler« registriert: In Anmeldelisten tauchten Hauptschüler auf, die es gar nicht gab. Für diese Schule ging es um »Sein oder Nichtsein«, weil die Schulbehörde sie schließen wollte, wenn nicht mindestens 70 neue Schüler angemeldet wurden. »Vor dem Beginn eines neuen Schuljahres kommt das große Zittern. Jeden Tag fragt man sich: Wie viele Anmeldungen sind es heute gewesen?« berichtet ein Lehrer der Hamburger Gesamtschule Meerweinstraße.

Im Bundesland Niedersachsen ist die Schülerzahl in den letzten zehn Jahren um 27 Prozent zurückgegangen. So wurde es möglich, daß dort seit 1980 der Typ der alten Dorfschule wieder auflebte, in der eine Lehrerin oder ein Lehrer Schüler aus mehreren Jahrgängen gleichzeitig in einem Klassenraum unterrichtet.

»Bis 1990 nimmt die Schülerzahl so stark ab, daß 3000 Lehrer überflüssig sind«, sagt Egon Mayer, Sprecher des Berliner Schulsenats. Die Kultusminister stehen vor dem Problem, einen Lehrerberg abbauen zu müssen. In Schleswig-Holstein etwa rät die Schulbehörde den Lehrern, durch Teilzeitarbeit neue Beschäftigungsmöglichkeiten für junge Kollegen zu schaffen. In Bayern waren ähnliche Bitten erfolgreich: Die Zahl der Lehrer, die Teilzeitbeschäftigung beantragten, verdoppelte sich beinahe. Berlin sucht einen anderen Weg: Hier sollen sich die Lehrer weiterbilden und so, durch den Besuch von Kursen, zeitweise dem Schulunterricht fernbleiben.

Das einzige, was die Kultusminister zur Zeit ein bißchen trösten kann: Immer weniger Abiturienten wollen Lehrer werden.

Anne-Katrin Einfeldt

Erwartete Schülerzahlen 1985–2012

	Primarbereich	Sekundarbereich 1	Sekundarbereich 2
1985	2,3	3,9	3,3
1990	2,3	3,2	2,4
1995	2,4	3,3	2,1
2000	2,4	3,4	2,1
2005	2,1	3,3	2,1
2010	1,8	2,9	2,1

Schülerzahlen in Millionen
Primarbereich: 7–10 Jahre
Sekundarbereich 1: 11–14 Jahre
Sekundarbereich 2: 15–19 Jahre

Quelle: Statistische Veröffentlichung der Kultusministerkonferenz Nr. 99, Dezember 1986

ILLUSTRATION: MARIE MARCKS

M. Marcks

Lektion 5

65 abhängig
67 achten
60 alle
62 anbieten
63 annehmen
62 aufmerksam
67 ausschließen
67 ausstellen
67 s Bargeld
62 bemerken
65 berücksichtigen
62 beruhigen
67 e Beschreibung, -en
67 r Betrieb
62 e Birne, -n
62 daher
65 denken
62 drehen
68 e Eile
62 r Eindruck, ¨e
62 entsprechend
67 eröffnen
63 r Fall, ¨e
67 falls
62 feststellen
62 e Fläche, -n
60 e Garderobe, -n
60 geben
66 r Gegenstand, ¨e
67 gültig
60 haltbar
62 hintere
62 e Höhe
61 holen
62 je
60 r Kalender, -
62 e Kasse, -n
68 klingeln
62 klug
68 r Knopf, ¨e
67 kriegen
65 e Kritik

62 lassen
62 lose
61 man (einem)
60 e Margarine
62 e Marke, -n
62 s Mehl
65 menschlich
63 müssen
60 e Nadel, -n
66 e Not
62 öfter
62 ordentlich
61 r Parkplatz, ¨e
60 e Pille, -n
68 e Polizei
65 e Regel, -n
62 e Reihe, -n
62 e Sahne
67 r Schalter, -
67 e Scheckkarte, -n
66 sich scheiden (geschieden)
60 e Schere, -n
62 s Schild, -er
67 e Schulden
62 e Selbstbedie-nung
60 r Stecker, -
60 r Stoff, -e
65 e Summe, -n
62 e Tafel, -n
60 s Tonband, ¨er
62 überreden
66 überweisen
67 e Überweisung, -en
62 untere
68 e Unterschrift, -en
62 untersuchen
63 e Unterwäsche
62 r Verbraucher, -
68 sich verhalten

67 r Verlust, -e
65 s Vertrauen
68 r Vertreter, -
61 e Werbung
60 e Zeitschrift, -en
67 e Zinsen
67 zusein

1. Was paßt wo? Ergänzen Sie.

B1
WS

Schild	Stecker	Selbstbedienungsladen	Stoff	Marke	Kasse	Parkplatz	Zeitschrift
	Werbung	Nadel		Garderobe		Verbraucher	Tonband

a) Texte, Plakate, kurze Fernseh- und Radiosendungen, die dazu dienen, bestimmte Waren besser zu verkaufen: _____

b) Kann man kaufen, wo es auch Illustrierte und Zeitungen gibt: _____

c) Kommt in die Steckdose, wenn man ein elektrisches Gerät einschalten will: _____

d) Geschäft, in dem man sich die Waren selbst aus den Regalen nimmt: _____

e) Fachwort aus der Wirtschaft für ‚Käufer von Waren‘. Das Wort ‚Kunde‘ bedeutet ungefähr das gleiche: _____

f) Darauf kann man Musik festhalten und dann immer wieder anhören: _____

g) Material, aus dem Kleidungsstücke genäht werden: _____

h) Gibt es z. B. für Namen an Wohnungstüren, für Warenpreise und für Hinweise im Straßenverkehr: _____

i) Ort, an dem man sein Auto abstellen kann: _____

j) Braucht man zum Nähen und (in etwas anderer Form) als Teil eines Plattenspielers: _____

k) Der Name, den ein Hersteller seinen Waren gibt: _____

l) Dort bezahlt man die Waren, die man haben möchte: _____

m) Dort kann man Jacken und Mäntel aufhängen: _____

2. Was paßt wo? Ergänzen Sie nur, was auch in der Bedeutung sinnvoll ist.

B1
WS

Brötchen vom Bäcker – ein weinendes Kind mit Eis – einen Fehler in der Rechnung –
neue Möbel in der Wohnung von Freunden – bestimmte Flächen im Regal offen –
ein Fenster geschlossen – dem Kunden frisches Obst und Gemüse –
ein Loch im Teppich – schnell den Arzt zum Unfallort – den Kunden zum Kauf einer
Waschmaschine – die Freundin zum Urlaub am Meer – die Einkaufstasche im Auto –
einen Kunden, der sich beschweren will, – dem Gast eine Tasse Kaffee –
das Kind zum Lernen – morgens eine Zeitschrift vom Kiosk –
beim Friseur seine Haare waschen – der Nachbarin Hilfe bei der Gartenarbeit –
den Freund zum Besuch eines Museums – dem neuen Kollegen das ‚Du‘ –
eine plötzliche Änderung des Wetters – einen ärgerlichen Freund durch ein Gespräch –
seinen Mantel aus der Garderobe – eine aufgeregte Kollegin mit einer Tasse Tee –

a) _____ anbieten
   . . .

b) _____ bemerken
   . . .

_____ beruhigen
   . . .

d) _____ überreden
   . . .

e) _____ holen
   . . .

f) _____ lassen
   . . .

Lektion 5

3. Wiederholen Sie Wortschatz zum Thema ‚Essen und Trinken'. Was paßt wo?

> Brötchen – Käse – Apfel – Eis – Nudeln – Öl – Birne – Wurst – Zucker – Salz –
> Tomate – Paprika – Margarine – Kuchen – Tee – Wein – Mehl – Zwiebel – Kaffee –
> Brot – Fleisch – Sahne – Bier – Reis – Kartoffel – Butter – Zitrone

a) Obst   b) Gemüse   c) Fette   d) Getränke

...   .

e) Milchprodukte   f) aus der Metzgerei   g) haltbare Lebensmittel   h) aus der Bäckerei

...   .

4. Ergänzen Sie.

> ober-   recht-   mittler-   unter-   hinter-   vorder-   link-

a) Im <u>unteren rechten</u> Fach sind Nadeln für Plattenspieler.
b) Im _____ _____ Fach sind Schalter.
c) Im _____ _____ Fach sind Stecker.
d) Im _____ _____ Fach sind Birnen.
e) Das _____ _____ Radio kostet 520,– DM.
f) Das _____ _____ Radio kostet 600,– DM.
g) Das _____ _____ Radio kostet 710,– DM.
h) Das _____ _____ Radio kostet 440,– DM.
i) Das _____ _____ Radio kostet 890,– DM.
j) Das _____ _____ Radio kostet 930,– DM.

5. Ergänzen Sie ‚zurück + Verb'.

Genauso wie ‚mit' und ‚weiter' kann man auch ‚zurück' mit einem Verb verbinden.

> zurück + schwimmen gehen schreiben grüßen kommen zahlen geben gewinnen

a) Für meinen Kredit muß ich jeden Monat 400,– DM _____.
b) Kannst du mir bitte das Tonband _____, das ich dir geliehen habe.
c) Nächste Woche fahren wir in Urlaub. In vier Wochen _____ wir _____.
d) Kurt hat beim Kartenspiel 200,– DM verloren, aber letzte Woche hat er das Geld _____
e) Es fängt gleich an zu regnen; am besten _____ wir sofort _____ nach Hause.
f) Ich habe vor drei Wochen geschrieben, aber meine Freundin hat noch nicht _____.
g) Ich habe ‚Guten Morgen' gesagt, aber er hat nicht _____.
h) Wir sind jetzt ziemlich weit vom Strand entfernt; laß uns bitte _____

70

6. Meine Regeln für den Einkauf.

B1
GR

a) Ich kaufe nur (das), (ich habe mich vorher informiert)
   worüber ich mich vorher informiert habe.

   Ebenso:

b) (es steht auf meinem Einkaufszettel)
   Ich kaufe nur (das), *was ...*

c) (ich brauche es wirklich)
d) (es gefällt mir wirklich)
e) (ich brauche keinen Kredit)   *wofür*
f) (ich habe lange Spaß)
g) (ich habe gute Erfahrungen gemacht)
h) (ich bekomme eine Garantie)
i) (es fehlt mir wirklich)
j) (ich habe mich vorher erkundigt)
k) (es ist in einem Test geprüft worden)

7. ‚Man‘, ‚einen‘, ‚einem‘.

B1
GR

Vergleichen Sie die Beispiele:

– Ich kaufe in einem Versandhaus, weil

| ich | zurückschicken kann, was | mir | nicht gefällt. |
| *man* | | *einem* | |

– Ich kaufe in einem Fachgeschäft, zu dem

| ich | Vertrauen | habe und das | mich | gut berät. |
| *man* | | hat | *einen* | |

‚Einen‘ und ‚einem‘ sind die Akkusativ- und Dativformen des Pronomens ‚man‘.

Ergänzen Sie ‚man‘, ‚einem‘ oder ‚einen‘.

a) Ich kaufe in einem Supermarkt, weil es _____ nicht so viel Zeit kostet.
b) Ich kaufe im Kaufhaus, weil _____ dort alles unter einem Dach findet.
c) Ich kaufe nicht bei Vertretern an der Haustür, weil sie _____ meistens betrügen wollen.
d) Ich kaufe meine Werkzeuge in Fachgeschäften, weil die _____ auch schnell Ersatzteile besorgen können.
e) Ich kaufe im Kaufhaus, weil nicht sofort ein Verkäufer kommt und sie _____ in Ruhe aussuchen lassen.

8. ‚Jede-‘ oder ‚alle‘? Was paßt?

B1
GR

a) Was kaufen Sie _____ Woche?
b) Gehen Sie _____ Tag einkaufen?
c) Was kaufen Sie _____ fünf oder sechs Tage?
d) Kaufen Sie _____ paar Monate neue Kleider?
e) Sie kriegt _____ drei Monate einen Scheck über 2400 DM.
f) Sie kriegt _____ Monat eine Überweisung von 800 DM.

Lektion 5

9. Vor dem Einkauf und beim Einkauf. Ordnen Sie die Dialogteile und ergänzen Sie die Nomen.

Scheibe   Tafel   Schachtel   Stück
Tube

	A	B	C	D	E

A	Bitte probieren Sie ein _____Stück_____ Schokolade. Die ist heute im Sonderangebot.	1	Das bekommen Sie nebenan im Kiosk. Wir verkaufen nur Zeitschriften.
B	Dann hätte ich gern noch ein halbes Pfund Wurst. Bitte nicht zu fein schneiden!	2	Schwarzbrot bitte, am besten schon geschnitten. Wenn ich es selbst mit der Hand schneide, werden die _____ immer so dick.
C	Wir brauchen neue Zahnpasta: die _____ ist fast leer.	3	Ja, die schmeckt gut. Was kostet eine _____?
D	Geben Sie mir bitte einen Taschenkalender und 2 _____ Streichhölzer.	4	Und Seife zum Händewaschen brauchen wir auch. Wieviel _____ soll ich mitbringen?
E	Was für Brot soll ich mitbringen?	5	Das sind jetzt 240 Gramm. Ist das genug oder soll ich noch eine _____ dazu tun?

10. Was paßt wo?

in der Zeitung auf Sonderangebote – an einer Haustür – ein Konto bei einer Bank –
dem Lehrling ein gutes Zeugnis – eine Möglichkeit wegen zu hoher Kosten –
dem Bankkunden eine Scheckkarte – beim Essen auf sein Gewicht – die Monatsmiete –
im vierten Stock – dem Studenten einen Benutzerausweis für die Bibliothek –
in der Lerngruppe die Ideen aller Teilnehmer – Fehler durch genaue Kontrolle –
beim Einkauf auf Qualität und Frische der Waren – eine Änderung aus Zeitgründen –
bei der Wahl der Vorhänge die Farbe der Wände – jemandem einen neuen Reisepaß –
im Badezimmer auf Sauberkeit – ein Institut für Fremdsprachen an der Universität –
beim Möbelkauf die Größe der Wohnung – eine regelmäßige Zahlung – am Eingang –
ein Lebensmittelgeschäft in der Innenstadt – den Monatslohn –
in der Politik menschliche Bedürfnisse – einen Mißerfolg durch gute Planung –
eine neue Schule – einen Geldbetrag – beim Nachbarn –

a) [_____] berücksichtigen
   ...

b) [_____] eröffnen
   ...

c) [_____] ausstellen
   ...

d) [_____] klingeln
   ...

e) [_____] ausschließen
   ...

f) [_____] überweisen
   ...

g) [_____] achten
   ...

11. Ergänzen Sie.

Scheck   Vertrauen   Verlust   Polizei   Bargeld   Summe   Scheckkarte   Not   Eindruck   Fall
Knöpfe   Beschreibung   Unterschrift   Pillen   Zinsen   Überweisung   Schere   Regel   Vertreter   Schulden

a) Bevor ich die _____ nicht verstanden habe, kann ich das Gerät nicht bedienen.
b) Das Formular ist richtig ausgefüllt, aber hier fehlt noch Ihre _____.
c) Diesen Vertrag werde ich auf keinen _____ unterschreiben!
d) An meiner Wolljacke fehlen zwei _____.
e) Hast du eine _____, damit ich mir den Bart schneiden kann?
f) Wenn man in _____ ist, ist selten ein Polizist in der Nähe.
g) Wenn er den _____ der Tasche sofort gemerkt hätte, hätte er sie wiederbekommen.
h) Bei ganz kleinen Unfällen muß man nicht die _____ rufen.
i) Heute war ein _____ da, der mir unbedingt eine Versicherung verkaufen wollte.
j) In der _____ gehe ich früh schlafen, aber manchmal wird es auch später.
k) Meinem Kollegen erzähle ich keine persönlichen Dinge; ich habe kein _____ zu ihm.
l) Ich brauche einen Kredit; welche _____ genau, weiß ich allerdings noch nicht.
m) Ein Scheck ist nur zusammen mit einer _____ gültig.
n) Hier können Sie nur mit _____ bezahlen; Schecks nehmen wir nicht.
o) Mein Freund hat zwei Nebenjobs, damit er seine _____ bezahlen kann.
p) Wieviel _____ bezahlst du jeden Monat für den Bankkredit?
q) Mit einem _____ oder einer _____ kann man bargeldlos bezahlen.
r) _____ und andere Medikamente kann man in der Bundesrepublik nicht in Supermärkten kaufen, sondern nur in Apotheken.
s) In den Supermärkten soll man durch große Preisschilder den _____ bekommen, daß alles billig ist.

12. ,Geben + Nomen'. Ergänzen Sie.

einen Rat geben   Auskunft geben   die Hand geben   Bescheid geben
einen Auftrag geben   ein Zeichen geben   eine Antwort geben   die Möglichkeit geben

a) ○ Durch das Gewitter sind zwei Fenster in meiner Wohnung kaputtgegangen; morgen werden sie repariert.
   □ Welcher Firma hast du den _____?
b) ○ Hast du den Meister gefragt, ob du zwei Tage Urlaub bekommen kannst?
   □ Ja, aber er hat mir noch keine endgültige _____.
c) ○ Besuchen Sie das Schwimmbad heute zum ersten Mal?
   □ Ja. Können Sie mir bitte _____, wo die Duschen und die Toiletten sind?
d) ○ Schau mal, da vorne winkt ein Polizist.
   □ Glaubst du, daß er uns _____ will?
e) ○ Seit ein paar Wochen schlafe ich sehr schlecht.
   □ Da kann ich dir einen guten _____: Eine halbe Stunde bevor du ins Bett gehst, trinkst du noch ein Glas warme Milch.

Lektion 5

f) ○ Wann wird der Kühlschrank geliefert?

□ In den nächsten Tagen. Wir _____ Ihnen vorher telefonisch _____.

g) ○ Wie haben dich die Eltern deiner neuen Freundin begrüßt?

□ Sehr herzlich! Ich wollte ihnen _____, aber sie haben mich gleich geküßt.

h) ○ Es tut mir leid, daß du die Prüfung nicht bestanden hast!

□ Ich habe noch eine Chance. Mein Chef hat mir _____, die Prüfung in drei Wochen zu wiederholen.

13. ‚Sein + Nomen'. Ergänzen Sie.

in Aufregung sein   in der Ausbildung sein   im Bau sein   in Betrieb sein
in Bewegung sein   in der Diskussion sein   in Eile sein   in Freiheit sein   in Not sein
im Interesse sein   im Kontakt sein   in Lebensgefahr sein   in der Lage sein
in Schwierigkeiten sein   in Sicherheit sein   in Sorge sein   im Zweifel sein

a) Die Firma _ist in_ wirtschaftlichen Schwierigkeiten Hoffentlich muß niemand entlassen werden.

b) Meine Eltern und ich _____ immer _____. Wir schreiben uns Briefe und telefonieren mindestens einmal pro Woche.

c) Die U-Bahn _____ noch _____. Nächstes Jahr im Herbst soll sie fertig sein.

d) Die Feuerwehr hat die Kinder aus dem brennenden Haus geholt. Jetzt _____ zum Glück alle _____.

e) Ich _____ _____, ob ich den Bankkredit brauche. Vielleicht genügt es, wenn ich einen kleinen Nebenjob annehme.

f) Der Kopierapparat _____ wieder _____. Heute früh ist er repariert worden.

g) Unsere Nachbarn _____ immer _____ um ihr neues Auto. Meistens steht es in der Garage, damit es nicht gestohlen werden kann.

h) Können wir uns später weiter unterhalten? Ich _____ gerade sehr _____, weil ich noch zu meiner Bank gehen muß, und die schließt gleich.

i) Viele junge Leute, die noch _____ _____, wohnen zu Hause. Sie suchen sich erst dann eine eigene Wohnung, wenn sie Geld verdienen.

j) Sicher hat dein Vermieter nichts dagegen, wenn du einen Ofen aufstellst. Das _____ doch auch _____ seinem _____, wenn die Wohnung besser geheizt wird.

k) Nach dem Unfall _____ der Fahrer des Wagens drei Tage _____. Jetzt geht es ihm schon viel besser.

l) Das ganze Dorf _____ _____, weil der Staatspräsident zu Besuch kommt. Seit Tagen wird jedes Haus geputzt, und sogar die Kinder haben schulfrei.

m) Kinder _____ den ganzen Tag _____. Erst wenn man älter wird, wird man faul, sitzt zu viel und fährt mit dem Auto, anstatt zu laufen.

n) Auch in den reichen Ländern gibt es noch viele Leute, die _____ _____. Manchmal wissen sie allerdings auch nicht, daß sie staatliche Hilfe bekommen könnten.

o) Die Gewerkschaft hat sich noch nicht entschieden. Ob gestreikt werden soll oder nicht, _____ noch _____.

p) Hat die Polizei den Mörder gefunden oder _____ er noch _____?

74

14. Sagen Sie es anders. Partizip I oder Partizip II?

B2/3
GR

a) Das Brot, das ich gestern gekauft habe, ist heute schon trocken.

Das gestern gekaufte Brot ist heute schon trocken.

Ebenso:

b) Die Preise, die auf große Schilder geschrieben sind, sollte man genau prüfen.

die auf gr

c) Das Fleisch, das der Supermarkt heute billig anbietet, hat eine gute Qualität.

das vom S. heute billig angebotene Fleisch

d) Die Arbeitslosigkeit nimmt schnell zu und verursacht viele soziale Probleme.

die schnell zunehmende A.

e) Die Arbeitslosigkeit hat im letzten Monat zugenommen, jetzt geht sie zurück.

f) Die Waren, die in Augenhöhe stehen, sind meistens nicht billig.

die in Augenhöhe stehenden Waren sind en

g) Die Lebensmittel, die nicht mit künstlichen Stoffen hergestellt werden, können gut verkauft werden.

die nicht mit künstlichen Stoffen hergestellten Lebensmittel

h) Die Supermärkte, die nach einem genauen Plan eingerichtet sind, haben gute Verkaufsergebnisse.

i) An der Kasse in Supermärkten gibt es oft Eis zu kaufen, mit dem die Eltern ihre Kinder, die weinen, beruhigen können.

ihre weinenden Kinder.

15. Sagen Sie es anders.

B2/3
GR

a) Ich *vermute*, daß das eine Heiratsanzeige ist.

Das dürfte (muß) eine Heiratsanzeige sein.

b) Ich *bin ziemlich sicher*, daß das eine Heiratsanzeige ist.

Das muß (dürfte) eine Heiratsanzeige sein.

c) *Man behauptet*, daß Marianne und Jörg sich durch eine Heiratsanzeige kennengelernt haben.

Marianne und Jörg sollen sich durch eine Heiratsanzeige kennengelernt haben.

Ebenso:

d) Ich bin sicher, daß es in der Bundesrepublik mehr arme Menschen gibt, als die Statistik zeigt.

e) Es wird gesagt, daß 1958 nur 45 % der Leute mit ihrem Leben zufrieden waren.

f) Ich habe von mehreren Freunden gehört, daß Christian sich ein neues Auto gekauft hat.

g) Es wird erzählt, daß der Supermarkt in der Hansastraße geschlossen wird.

h) Ich glaube, daß Helga morgen zum Abendessen kommt.

i) Bernd hat wahrscheinlich keinen Parkplatz gefunden, sonst wäre er nicht unpünktlich.

j) Bestimmt hat Christine einen Kredit von der Bank bekommen, sonst könnte sie sich das neue Auto nicht leisten.

Der Bedeutungsunterschied von ,muß' und ,dürfte' ist nicht sehr groß. ,Muß' verwendet man, wenn man sehr oder ziemlich sicher ist.

Lektion 5

B2/3
GR

16. ‚Sein + zu + Infinitiv'. Sagen Sie es anders.

a) Für Leute mit regelmäßigem Gehalt ist ein Kredit leicht zu bekommen.
Leute mit regelmäßigem Gehalt können leicht einen Kredit bekommen.
Beachten Sie: ‚sein + zu + Infinitiv' kann ‚müssen' oder ‚können' bedeuten.

Ebenso:

b) Dieser Kredit ist langsam zurückzuzahlen. Sie können aber auch schneller zurückzahlen, wenn Sie wollen.

c) Dieser Kredit ist bis 1990 zurückzuzahlen. Er kann nicht verlängert werden.

d) Wenn man Geld von seinem Konto holen möchte, hat man den Bankangestellten seine Kontokarte zu zeigen.

e) Für einen Kredit ist der Bank eine Sicherheit zu geben.

f) Für Frau Berthold ist das Auto ohne Kredit nicht zu bezahlen.

g) Ein Kleinkredit ist ohne Schwierigkeiten zu bekommen.

B2/3
GR

17. Konjunktiv II /‚würde + Infinitiv' oder Konjunktiv III? Ergänzen Sie.

a) Wenn das Finanzamt genauer *(prüfen)* prüfen _____ würde _____ *(aber das tut es nicht),* dann *(zahlen müssen)* ___müßten___ die reichen Leute mehr Steuern ___zahlen___.

b) Wenn das Finanzamt genauer *(prüfen)* geprüft hätte _____ *(aber das hat es nicht getan),* dann *(zahlen müssen)* ___hätte___ Frau Berthold mehr Steuern zahlen müssen

c) Eigentlich *(vermuten)* ___würde___ ich vermuten, daß der durchschnittliche Monatslohn eines Arbeiters in der Bundesrepublik höher ist. *(Aber er ist niedriger, als ich dachte.)*

d) Wenn Frau Reichert keine Sozialhilfe *(bekommen)* bekommen hätte, *(bezahlen können)* ___hätte___ sie ihre Miete nicht b k. *(Aber sie hat sie bekommen und konnte die Miete bezahlen.)*

e) Wenn man die Bundesbürger vor 10 Jahren *(fragen)* gefragt hätte, ob sie an einen Fortschritt in der Entwicklung der Gesellschaft glaubten, dann *(antworten)* ___hätten___ 60% ‚ja' _____. *(Fragen)* _____ man sie heute dasselbe _____, *(antworten)* _____ nur noch 27% mit ‚ja' _____.

f) Bei der Untersuchung, womit die Bundesbürger zufrieden sind, *(sagen)* ___hätte___ ich gesagt, daß ich mit meinem Beruf sehr zufrieden bin. *(Aber man hat mich nicht gefragt.)*

g) Wenn man im Supermarkt nur das *(kaufen)* _____ _____, was man wirklich braucht, dann *(sparen)* _____ man beim Einkauf viel Geld _____. *(Aber man tut es normalerweise nicht.)*

Lesen Sie bei dieser Übung die Sätze, die in Klammern stehen, besonders genau.
Lesen Sie eventuell noch einmal den Punkt 4 (Konjunktiv) in der Grammatik.

18. Verben als Nomen.

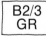

Im Deutschen kann man ein Verb einfach als Nomen verwenden. Zum Beispiel:
– *Das Rauchen* ist ungesund.

Oft wird das Verb als Nomen zusammen mit einem Attribut verwendet:
– *DasRauchen von Zigaretten* │ ist ungesund.
  Häufiges Rauchen │ schadet der Gesundheit.

Außerdem ist es hier möglich, einen Infinitivsatz (als Subjekt) zu verwenden:
– *Zigaretten zu rauchen* │ ist ungesund.
  Zigaretten mit schwarzem Tabak zu rauchen │ schadet der Gesundheit.

Eigentlich kann man alle Verben als Nomen gebrauchen. Doch man macht das nicht immer, weil es Nomen gibt, die den Verben ähnlich sind, aber eigene Formen haben (s. Grammatik). Zum Beispiel:
– wünschen → der Wunsch
  prüfen → die Prüfung
  informieren → die Information.

Es gibt keine Regeln, wie man diese Nomen bildet. Man muß sie deshalb alle einzeln lernen. Verwenden Sie im Zweifel lieber einen Infinitivsatz.

Sagen Sie es anders.

a) Einen Geldautomaten zu bedienen ist nicht ganz einfach.
   Das Bedienen eines Geldautomaten ist nicht ganz einfach.

b) Das Bezahlen mit Euroschecks ist teurer als mit Bargeld.
   Mit Euroschecks zu ...

Ebenso:

c) Die Bezahlung des Kredits macht ihr keine Schwierigkeiten.
d) Das Einkaufen im Supermarkt ist sehr bequem.
e) Mit Öl zu heizen war früher billiger.
f) Es macht mich nervös, an der Kasse lange zu warten.
g) Das Vergleichen der Preise ist wichtiger als früher.
h) Werbung im Fernsehen verbessert den Erfolg.
i) Es kostet viel Zeit, Kreditformulare auszufüllen.
j) Den Einkauf genau zu planen lohnt sich.

19. Adjektive.

In der Grammatik dieser Lektion wird gezeigt, welcher Zusammenhang zwischen Nomen, Verben und Adjektiven besteht. Zum Beispiel:

Ruhe → ruhig   nützen → nützlich
Freund → freundlich   erkennen → erkennbar

Wenn Sie die Bedeutung des Nomens oder Verbs verstehen, verstehen Sie dadurch gleichzeitig auch die Bedeutung des Adjektivs. Sie sollten jedoch nicht versuchen, selbst solche Adjektive mit ‚-ig, -lich, -isch, -voll, -los, -bar, -wert' zu bilden. Es gibt nämlich keine genauen Regeln, die Ihnen bei der Wahl der richtigen Endung helfen würden.

Lektion 5

B2/3
BD

20. ‚Glauben' hat verschiedene Bedeutungen

A. [wem ⟩ was ⟩ glauben]

Ich glaube dem Verkäufer, daß die Qualität des Radios gut ist.
(glauben = für wahr halten; denken, daß jemand die Wahrheit sagt)

B. [was ⟩glauben]

Ich *glaube*, daß die Leute heute besser leben als früher.
(glauben = der Meinung sein, daß ...)

C. [woran⟩ glauben]

Die Geschäftsleitung *glaubt* an den Erfolg der neuen Werbung, obwohl die Ergebnisse bisher nicht sehr gut waren.
(glauben = man weiß über eine Sache (oder eine Person oder Handlung) nicht alles, aber man denkt trotzdem, daß sie wahr oder richtig ist.)

Welche Bedeutung hat ‚glauben' in den folgenden Sätzen?
1. *Glaubst* du, was die Werbung verspricht? □
2. Ich *glaube*, daß die Werbung oft lügt. □
3. Ich *glaube* nicht, was die Vertreter versprechen. □
4. Katrin *glaubt* an eine bessere Zukunft. □
5. Volker *glaubt*, daß die Lebensqualität in den letzten Jahren nicht besser geworden ist. □
6. Vera *glaubt* an die Macht des Geldes. □

B2/3
BD

21. Was können Sie auch sagen?

a) *Das könnte eine Werbung für Bier sein.*
   Ⓐ Das ist wahrscheinlich eine Werbung für Bier.
   Ⓑ Das ist ohne Zweifel eine Werbung für Bier.
   Ⓒ Das ist wirklich eine Werbung für Bier.

b) *Das muß eine Heiratsanzeige sein.*
   Ⓐ Das ist anscheinend eine Heiratsanzeige.
   Ⓑ Das ist vielleicht eine Heiratsanzeige.
   Ⓒ Das ist bestimmt eine Heiratsanzeige.

c) *Das dürfte eine Anzeige einer Bank sein.*
   Ⓐ Das ist auf jeden Fall eine Anzeige einer Bank.
   Ⓑ Das ist anscheinend eine Anzeige einer Bank.
   Ⓒ Das ist tatsächlich eine Anzeige einer Bank.

d) *Ich vermute, das ist eine Motorradanzeige.*
   Ⓐ Das ist wohl eine Motorradanzeige.
   Ⓑ Das ist mit Sicherheit eine Motorradanzeige.
   Ⓒ Das ist ganz bestimmt eine Motorradanzeige.

e) *Das soll eine Autowerbung sein.*
   Ⓐ Das ist anscheinend eine Autowerbung.
   Ⓑ Das ist sicher eine Autowerbung.
   Ⓒ Das ist angeblich eine Autowerbung.

f) *Herr Fitzpatrick soll zum Schalter Nr. 6 gehen.*
   Ⓐ Man empfiehlt Herrn Fitzpatrick, zum Schalter Nr. 6 zu gehen.
   Ⓑ Man fordert Herrn Fitzpatrick auf, zum Schalter Nr. 6 zu gehen.
   Ⓒ Man zwingt Herrn Fitzpatrick, zum Schalter Nr. 6 zu gehen.

g) *Das ist wirklich/tatsächlich eine Werbung für Margarine.*
   - Ⓐ Das ist ohne Zweifel/auf jeden Fall eine Werbung für Margarine.
   - Ⓑ Das ist wahrscheinlich/vielleicht eine Werbung für Margarine.
   - Ⓒ Das dürfte eine Werbung für Margarine sein.

h) *Ich nehme an, daß das eine Werbung für Spielzeug ist.*
   - Ⓐ Ich weiß, daß das eine Werbung für Spielzeug ist.
   - Ⓑ Ich zweifle, daß das eine Werbung für Spielzeug ist.
   - Ⓒ Ich vermute, daß das eine Werbung für Spielzeug ist.

22. ‚Einfach' hat verschiedene Bedeutungen.

B2/3
BD

A. Werbetexte sind meistens sehr *einfach*.
   Die Prüfung war *einfach*.
   (einfach = nicht schwierig/nicht kompliziert)

B. Die Möbel in meiner Wohnung sind *einfach*, aber bequem.
   (einfach = ohne Luxus/ganz normal)

C. Egal was ich mache, ich kann abends *einfach* nicht einschlafen!
   Ich habe *einfach* keine Lust, ins Kino zu gehen.
   (‚Einfach' in dieser Bedeutung ist ‚einfach' schwer zu erklären. Es heißt ungefähr ‚es ist so, wie es ist', ‚es ist eine Tatsache, gegen die man nichts tun kann'.)

Welche Bedeutung hat ‚einfach' in den folgenden Sätzen?
1. Eva kauft immer sehr *einfache* Kleider. □
2. Eine Waschmaschine kann ich mir *einfach* nicht leisten; dafür fehlt mir das Geld. □
3. Deutsch ist *einfach* zu lernen, oder nicht? □
4. Viele Rentner müssen sehr *einfach* leben, weil ihre Rente nicht hoch ist. □
5. Ein Konto zu eröffnen ist sehr *einfach*. □
6. Meine Kollegin ist *einfach* faul; die Hälfte ihrer Arbeit muß ich machen! □

23. Schreiben Sie einen Brief.

B2/3
SA

Sie haben vor vier Monaten eine neue Bohrmaschine gekauft. Am Anfang funktionierte sie sehr gut, aber jetzt ist sie kaputt, obwohl Sie die Maschine nicht falsch bedient haben. Sie brauchen die Reparatur nicht selbst zu bezahlen, denn Sie haben 12 Monate Garantie. Aber Sie müssen die Maschine an das Werk schicken und beschreiben, was an der Maschine kaputt ist.

Schreiben Sie jetzt einen solchen Brief. Hier sind einige Hilfen:
- Maschine vor vier Monaten gekauft, bei der Firma Stephens in Münster
- funktionierte sehr gut
- jetzt kaputt: läuft unregelmäßig, nicht schnell genug
- nichts falsch gemacht, Bedienungsvorschriften genau beachtet
- brauche die Maschine dringend, schnell zurückschicken
- bitte um kostenlose Reparatur
- Garantiekarte und Kassenzettel liegen im Brief bei

ICH
bin kaufsüchtig

Ein Mann steht vor einem Schaufenster. Er spürt den Drang, alles zu kaufen, was ihm gerade gefällt. Diese Krankheit, Kaufsucht genannt, hat den Mann schon ruiniert.

»Jedesmal, wenn irgendwas Unangenehmes passierte, wenn ich frustriert war oder Probleme hatte, dann kaufte ich mir etwas Schönes«, sagt Wolfgang Eisner*, 40, und lächelt entschuldigend dabei. Diese Angewohnheit hat ihn krank gemacht: Wolfgang Eisner leidet unter Kaufsucht.

»Die Abstände zwischen meinen Kauf-Orgien wurden mit der Zeit immer kürzer. Ich verlor allmählich völlig die Kontrolle über mich und mein Kaufverhalten. Mein ganzes Leben, auch meine berufliche Existenz haben darunter gelitten. Ständig überlegte ich, was ich neu besitzen könnte«, erinnert er sich.

Heute geht er nur noch in Begleitung von Freunden in die Stadt, um einen Blick in die Schaufenster zu riskieren. Seit einem Jahr ist er in psychotherapeutischer Behandlung und hofft, in einer der wenigen Kliniken in der Bundesrepublik, die sich mit dieser Alltagssucht auskennen, einen Platz zu bekommen.

Viele können nicht verstehen, daß es so etwas gibt. Tabletten, Drogen und Alkohol, das sind bekannte und akzeptierte Süchte – aber Kaufen...? Doch in Amerika ist das eine längst bekannte Sucht, und auch bei uns werden immer mehr Ärzte und Kliniken darauf aufmerksam.

»Wie viele davon betroffen sind«, so Berthold Kilian vom Diakonischen Werk Frankfurt, »das läßt sich kaum feststellen. Darüber gibt es noch keine Untersuchungen. Denn diese Süchte erscheinen nur selten als Störung, weil diese Leute in unserer Gesellschaft kaum auffallen.« Dennoch: Hunderte sind schon in Behandlung. Aber Tausende leiden darunter.

So war es auch bei Wolfgang Eisner. Niemand hätte vermutet, daß mit diesem eher bescheiden wirkenden Mann etwas nicht stimmt. Erst als er 600000 Mark aus der Firmenkasse seines Arbeitgebers unterschlagen hatte, wurden Freunde und Kollegen aufmerksam. In seinem Haus hatte er so viele Bücher, Vasen und ähnliches, daß kaum noch Platz zum Leben blieb. Er besaß zehn Pelzmäntel, über 100 wertvolle Gemälde, 60 Papageien und unglaubliche Mengen von Porzellan. Jeden Monat brachte ihm die Post 40 Zeitschriften, die er abonniert hatte, ins Haus. Zum Lesen hatte er nie Zeit, er war immer mit Ordnen und Aufräumen beschäftigt.

Jetzt gehört ihm nichts mehr. Er lebt von dem Teil seiner Arbeitslosenhilfe, die ihm das Gericht nicht zum Bezahlen von Schulden pfänden kann. Seine kleine Wohnung ist schon wieder total überfüllt, »denn ich kann leere Räume nicht ertragen. Um mich herum muß immer alles vollgestellt sein. Da haben mir meine Eltern einiges geliehen. Wenn ich ein paar Mark übrig habe, kaufe ich Lebensmittel – nur damit die Schränke auch voll sind.«

Wann die Kauflust zur Kaufsucht wird – diese Grenze ist nur schwer zu bestimmen. Die wenigen Ärzte, die sich mit dieser Alltagssucht auskennen, bekämpfen sie meist damit, daß sie ihre Patienten von Geschäften fernhalten, was allerdings nur in einer Klinik möglich ist. Auf einen solchen Klinikplatz wartet jetzt auch Wolfgang Eisner. Vorher wird er aber noch einmal vor dem Richter stehen. Er hofft, daß sein erstes Urteil – drei Jahre Gefängnis – durch eine weniger strenge Strafe ersetzt wird.

---

*Name von der Redaktion geändert

80 ablehnen
74 abtrocknen
71 alt
72 anzünden
76 r Appetit
80 e Aufmerksam-
keit
78 r Ausdruck
79 r Ausdruck, ⁻e
75 aussprechen
80 bedanken
79 beleidigen
76 bestehen
72 bleiben
81 blind
74 e Brieftasche, -n
79 drücken
76 ebenfalls
73 ehe
80 eilig
72 e Erde
74 erfahren
72 erscheinen
76 erwarten
73 e Erzählung, -en
72 s Fach, ⁻er
76 fair
72 fein
72 fest
74 frisch
72 e Geburt, -en
74 s Gefühl, -e
78 e Gemeinschaft
77 gering
80 geschäftlich
74 s Geschirr
76 glücklich
76 gratulieren
74 e Größe
74 r Handschuh, -e
74 e Handtasche, -n
80 her
79 e Hoffnung, -en

80 e Jahreszeit, -en
73 e Kälte
74 kämmen
80 klagen
73 kommend
80 r Kuß, Küsse
74 langsam
77 längst
73 lebendig
74 r Lehrling, -e
77 leisten
80 e Lüge, -n
76 merkwürdig
77 nördlich
77 e Öffentlichkeit
74 e Pfeife, -n
76 r Punkt, -e
74 riechen
74 e Schachtel, -n
76 schließen
74 s Schloß,
Schlösser
76 schuldig
74 spät
74 spülen
74 stehen
74 stellen
73 r Stern, -e
72 e Tat, -en
73 teilweise
74 s Tonbandgerät,
-e
74 das Tuch, ⁻er
79 e Überzeugung,
-en
80 üblich
74 um
76 unterbrechen
77 unterstützen
76 s Vergnügen, -
80 r Verkauf, ⁻e
78 e Versammlung,
-en

79 s Vertrauen
74 e Viertelstunde,
-n
81 e Vorsicht
74 wach
81 e Wahl
80 wahr
79 e Wahrheit
74 r Wecker, -
76 willkommen
81 e Wirkung, -en
79 r Zweifel, -

Lektion 6

1. Wiederholen Sie.

Kaufen und Schenken ist für viele Leute das Wichtigste am Weihnachtsfest. In dieser Übung finden Sie 61 mögliche Geschenke, die Sie ordnen sollen. Damit können Sie sehr viel Wortschatz wiederholen (auch wenn Sie vielleicht Weihnachten ganz anders oder gar nicht feiern). Ergänzen Sie auch den unbestimmten Artikel und die Endungen des attributiven Adjektivs (siehe Arbeitsbuch Themen 2, Seite 7 ff., Übung 11–22).

_____ schwer_____ Motorrad _____ Badeöl, das nach Blumen riecht _____ Tonbandgerät _____ rot_____ Krawatte _____ weiß_____ Damenhandtasche _____ einfach_____ Kartenspiel _____ Paar Handschuhe aus Wolle _____ neu_____ Geschirrspülmaschine _____ neu_____ Radio _____ schnell_____ Herrenfahrrad _____ Schachtel Zigarren _____ Scheck über 5000 DM _____ Tafel Schokolade _____ Pfund Kaffee _____ klein_____ Handspiegel _____ Paar Herrenschuhe _____ warm_____ Wolldecke _____ elektrisch_____ Rasier-apparat Farbstifte zum Malen _____ Kunststofffisch für die Badewanne _____ Konzertkarte _____ Kochbuch mit vielen Bildern Taschentücher mit Tierbildern _____ gut_____ Seife _____ golden_____ Uhr _____ groß_____ Teppich aus Persien _____ Flasche Wein _____ schwarz_____ Luxusauto _____ laut_____ Wecker _____ modisch_____ Kopftuch _____ Fernsehapparat mit Videogerät _____ Kuchen mit Zuckerherzen _____ weich_____ Stofftier _____ gelb_____ Schultasche _____ elektrisch_____ Eierkocher _____ Flugticket für eine Weltreise _____ Schachtel mit Sahnebonbons fein_____ Gewürze weiß_____ Herren-unterwäsche _____ dünn_____ Damenpullover _____ lang_____ Nachthemd ohne Arm _____ Musikkassette _____ Päckchen Rasierklingen _____ klein_____ Plattenspieler _____ Schallplatte von den ‚Rolling Stones‘ _____ gut_____ Pfeife _____ klein_____ Spielzeugauto _____ neu_____ Fußball _____ Holzeisen-bahn _____ Fahrrad mit drei Rädern (Dreirad) _____ elektrisch_____ Ofen fürs Bad _____ Waschmaschine _____ scharf_____ Wurst _____ weiß_____ Reit-pferd trocken_____ Feuerholz _____ elektrisch_____ Dosenöffner dick_____ Wollstrümpfe _____ Kilo rot_____ Äpfel _____ Schiffsreise _____ dick_____ Mantel _____ Brieftasche mit viel Geld

a) Welche Geschenke kann man essen oder trinken?

eine Tafel Schokolade _____

...

b) Welche Geschenke sind wahrscheinlich für einen Mann?

eine rote Krawatte _____

...

c) Welche Geschenke sind wahrscheinlich für eine Frau?
ein Badeöl, das nach Blumen riecht
...

d) Welche Geschenke sind wahrscheinlich für ein Kind?
Farbstifte zum Malen
...

e) Welche Geschenke sind besonders praktisch, weil sie bestimmte Arbeiten leichter machen?
ein elektrischer Rasierapparat
...

f) Welche Geschenke sind gut gegen Kälte und deshalb im Winter gut zu gebrauchen?
ein Paar Handschuhe aus Wolle
...

g) Welche Geschenke haben speziell etwas mit Hören zu tun?
eine Konzertkarte
...

h) Was können nur sehr reiche Leute schenken?
ein schwarzes Luxusauto
...

2. Was paßt nicht?

B1 WS

a) spülen: mit einer Spülbürste – mit Spülmittel – mit heißem Wasser – mit Spielzeug – in der Küche – mit dem Kamm

b) anzünden: Kerze – Ofen – Schokolade – Streichholz – Zigarette – Öllampe

c) erfahren: ein Auto – etwas Neues – etwas Interessantes – eine Reise – einen Termin – vom Tod einer Nachbarin

d) gratulieren: zum Geburtstag – zur Hochzeit – zur Party – zum Urlaub

e) abtrocknen: Geschirr – Teller – Tasse – den Teppich – mit einem Geschirrtuch – den Boden – sich selbst nach dem Bad

f) kämmen: sich die Haare – einem Kind das Haar – mit einer Schere – die Zähne – den Bart

g) unterbrechen: ein Gespräch – eine Reise – einen Kuchen – seinen Gesprächspartner – ein Stück Brot – eine Fahrt

h) sich stellen: um den Weihnachtsbaum – zu den Gästen – neben die Mutter – zwischen zwei Kinder – auf die Hände – auf die Nase

3. Was paßt wo? Ordnen Sie.

B1 WS

Nacht – Hitze – im Schreibtisch – Bericht – Tür – Schlüssel – im Schrank – Schnee – Betrieb – Ausbildung – Sonne – Darstellung – im Regal – Text – Meister – Eis – Lehre – Mond – Himmel – Sicherheit – Geschichte – im Adventskalender – Wärme

a) Fach: _im Schreibtisch,_ _____, _____, _____
b) Erzählung: _____, _____, _____, _____
c) Kälte: _____, _____, _____, _____
d) Lehrling: _____, _____, _____, _____
e) Schloß: _____, _____, _____, _____
f) Stern: _____, _____, _____, _____

Lektion 6

B1
BD

4. 23.00 Uhr auf einer Neujahrsparty. Ordnen Sie die Dialogteile; was paßt zusammen?
(Beachten Sie die verschiedenen Bedeutungen von ‚bleiben')

A	Ich muß leider jetzt schon gehen.
B	Ich möchte dir meine Großmutter vorstellen. Sie wird nächste Woche 83.
C	Wir haben kein Brot mehr! Was machen wir nur?
D	Schau mal, wie müde die Kinder sind!
E	Deine selbstgemachten Salate sind phantastisch. Schade, daß ich schon so satt bin.
F	Die neue Tapete gefällt mir gut. Wollt ihr die anderen Zimmer auch renovieren?
G	Hallo, hier spricht Anke Jakobs! Ist Jens da? Könnte ich bitte mit ihm sprechen?
H	Warum bist du alleine gekommen?

1	Nein, die bleiben so.
2	Moment, bleiben Sie am Apparat. Ich schau mal nach.
3	Bleib doch bitte noch!
4	Hoffentlich bleibt sie noch lange so gesund!
5	Meine Frau muß beim Baby bleiben.
6	Bleib ganz ruhig! Ich weiß, wo ich jetzt noch welches kriege.
7	Ich weiß. Aber sie wollten unbedingt bis 24.00 Uhr wach bleiben.
8	Davon bleibt bestimmt viel übrig. Du kannst mitnehmen, was du möchtest.

A	B	C	D	E	F	G	H

B1
BD

5. ‚Erscheinen' hat verschiedene Bedeutungen.

> wo
> wann   〉 erscheinen
> wie oft

A. Diese Kirchenzeitung kostet 1,20 DM und *erscheint* monatlich.
   (erscheinen = eine Zeitung/ein Buch/ein Heft/ ... wird gedruckt und auf den Markt gebracht.)

B. Der Pfarrer ist zur Weihnachtsfeier im Altersheim nicht *erschienen,* obwohl er es versprochen hatte.
   (erscheinen = an einen Ort kommen; sich sehen lassen)

wem 〉 wie 〉 erscheinen

C. Eine Ehe ohne Kinder *erscheint* vielen Leuten sinnlos.
   (erscheinen = den Eindruck machen)

84

Welche Bedeutung hat ‚erscheinen' in den folgenden Sätzen?

1. Als Kind *erschien* mir die Zeit vor Weihnachten endlos. □
2. In diesem Buch fehlt die erste Seite, deshalb weiß ich nicht, wann und wo es *erschienen* ist. □
3. Viele Katholiken glauben, daß Maria, die Mutter von Jesus Christus, in Lourdes und noch einigen anderen Orten *erschienen* ist. □
4. Im Dezember *erscheinen* viele Illustrierte mit Rezepten für das Weihnachtsessen. □
5. Bei einem Fest *erscheinen* die wichtigsten Gäste immer zuletzt. □
6. Es *erscheint* mir falsch und unchristlich, daß an Weihnachten so viele Geschenke gemacht werden. □

6. Ordnen Sie. Was können Sie sagen, wenn Sie sich entschuldigen wollen? Was können Sie antworten, wenn sich jemand bei Ihnen entschuldigt?

B1
BD

Verzeihung! – Das macht doch nichts! – Das ist nicht so schlimm! – Entschuldigen Sie bitte, das habe ich nicht so gemeint! – Es tut mir leid! – Schon gut! – Reden wir nicht mehr davon/darüber! – Entschuldigung! – Wie kann ich das wiedergutmachen? – Das kann doch jedem mal passieren! – Verzeihung, das war meine Schuld! – Es ist nichts passiert! – Bitte, bitte! – Das ist mir furchtbar unangenehm! – Ich werde den Schaden natürlich bezahlen! – Es tut mir schrecklich leid! – Entschuldige, es war nicht so gemeint!

A	B
Entschuldigung! ...	Das macht doch nichts! ...

Was können Sie in den folgenden Situationen sagen (a–g) und antworten (h–k)?

a) In der U-Bahn ist es voll. Beim Einsteigen sind Sie einer Frau auf den Fuß getreten.
b) Sie waren mit einem Bekannten verabredet und haben den Termin ganz vergessen. Jetzt sagt er Ihnen, daß er eine Stunde auf Sie gewartet hat.
c) Sie haben von einem Bekannten ein Buch geliehen. Beim Lesen ist Ihnen eine Tasse Kaffee umgefallen und hat einige Seiten dunkel gefärbt. Jetzt bringen Sie das Buch zurück.
d) Sie sind zum Einkaufen in der Stadt, haben es eilig und stoßen mit Ihrer großen Einkaufstasche einen fremden Mann an.
e) Sie hatten Streit mit einem Freund und haben dabei Dinge gesagt, die Ihnen jetzt leid tun.
f) Im Restaurant stoßen Sie ein Glas um und machen damit den Anzug Ihres Tischnachbarn schmutzig.
g) Sie waren bei der Arbeit nervös und deshalb unfreundlich zu einem Kollegen; Sie merken, daß der Kollege auf eine Entschuldigung wartet.
h) Ein Freund hat Ihren Geburtstag vergessen und entschuldigt sich deshalb bei Ihnen.
i) Sie haben Besuch und einer Ihrer Gäste macht ein schönes Trinkglas kaputt. Er entschuldigt sich bei Ihnen.
j) Ein Freund entschuldigt sich bei Ihnen, weil er 10 Minuten zu spät zu einer Verabredung gekommen ist.
k) Jemand ist Ihnen auf den Fuß getreten und entschuldigt sich.

Lektion 6

B1
BD

7. Was können Sie sagen, wenn jemandem etwas Schlimmes passiert ist/wenn jemand traurig ist/wenn jemand Sorgen hat? Ordnen Sie die Dialogteile; was paßt zusammen?

A	Meine Frau hatte einen Autounfall. Sie ist schwer verletzt.
B	Gestern ist meine Großmutter gestorben.
C	Unser Picknick am Wochenende ist ausgefallen. Es hat den ganzen Tag geregnet.
D	Jetzt bin ich schon ein halbes Jahr arbeitslos und habe immer noch keine neue Stelle gefunden.
E	Mein Nachbar ist immer so unfreundlich zu mir. Er begrüßt mich noch nicht einmal!
F	Stell dir vor, ich habe die Prüfung nicht bestanden! Nächste Woche kann ich sie wiederholen, aber da klappt es bestimmt auch nicht.
G	Ich habe meinen teuren, neuen Pullover zu heiß gewaschen, und jetzt kann ich ihn nicht mehr anziehen, weil er zu klein geworden ist.
H	Gestern habe ich mich im Betrieb über den Meister geärgert und dann bei den Kollegen laut über ihn geschimpft. Erst später habe ich gemerkt, daß der Meister alles gehört hat. Das Ganze ist mir furchtbar unangenehm!
I	Ich bekomme am Wochenende Besuch, und mein Fernsehapparat ist kaputt! Was mache ich nur, wenn jemand das Fußballspiel sehen will? Die glauben doch bestimmt, daß sie bei mir fernsehen können!
J	Ich muß zum Zahnarzt! Sicher wird er mir wieder schrecklich weh tun!
K	Stell dir vor, unser kleiner Vogel ist weggeflogen. Die Kinder sind so traurig.
L	Mein Zug ist weg, und heute fährt keiner mehr! Was mache ich jetzt nur?
M	Ich bin so enttäuscht von Antonio! Ich habe ihn gefragt, ob er mir beim Umziehen hilft, und er hat einfach ‚nein‘ gesagt. Er hat zwar gesagt, daß er keine Zeit hätte, aber ich weiß, daß er nur keine Lust hat.

1	Keine Angst, es wird schon nicht so schlimm werden!
2	Keine Aufregung, wir werden schon eine Lösung finden.
3	Das ist ja furchtbar! Kann ich irgendetwas für dich tun?
4	Das ist aber schade!
5	Mach dir nichts daraus! Nimm es nicht so wichtig.
6	Du darfst nicht den Mut verlieren! Gib nicht auf, irgendwann wird es schon klappen.
7	Herzliches Beileid!
8	Ach was, das ist doch nicht so schlimm! Mach dir keine Sorgen.
9	Das ist mir auch schon passiert. Da kann man nichts machen.
10	Ach, das tut mir aber leid.
11	Das finde ich auch nicht gut; aber ärger dich nicht.
12	Ich kann dich gut verstehen. Das ist wirklich eine dumme Sache.
13	Kopf hoch, du schaffst es schon!

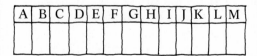

A	B	C	D	E	F	G	H	I	J	K	L	M

8. Was können Sie sagen, wenn Sie höflich/freundlich sein wollen? (Oft gibt es mehrere Möglichkeiten.)

B1
BD

Herzlichen Glückwunsch zum Geburtstag! – Viel Glück! – Alles Gute! – Viel Spaß! – Viel Erfolg! – Viel Vergnügen! – Gute Unterhaltung! – Gute Nacht! – Gute Besserung! – Schöne Reise! – Schönen Aufenthalt! – Werden Sie bald gesund! – Schlafen Sie gut/ Schlaf gut! – Schöne Ferien! – Schönen Urlaub!

Jemand sagt zu Ihnen: Was sagen Sie?

a) Ich fahre für drei Tage nach Hamburg.   _Viel Spaß / Viel ..._

b) Morgen mache ich meine Führerscheinprüfung.

c) Ich bin sehr müde; ich gehe jetzt ins Bett.

d) Ich bin gestern 26 geworden.

e) Morgen fahre ich mit meiner ganzen
   Familie für drei Wochen in Urlaub.

f) Meine Kopfschmerzen sind heute so
   stark, daß ich mich ins Bett legen muß.

g) Ich gehe heute abend mit meiner Schwester ins Theater.

h) Ich kann noch nicht zur Arbeit kommen.
   Ich habe immer noch Fieber.

9. Was paßt wo?

B1
BD

Hilfe   Halt   Vorsicht   Achtung   Los   Ruhe   Feuer

a) _____ ! Diese Lampe war sehr teuer. Stell sie nicht auf den Boden, sonst geht sie vielleicht kaputt.

b) _____ , was machen Sie denn da? Lassen Sie meine Freundin in Ruhe!

c) _____ ! Es brennt! Schnell zu den Notausgängen!

d) _____ ! Da ist ein Kind ins Wasser gefallen

e) _____ , beeilt euch! Der Zug fährt in fünf Minuten.

f) _____ bitte! Sie stören die anderen Besucher der Bibliothek! Wenn Sie sich unterhal-ten wollen, gehen Sie bitte in die Cafeteria.

g) _____ ! Meine Handtasche ist weg!

h) _____ ! Trinken Sie das Wasser nicht! Das ist kein Trinkwasser.

i) _____ liebe Kunden! Beachten Sie unsere Sonderangebote! Bananen heute besonders billig!

j) _____ ! Der Hund ist gefährlich!

k) _____ , ich will schlafen! Macht doch die Musik leiser!

l) _____ , der Zug nach Madrid hat 40 Minuten Verspätung!

Lektion 6

10. Noch ein paar Redewendungen, die Sie vielleicht gut gebrauchen können.

> Nehmen Sie doch bitte Platz! – Grüßen Sie bitte Ihre Frau von mir! – Komm/Kommen Sie
> gut nach Hause! – Bitte setzen Sie sich doch! – Kommen Sie gesund zurück/wieder! –
> Gute Heimfahrt! – Schreib mal! – Schreiben Sie mal! – Fahr/Fahren Sie vorsichtig! – Paß
> gut auf dich auf! – Passen Sie gut auf sich auf! – Fühlen Sie sich wie zu Hause! – Fühl dich
> wie zu Hause! – Bestellen Sie bitte Grüße an Ihre Frau! – Mach es dir bequem! – Machen
> Sie es sich bequem! – Komm bald wieder! – Kommen Sie bald wieder!

Entscheiden Sie selbst, ob Sie die Du-Form oder die Sie-Form benutzen wollen.

A. Einer Ihrer Arbeitskollegen wird von der
Firma für ein Jahr ins Ausland geschickt.
Was können Sie ihm zum Abschied
sagen?

_____
_____
_____

C. Sie treffen auf der Straße einen Bekannten und unterhalten sich kurz. Sie kennen
auch seine Frau, aber sie ist nicht dabei.
Was können Sie beim Abschied sagen?

_____
_____
_____

B. Sie hatten Besuch von einem Freund. Er
ist mit dem Motorrad gekommen.
Was können Sie ihm nachts zum Abschied sagen?

_____
_____
_____

D. Jemand besucht Sie in Ihrem Zimmer/
Ihrer Wohnung.
Was können Sie am Anfang zu Ihrem Be-
such sagen?

_____
_____
_____

11. Was wissen Sie über Heirat, Kinder und Kirche in der Bundesrepublik Deutschland?

B1
BD

Für diese Übung brauchen Sie auch das Kursbuch: Aufgabe 6 in Lernschritt B 1–3. Lesen Sie dort noch einmal die Sätze a–l. Vielleicht möchten Sie Ihre Lösungen überprüfen oder hätten gern noch ein paar Informationen dazu. Die folgenden Kurztexte 1–12 passen zu den Sätzen a–l. Ordnen Sie zu.

1. Falsch. Jeder Bundesbürger kann über seinen Glauben selbst bestimmen. Dieses Recht steht sogar im Grundgesetz.

2. Richtig. Das Fach Religion wird an allen Schulen unterrichtet und muß bis zum 14. Lebensjahr von den christlichen Schülern besucht werden. Die Lehrer haben entweder das Fach Religion an der Universität studiert, oder es sind Pfarrer der beiden Kirchen.

3. Richtig. Ein Paar kann bei der Hochzeit wählen, ob der Name des Mannes oder der Name der Frau der gemeinsame Familienname werden soll. Allerdings ist dieses ‚Namensrecht‘ noch nicht alt, und bisher haben nur sehr wenige Männer den Mut, ihren Namen zu ändern und sich damit gegen die alte Namenstradition zu entscheiden.

4. Richtig. Das gleiche gilt für katholische Kinder vor der Erstkommunion, die allerdings früher stattfindet. Die evangelischen Kinder sind bei der Konfirmation etwa 14 Jahre alt und die katholischen Kinder bei der Erstkommunion ca. 9 Jahre.

5. Falsch. Bei beiden Kirchen findet die Taufe in der Regel wenige Wochen nach der Geburt des Kindes statt. Einen festen Termin gibt es allerdings nicht.

6. Falsch. Eine Ehe wird durch Heirat ‚auf dem Standesamt‘ gültig (das ist die ‚staatliche‘ Heirat). Ob ein Paar zusätzlich noch kirchlich heiraten möchte, ist eine private Entscheidung. Paare, die nur kirchlich geheiratet haben, gelten in der Bundesrepublik als nicht verheiratet.

7. Falsch. Alle Bundesbürger sind mit 18 Jahren ‚volljährig‘, d. h. vor dem Gesetz Erwachsene. Mit diesem Alter können junge Leute auch heiraten. Ab sechzehn Jahren ist eine Eheschließung mit Erlaubnis der Eltern möglich.

8. Richtig. Allerdings schreibt das Gesetz ein bestimmtes Verfahren vor, d. h. eine Frau kann die Unterbrechung der Schwangerschaft nicht einfach verlangen. Wie in vielen anderen Ländern gibt es seit Jahren eine öffentliche Diskussion zum Thema Schwangerschaftsunterbrechung. Die katholische Kirche verlangt ein Verbot, viele Frauengruppen wollen dagegen eine Liberalisierung.

9. Richtig. Eine Verlobung ist eine persönliche Sache zwischen den Partnern; keiner kann den anderen damit zur Heirat zwingen. Die Tradition, sich vor der Eheschließung zu verloben, geht immer mehr zurück.

10. Falsch. Bei der standesamtlichen Eheschließung spielt die Religion der Partner keine Rolle. Aber auch die Kirchen ‚verbieten‘ die Mischehen nicht.

11. Falsch. Es ist zwar richtig, daß ein Arbeitgeber in diesem Fall Urlaub geben muß, aber der beträgt nicht zehn Wochen, sondern im Normalfall vierzehn, nämlich sechs Wochen vor der Geburt und acht Wochen nachher. Seit 1987 gibt es zusätzlich einen „Erziehungsurlaub“ von bis zu zwölf Monaten. Interessant ist, daß die Eltern wählen können, ob die Mutter oder der Vater diesen Urlaub haben möchte.

12. Falsch. Wenn eine Ehe geschieden worden ist, darf jeder der beiden Ehepartner wieder heiraten. Katholiken können nach einer Scheidung allerdings nicht mehr kirchlich heiraten.

Lektion 6

B2/3
WS

12. Welches Wort paßt wo?

> Aufmerksamkeit – Öffentlichkeit – Wirkung – Ausdruck – Vorsicht – Werbung – Lüge – Wahrheit – Wahl

a) Das Thema ‚Frieden' ist nicht nur in den Kirchen, sondern in der ganzen _____ aktuell.

b) Die Kirchen kümmern sich auch um solche soziale Gruppen, die in der Öffentlichkeit meistens wenig _____ finden.

c) Die Diskussionen auf den Kirchentagen bringen zum _____, daß auch die Kirchen politisch aktiv sind.

d) Auf dem Weihnachtspaket stand „_____ Glas! Nicht werfen!"

e) Vor einer _____ hört man von den Politikern viele _____. Die _____ erfährt man meistens erst später.

f) Die Kritik in der Öffentlichkeit hatte wenig _____. Auch dieses Jahr machen viele Geschäfte schon zwei Monate vor dem Weihnachtsfest _____ für Weihnachtsgeschenke.

B2/3
WS

13. Welches Wort paßt wo?

> ablehnen   bedanken   beleidigen   leisten   unterstützen

a) Obwohl es möglich ist, _____ es die meisten deutschen Männer _____, den Namen ihrer Ehefrau anzunehmen.

b) Katja hat einen Brief an ihre schwedische Freundin geschrieben und sich für das Weihnachtsgeschenk _____.

c) Edda hat ihren besten Freund _____. Er kommt deshalb nicht zu ihrer Hochzeit.

d) Ursula und Volker können sich eine große Hochzeitsfeier nicht _____. Dafür fehlt ihnen das Geld.

e) Die evangelischen Kirchen in der DDR und der BRD _____ die Friedensbewegung.

B2/3
GR

14. ‚Einander' und ‚Präposition + einander'. Ergänzen Sie.

> einander   für   von   an   auf
> einander   gegen   um   über   mit   } + einander
> einander

a) Wir haben oft *aneinander* gedacht, auch wenn wir uns seit Jahren nicht gesehen haben.

b) Am Neujahrstag, also am 1. Januar wünschen die Leute _____ ‚ein gutes neues Jahr'.

c) Daß die Menschen sich _____ kümmern und _____ sorgen sollen, ist ein christliches Gebot.

d) Früher haben die beiden großen christlichen Kirchen _____ gekämpft, heute ist ihr Verhältnis ganz normal, und sie sprechen manchmal sogar _____ über Glaubensfragen.

e) Edda und Johannes haben oft _____ geschimpft, trotzdem haben sie später geheiratet.

f) Auf Faschingsfesten tragen die Leute manchmal Masken, damit sie _____ nicht erkennen können.

g) Jens und Karin haben am Flughafen zwei Stunden _____ gewartet, aber sie haben _____ nicht getroffen.

h) Wir haben lange nichts _____ gehört, wir sollten uns deshalb bald mal wiedersehen.

15. Sagen Sie es anders.

B2/3
GR

Im Deutschen gibt es verschiedene Möglichkeiten auszudrücken, daß eine Gruppe von Menschen etwas tut, sagt oder meint. Vergleichen Sie die folgenden Beispiele.

– *Man kritisierte*, daß die Geschäfte zu früh für Weihnachtsgeschenke Werbung machen.
Es wurde kritisiert, daß die Geschäfte zu früh für Weihnachtsgeschenke Werbung machen.
Kritisiert wurde, daß die Geschäfte zu früh für Weihnachtsgeschenke Werbung machen.
– In den Kirchen *sammelt man* sonntags Geld, um armen Leuten helfen zu können.
Es wird sonntags in den Kirchen Geld *gesammelt*, damit man armen Leuten helfen kann.
In den Kirchen *wird* sonntags Geld *gesammelt*, damit man armen Leuten helfen kann.

Sagen Sie es anders.
a) *Man klagt*, daß immer weniger Leute sonntags in die Kirche gehen.
   Es wird geklagt / Geklagt wird, daß...

Ebenso:
b) In der Faschingszeit *tanzt* und *feiert man* sehr viel
c) *Man sprach* viel über Gefühl, Liebe und Vertrauen.
d) *Man muß* für das Weihnachtsessen sehr viel vorbereiten.
e) *Man diskutierte* auf dem Kirchentag darüber, wie man den Frieden sicherer machen könne.
f) Am Weihnachtsabend *ißt man* sehr viel und sehr gut.
g) *Man diskutierte* Fragen nach dem Sinn des Lebens.
h) Am Silvesterabend *trinkt man* sehr viel.
i) *Man warnte* vor einem neuen Weltkrieg.

16. ,Es' als Ersatzsubjekt.

B2/3
GR

Es gibt im Deutschen viele Verben und Adjektive, die eine Meinung über einen Sachverhalt bedeuten. Sie stehen oft vor ,daß-Sätzen', Infinitivsätzen oder anderen Nebensätzen.
Zum Beispiel:

Bodo *beschwert sich,*	*daß* man so viel Kirchensteuer bezahlen muß.
kritisiert,	
ärgert sich,	
...	
Es ist *richtig,*	
ärgerlich,	
...	
Es *ärgert* viele Leute,	

Lektion 6

Viele dieser Verben und Adjektive werden mit ‚es' gebraucht. Zum Beispiel:

a)

Es	überrascht ärgert *...	mich, dich, ihn/sie, uns, euch, sie, Bernd,	daß... ...zu + Infinitiv. wenn... wie...

Es ist mir	wichtig, egal,	daß... wenn...

b)

Es macht	mich dich	glücklich, ärgerlich, *...,	daß... ...zu + daß wenn... wie...

Es tut *Es* paßt	mir ... mir ...	leid, weh, gut, nicht,	daß... ...zu + Infinitiv. wenn...

c)

Es ist	intelligent, richtig, komisch, wichtig, *...,	daß... ...zu + Infinitiv. wenn... wie...

Kennen Sie noch andere Adjektive, die in diese Reihe passen? Es gibt noch sehr viele.
Ergänzen Sie die Listen a, b und c, wo das Zeichen * steht.

d) *Es* hängt davon ab, ob...

Es	sieht so aus, scheint (so), stimmt, spielt keine Rolle, kommt vor, passiert,	daß...

Es *Es* *Es* lohnt sich	besteht die Hoffnung, klappt (nicht), geht, bestimmt, kaum, ...,	daß... ...zu + Infinitiv.

Es kostet viel	Zeit, Geld, Gefühl, Ärger, ...,	...zu + Infinitiv.

Es bleibt	keine genug wenig ...	Zeit,	daß... ...zu + Infinitiv.

Diese Sätze mit ‚es' stehen meistens vor ‚daß-Sätzen' oder Infinitivsätzen (manchmal auch
vor anderen Nebensätzen). Zum Beispiel:
– *Es* ist komisch, daß es in der Bundesrepublik eine Kirchensteuer gibt.
– *Es* macht die Kinder nervös, am Weihnachtstag bis abends zu warten.
‚Es' ist in diesen Sätzen Ersatzsubjekt. Das wirkliche Subjekt ist der ‚daß-Satz' oder der
Infinitivsatz. Deshalb darf man dieses ‚es' nicht verwenden, wenn der Nebensatz als
Inversionssignal vor dem Hauptsatz steht.

Zum Beispiel:
Daß *es* in der Bundesrepublik eine Kirchensteuer gibt, ist komisch.

17. Das Präpositionalpronomen ‚da(r) + Präposition' als Ersatz für präpositionale Ergänzungen.

Für Subjekte verwendet man als Ersatz das Wort ‚es'. Für präpositionale Ergänzungen, die bei bestimmten Verben stehen, gibt es auch einen Ersatz. Man nimmt dafür das Präpositionalpronomen ‚da(r) + Präposition'.

Zum Beispiel:
- Katja ärgert sich immer *(darüber)*, daß sie sich für die Kirche schön anziehen muß.
- Die jungen Christen möchten *dafür* sorgen, daß es wieder mehr Liebe und Vertrauen zwischen den Menschen gibt.

In diesen Sätzen sind ‚darüber' und ‚dafür' Ersatz für präpositionale Ergänzungen. Die wirkliche Ergänzung ist der ‚daß-Satz'. Bei manchen Verben muß die Ersatzergänzung nicht unbedingt verwendet werden. Man kann z. B. auch sagen:
- Katja ärgert sich, daß sie ...

In Sätzen mit solchen Verben steht bei der folgenden Übung die Lücke in Klammern.
Aber bei ‚sorgen' muß die Ersatzergänzung unbedingt stehen.

Ergänzen Sie das richtige Präpositionalpronomen.

da(r)	+	über nach an über gegen über
		um von für um

a) Die Kirche kümmert sich auch _____, daß die alten Leute nicht vergessen werden.

b) Die Eltern freuen sich (_____), daß an den Weihnachtstagen die ganze Familie zusammen ist.

c) Am Weihnachtstag erkundigen sich die Kinder oft (_____), wann der Weihnachtsmann endlich kommt.

d) Viele Leute beschweren sich (_____), daß Weihnachten so viele und so teure Geschenke gemacht werden.

e) Hast du schon (_____) gehört, daß Bettina ein Kind bekommen hat?

f) Ich kann mich nicht _____ gewöhnen, daß während des Faschings so viel getrunken wird.

g) Die katholische Kirche protestiert sehr (_____), daß es in der Bundesrepublik erlaubt ist, eine Schwangerschaft zu unterbrechen.

h) Die Kirche sorgt auch _____, daß arbeitslose Jugendliche in den Großstädten gemeinsame Treffpunkte haben, um über ihre Situation sprechen zu können.

i) Die beiden christlichen Kirchen bemühen sich nicht sehr (_____), gemeinsame Antworten auf Glaubens- und Alltagsfragen zu finden.

j) Die Kirchen sind (_____) erschrocken, daß immer weniger Leute am Sonntag in die Kirche gehen.

Es gibt noch viele andere Verben, die mit einer präpositionalen Ergänzung stehen und die einen ‚daß-Satz' einleiten.
Es ist wichtig, die richtige Präposition zu kennen.

Lektion 6

Ordnen Sie die folgenden Verben den Präpositionalpronomen zu.

bitten*	erinnern	rechnen
sich aufregen*	erzählen*	schimpfen
sich bedanken*	hoffen*	reden
berichten*	informiert sein	sprechen
achten	enttäuscht sein*	stimmen
dankbar sein*	klagen	streiken
denken	lachen	streiten
sich entschuldigen*	leiden	überzeugt sein*

* bedeutet, daß das Präpositionalpronomen vor einem Nebensatz nicht stehen muß.

a) darüber _reden_____, daß ...
_____, daß ...
_____, daß ...
...

b) daran _____, daß ...
_____, daß ...
_____, daß ...
...

c) darum _____, daß ...
_____, daß ...
_____, daß ...
...

d) dagegen _____, daß ...
_____, daß ...
_____, daß ...
...

e) darauf _____, daß ...
_____, daß ...
_____, daß ...
...

f) dafür _____, daß ...
_____, daß ...
_____, daß ...
...

g) davon _____, daß ...
_____, daß ...
_____, daß ...
...

h) darunter _____, daß ...
_____, daß ...
_____, daß ...
...

B2/3
GR

18. Präpositionen als Verbzusätze. Welche Präposition paßt wo?

aus	an	unter	über

a) aus der Wohnung ___aus___ziehen
b) sich im Hotel _____melden
c) Deutsch _____richten
d) die Öffentlichkeit _____raschen
e) die Erzählung _____setzen
f) den Preis _____rechnen
g) auf dem Bahnhof _____kommen
h) die Gäste _____halten
i) den Lehrling _____reden
j) die Arbeit _____fangen
k) das Tonbandgerät _____schalten

l) die Wahl _____nehmen
m) sich den Verkauf _____legen
n) die Kerze _____zünden
o) das Formular _____füllen
p) zwischen Wahrheit und Lüge
_____scheiden
q) die Schachtel _____packen
r) bei Freunden _____nachten
s) die Reise _____brechen
t) die Armen _____stützen

94

19. Adverbien als Verbzusätze.

Sehen Sie sich in Übung 18 die Präpositionen als Verbzusätze einmal genau an. Sie werden merken, daß die Präpositionen meistens nichts mehr mit ihrer eigentlichen Bedeutung zu tun haben. Das gilt für fast alle Verben mit Präpositionen als Verbzusatz. Nur ‚mit' ist eine Ausnahme, die Sie schon in Lektion 4 Übung 2 geübt haben (z. B. ‚mithelfen', ‚mitfahren', ‚mitzählen').

Anders ist es bei Adverbien als Verbzusätze, z. B., ‚weiter-', ‚wieder-', ‚zusammen-', ‚zurück-', ‚fort-', ‚vorbei-', ‚voraus-' und ‚weg-' (z. B. ‚wiederkommen', ‚zusammenarbeiten') und bei den Adverbien, die mit ‚hin' + Präposition oder ‚her' + Präposition gebildet werden: ‚hinein-', ‚hinauf-', ‚hinaus-', ‚hinunter-', ‚hindurch-', ‚heraus-', ‚herein-', ‚herunter-' (z. B. ‚hinaus-laufen', ‚herauskommen'). Diese Verben wurden schon in Lektion 2, Übung 14 geübt.

Welche Adverbien passen wo?

fort/weg	herein	hinaus	zurück	wieder
zusammen	vorbei	hinunter/herunter		weiter

a) An Silvester gehen die Leute auf die Straße _____, wo viele ein privates Feuerwerk machen.

b) Einige Eltern erzählen ihren Kindern, daß das Christkind aus dem Himmel auf die Erde _____steigt und Geschenke bringt.

c) Obwohl immer mehr Leute keine wirklichen Christen mehr sind, wird das Weihnachtsfest trotzdem _____bestehen.

d) Am Weihnachtsabend sitzt meistens die ganze Familie _____ und feiert Weihnachten.

e) Die Kinder dürfen erst dann in das Zimmer mit den Geschenken und dem Tannenbaum kommen, wenn der Weihnachtsmann wieder _____gegangen ist.

f) Die Zahl der Leute, die regelmäßig in die Kirche gehen, geht jedes Jahr _____.

g) Am Weihnachtsabend denkt Katja nur eins: „Wann werde ich endlich ins Weihnachts-zimmer _____gerufen?"

h) Dieses Jahr spielte unser Nachbar den Nikolaus. Die Kinder haben ihn nicht _____-erkannt.

i) Manche Kinder glauben, daß das Christkind oder der Weihnachtsmann in jedem Haus _____kommt und Geschenke bringt.

20. Trennbare und untrennbare Verbzusätze.

Es gibt fünf wichtige Verbzusätze, die sowohl trennbar als auch untrennbar sind:

a) durch

trennbar: Lesen Sie bitte den Text *durch.* (ein Problem *durch*sprechen, die ganze Nacht *durch*feiern, das Thema *durch*nehmen, ein Brot *durch*schneiden, ein Stück Fleisch *durch*-braten und viele andere)

untrennbar: Der Fluß *durch*fließt ein großes Tal. (einen Fluß *durch*schwimmen, ein Gewitter *durch*fliegen, ein Tal *durch*reiten und viele andere)

b) über

trennbar: Vorsicht, das Wasser läuft *über.* (*über*kochen (Milch) und einige andere)

untrennbar: Wenn man von Hamburg nach New York fliegt, *über*fliegt man den Atlantik. (eine Mauer *über*springen, einen wichtigen Satz *über*lesen, eine Arbeit *über*nehmen, Geld *über*weisen, eine Cassette *über*sprechen und viele andere)

c) um

trennbar: Ich arbeite den Text *um.* Er gefällt mir nicht mehr. (den Wein *um*gießen, in Köln *um*steigen, sich in einer Stadt *um*sehen und viele andere)

untrennbar: Die Vögel *um*fliegen den Baum. (eine Schwierigkeit *um*gehen, die Bedeutung eines Wortes *um*schreiben und einige andere)

d) unter

trennbar: Klaus findet kein Hotelzimmer. Er kommt nirgends *unter.* (jemanden *unter*tauchen, im Wasser *unter*gehen und einige andere, selten)

untrennbar: Diesen Mietvertrag *unter*schreibe ich sofort. (eine Konferenz *unter*brechen, einen Fluß in einem Tunnel *unter*fahren, die Gäste *unter*halten, die Bevölkerung politisch *unter*drücken, Geld *unter*schlagen, sich einer Untersuchung beim Arzt *unter*ziehen und einige andere)

e) wieder

trennbar: Mein Auto ist gestohlen worden. Ich bekomme es bestimmt nicht *wieder.* (ein geliehenes Buch *wieder*bringen, eine Person *wieder*erkennen, eine verlorene Sache *wieder*finden, Freunde *wieder*sehen und viele andere)

untrennbar: Wir *wieder*holen morgen die Lektion 5. (nur dieses Verb)

Versuchen Sie nicht, selbst Verben mit diesen Verbzusätzen zu bilden und zu gebrauchen, wenn Sie nicht genau wissen, was sie bedeuten. Denn das ist sehr schwierig, weil die Bedeutung oft sehr speziell ist. Sie sollen solche Verben nur erkennen können, damit Sie die Texte mit solchen Verben etwas leichter verstehen.

B2/3
GR

21. Adjektive als Verbzusätze

Auch Adjektive kann man als Verbzusätze gebrauchen, um die Grundbedeutung eines Verbs zu verändern. Zum Beispiel:

– Können Sie bitte mein Gepäck in den 3. Stock *hoch*tragen?

– Das Regal muß man an der Wand festmachen.

fertig	fest	hoch	kaputt	leer	tot	offen	lieb	tod

Welche Adjektive passen wo?

a) Hast du das Essen schon _____? Ich bin sehr hungrig.

b) Die alte Frau ist nicht natürlich gestorben. Sie wurde von einem Auto _____gefahren.

c) Lassen Sie das Fenster bitte _____. Es ist so heiß hier im Zimmer.

d) Trinkst du das Glas noch _____, oder soll ich die Milch weggießen?

e) Der Aufzug ist leider kaputt, wir müssen die Treppen _____gehen.

f) Vorsicht, halte das Kind _____. Es läuft sonst auf die Straße.

g) Mit 50 bekommt Frau Buss schon Rente, sie hat sich wirklich _____gearbeitet.

h) Zuerst habe ich den Hund nicht gemocht, aber dann habe ich ihn _____gewonnen.

Andere Beispiele:

fertig-: ein Buch *fertig*lesen, um 19.00 Uhr *fertig*sein

fest-: auf dem Boden *fest*frieren, es steht *fest*, daß ...

hoch-: einen Berg *hoch*steigen, einen Ball *hoch*werfen

kaputt-: Geschirr *kaputt*schlagen, eine Hoffnung *kaputt*machen

leer-: eine Schachtel *leer*machen

offen-: *offen*stehen (Tür), eine Tür *offen*halten

lieb-: einen Menschen *lieb*haben, einen Menschen *lieb*halten

tot-: ein Tier *tot*schlagen, sich *tot*arbeiten

Auch hier gilt: Sie sollten nicht versuchen, selbst solche Verben zu bilden. Die Übung soll Ihnen nur helfen, die Bedeutung der Verben beim Lesen oder Hören leichter zu verstehen.

22. Verben mit dem Präfix ‚be-'.

B2/3
GR

Im Deutschen gibt es viele Verben mit dem Präfix ‚be-'. Man kann drei Gruppen unterscheiden:

a) Verben mit ‚be-', die fast dasselbe bedeuten wie das einfache Verb ohne ‚be-', aber teilweise grammatisch anders verwendet werden. Zum Beispiel:
   – Die Leute, die in der Nähe des Flughafens wohnen, klagen über den großen Lärm.
      = Die Leute, die in der Nähe des Flughafens wohnen, *be*klagen den großen Lärm.
   – Der Mieter und der Vermieter sprechen über den Preis der Wohnung.
      = Der Mieter und der Vermieter *be*sprechen den Preis der Wohnung.
   – Die Kinder werfen mit Steinen auf den Hund. = Sie *be*werfen den Hund mit Steinen.
   – Sie hat der Kollegin Geld gestohlen. = Sie hat die Kollegin *be*stohlen.
   Ebenso:
   eine Blume gießen = eine Blume *be*gießen, einer Person für ein Geschenk danken = sich bei einer Person für ein Geschenk *be*danken, auf einer Straße fahren = eine Straße *be*fahren, auf ein Papier malen = ein Papier *be*malen, einem Freund etwas schenken = einen Freund mit etwas *be*schenken, eine Wohnung heizen = eine Wohnung *be*heizen.

b) Verben mit ‚be-', die nicht dieselbe, aber eine ähnliche Bedeutung wie das einfache Verb ohne ‚be-' haben. Zum Beispiel:
   an die Schwierigkeit denken – Schwierigkeit *be*denken
   die Werkzeuge nutzen – die Werkzeuge *be*nutzen
   den Chef fragen – den Chef *be*fragen
   über die Leute schimpfen – die Leute *be*schimpfen
   Ebenso: merken – *be*merken, denken – *be*denken, fühlen – *be*fühlen, arbeiten – *be*arbeiten, kämpfen – *be*kämpfen und viele andere.

c) Verben mit ‚be-', die eine ganz andere Bedeutung haben als das einfache Verb ohne ‚be-'. Zum Beispiel:
   sich über ein Geschenk wundern – ihre gute Leistung *be*wundern
   auf einem Stuhl sitzen – einen Stuhl *be*sitzen
   Ebenso: *be*deuten, *be*dienen, sich *be*eilen, *be*halten, *be*handeln, *be*schreiben, *be*stehen, *be*stellen, *be*suchen, *be*tragen und viele andere)

Noch einmal: Versuchen Sie nicht, Verben mit ‚be-' selbst zu bilden!

Lektion 6

B2/3
BD

23. ‚Machen' hat verschiedene Bedeutungen.

A. Bernd schenkt seiner Mutter zu Weihnachten einen Bürostuhl aus Holz. Den kauft er nicht, sondern den *macht* er selber.
(machen = eine Sache/eine Ware herstellen/produzieren)

B. Das Weihnachtsessen zu *machen* kostet sehr viel Zeit.
Säfte *mache* ich mit einer Haushaltsmaschine selber.
(machen = kochen, ein Getränk herstellen)

C. Erst wenn Katja ihre Aufgaben für die Schule *gemacht* hat, darf sie sich mit ihren Freunden treffen.
In der Silvesternacht *machen* die Leute zu Hause große Feiern.
(machen = etwas erledigen, etwas tun)

D. Katja glaubt, daß es den Eltern Vergnügen *macht*, die Kinder am Weihnachtstag warten zu lassen.
(machen = verursachen)

E. Die Kirche *macht* es möglich, daß junge Leute in der DDR und der Bundesrepublik wieder ein gemeinsames Thema haben: den Frieden in der Welt.
Die vielen politischen Diskussionen *machen* die Kirchentage sehr interessant.
(machen = einer Person oder Sache eine bestimmte Eigenschaft geben)

Welche Bedeutung hat ‚machen' in den folgenden Sätzen?

1. In der Silvesternacht *machen* die Leute in den Straßen viel Lärm. ☐
2. Die Höhe der Kirchensteuer *macht* viele Leute sehr ärgerlich. ☐
3. In der Mittagspause im Büro *machen* wir uns meistens einen Kaffee. ☐
4. Am Weihnachtsabend Weihnachtslieder zu singen *macht* den meisten Kindern keinen Spaß. ☐
5. Die Kirchen *machen* häufig spezielle Veranstaltungen für ältere Leute. ☐
6. Weihnachtskerzen kann man sehr einfach selbst *machen*. ☐
7. Daß Herr Förster gestorben ist, *macht* alle Freunde und Verwandten sehr traurig. ☐
8. Edda hat sich für ihre Hochzeit ein sehr attraktives Kleid *machen* lassen. ☐
9. Das Weihnachtsessen *macht* sehr viel Arbeit. ☐
10. Für die Hochzeit haben die Eltern von Johannes und Edda viele verschiedene Salate *gemacht*. ☐

B2/3
BD

24. ‚Gerade' hat verschiedene Bedeutungen.

A. Der Tannenbaum vor unserem Haus ist wirklich nicht sehr *gerade* gewachsen, aber trotzdem gefällt er uns gut.
(gerade = das Gegenteil von ‚schief')

B. Uwe kann jetzt nicht kommen. Er telefoniert *gerade*.
(gerade = genau in diesem Moment)

C. *Gerade* heute brauchen junge Menschen ein Ziel im Leben.
(gerade = besonders, vor allem)

D. In kleinen Städten kommen sonntags *gerade* 10 bis 20 Leute in die Kirche.
(gerade = knapp)
Welche Bedeutung hat ‚gerade' in den folgenden Sätzen?

1. Sie ist *gerade* 17 und hat schon geheiratet.
2. Man darf Katja jetzt nicht stören. Sie packt *gerade* ein Geschenk aus.
3. Wenn man zuviel Alkohol getrunken hat, kann man meistens nicht mehr richtig *gerade*aus gehen.
4. ‚Frieden' ist *gerade* in den Kirchen ein aktuelles Thema.

25. Auch ein Adjektiv hat oft mehrere Bedeutungen.

B2/3
BD

Ergänzen Sie die Adjektive, und vergleichen Sie danach die unterschiedlichen Bedeutungen der einzelnen Adjektive.

$fein_1$	$hart_1$	$schwer_1$	$fest_1$	alt_1
$fein_2$	$hart_2$	$schwer_2$	$fest_2$	alt_2
$fein_3$	$hart_3$	$schwer_3$	$fest_3$	alt_3
		$schwer_4$	$fest_4$	alt_4
		$schwer_5$		

a) Das Weihnachtsgebäck hat immer eine besonders _feine₁_ Qualität.
b) Für junge Leute ist es machmal sehr _____ *(zwei Lösungen),* sich an die Regeln einer Gemeinschaft zu gewöhnen.
c) Die Kirchen in der DDR und der Bundesrepublik haben etwas geschafft, was eigentlich nur _____ möglich ist. Sie haben ein gemeinsames politisches Thema gefunden, das in beiden deutschen Staaten aktuell ist: der Frieden in der Welt.
d) Für die Gottesdienste gibt es jeden Sonntag dieselben _____ Zeiten.
e) Johannes hat alle seine _____ Freunde aus der Schulzeit zu seiner Hochzeit eingeladen.
f) Die Klingel funktioniert nicht richtig, aber wenn man _____ drückt, dann geht sie.
g) Die meisten Kirchen in der Bundesrepublik sind sehr _____, einige über 900 Jahre.
h) Das Gebäck ist nicht frisch. Es ist trocken und _____.
i) Früher war der Glaube an Gott viel _____ als heute.
j) Der geringe Kirchenbesuch am Sonntag macht der evangelischen Kirche _____ Sorgen.
k) Auf den Plätzen in den Städten stehen in der Weihnachtszeit oft große, _____ Tannenbäume mit elektrischen Kerzen.
l) Den Erfolg der Kirchentage kann man nur _____ erklären.
m) Für seine Arbeit hat Edda ihrem Mann _____ Schuhe gekauft, die nicht schnell kaputt gehen, aber trotzdem recht leicht sind.
n) Für guten Kaffee muß das Kaffeepulver sehr _____ sein.
o) Die Bänke in einer Kirche sind normalerweise sehr _____ und unbequem.
p) _____, daß du uns zu Weihnachten besuchst.
q) Obwohl unser _____ Lehrer älter als 60 Jahre war, war er viel moderner als der neue.
r) Das Gemüse ist nicht frisch, es ist _____.

Lektion 6

26. Focuswörter.

Es gibt im Deutschen eine kleine Gruppe von speziellen Wörtern, mit denen man ein Nomen (Pronomen) oder eine Wortgruppe mit einem Nomen genauer beschreiben kann. Diese Wörter bedeuten selbst keine Eigenschaft eines Dinges oder eines Sachverhalts, sondern eine Meinung des Sprechers dazu oder eine Ergänzung zu einer Zeit- oder Mengenangabe.

Zum Beispiel:

A. *Mindestens* | 43 Prozent der Bürger sind Protestanten.
Etwa | 4 Stunden hat die Feier gedauert.
Genau | ein Viertel der Bürger geht regelmäßig in die Kirche.
Wenigstens | 1,8 Millionen Moslems leben in der Bundesrepublik.
Höchstens
Ungefähr
Kaum
Gerade
Fast

Diese Wörter beschreiben eine Mengenangabe genauer.

B. *Genau* | bis 12.00 Uhr hat die Feier gedauert.
Etwa
Mindestens
Höchstens
Ungefähr
Fast

Genau | um 12.00 Uhr war die Feier zu Ende.
Etwa | vor 4 Stunden war die Feier zu Ende.
Ungefähr | in 10 Tagen ist Weihnachten.
| Anfang Dezember beginnt in den Kaufhäusern das Weihnachtsgeschäft.

Diese Wörter beschreiben eine Zeitangabe genauer.

C. *Vor allem* | Fragen der Kindererziehung können in Mischehen ein Problem sein.
Besonders
Gerade

Mit diesen Wörtern verstärkt man die Bedeutung eines Sachverhalts.

D. *Nur* | die katholische Kirche ist gegen die Ehescheidung.
Bloß | in der protestantischen Kirche dürfen Frauen Pfarrer sein.
‚Nur' und ‚bloß' schließen aus, daß der Sachverhalt auch für andere Personen, Dinge oder Situationen gilt.

Sonntags kommen *nur/bloß* 10 oder 20 Leute in unsere Kirche.
Die Kirche ist sehr klein. Sie hat *nur/bloß* 80 Sitzplätze.
‚Nur/bloß' bedeuten hier ‚weniger als man möchte, erwartet, vermutet . . .'.

E. ○ In fast allen Ländern sind Staat und Kirche getrennt.
   □ *Genau* │ das ist in der Bundesrepublik ein Problem.
   Eben

Mit diesen Wörtern sagt man, daß man einen Gedanken sehr wichtig findet.

F. *Erst* │ seit dem 16. Jahrhundert gibt es eine protestantische Kirche.
   Schon

‚Erst' bedeutet, daß man einen Zeitpunkt (oder den Beginn oder das Ende eines Zeitraums) sehr spät findet. ‚Schon' bedeutet das Gegenteil.

G. *Selbst* │ kleine Kinder glauben oft nicht mehr, daß es einen Weihnachtsmann gibt.
   Sogar

‚Selbst' und ‚sogar' verwendet man, wenn man überrascht ist oder glaubt, daß ein Sachverhalt nicht normal ist.

H. Du gehst nie in die Kirche, aber *wenigstens* Weihnachten könntest du mit uns hingehen.
   Die Hochzeitsfeier war sehr langweilig, aber *wenigstens* war das Essen gut.

Mit *‚wenigstens'* bezeichnet man das einzige Positive in einer eigentlich negativen Sache.

Was paßt wo?
Einige Sätze haben verschiedene Lösungen. Beachten Sie, wie die Bedeutung der Sätze sich ändert, wenn man verschiedene Focuswörter einsetzt.

> erst – nur – etwa – wenigstens – schon – bloß – mindestens – genau – selbst – vor allem – sogar – besonders – gerade – höchstens – ungefähr

a) Marianne und Martin kennen sich _____ vier Jahre, aber _____ im letzten Jahr haben sie eine gemeinsame Wohnung gemietet.
b) Bettina war über 45 Jahre alt, als ihre Tochter Ursula geboren wurde. Alle Leute fanden, daß sie viel zu alt sei. _____ die Ärzte haben nicht geglaubt, daß sie noch ein Kind bekommen kann.
c) Edda und Johannes haben die Hochzeit _____ mit ihren Eltern gefeiert. Alle anderen Verwandten waren nicht eingeladen.
d) Die Leute gehen immer seltener in die Kirche. _____ die Protestanten klagen darüber, denn ihre Kirchen sind sonntags fast leer.
e) Man kennt die Zahl nicht genau. Doch man vermutet, daß _____ 42% aller Bundesdeutschen Katholiken sind.
f) ○ Wieviel wollen Sie für das Geschenk ausgeben?
   □ _____ 60,– Mark, mehr nicht, lieber weniger.
g) Es kommen zwar leider immer weniger Leute in die Kirchen, aber _____ auf den Kirchentagen kommen sehr viele Menschen zusammen.
h) _____ um 24.00 Uhr am Silvesterabend, nicht früher und nicht später, füllt man die Gläser mit Sekt und wünscht sich ‚Ein gutes Neues Jahr'.

»Scheidung« ohne Trauschein

Was passieren kann – worauf man vorher achten sollte.

Noch vor zwanzig Jahren galt ein Paar, das in »wilder Ehe« zusammenlebte, als unmoralisch. Heute wird die Ehe ohne Trauschein allgemein akzeptiert. Ganz problemlos ist sie trotzdem nicht – vor allem dann, wenn eine solche Lebensgemeinschaft eines Tages wieder aufgelöst wird.

Wie ist das mit einem bestehenden Mietvertrag?

Kein Vermieter kann normalerweise etwas dagegen haben, wenn eine zweite Person einzieht. Er kann deswegen auch nicht kündigen – muß aber informiert werden. Ausnahme: Ein Zusammenziehen kann er verbieten, wenn dies für ihn aus persönlichen oder wirtschaftlichen Gründen unzumutbar ist. Die Gerichte stellen an diese Ausnahmeregel aber hohe Anforderungen. Und sind dort recht mieterfreundlich.

Soll man einen neuen Mietvertrag gemeinsam unterzeichnen?

Ja, wenn man das Risiko ausschließen will, bei einer Trennung plötzlich vor die Tür gesetzt zu werden. Beachten Sie aber: Wer mit unterschreibt, haftet auch für Miete und alle Nebenkosten.

Wem gehört was?

Faustregel: Nach einer Trennung steht jedem das zu, was er eingebracht oder während der Partnerschaft erworben hat. Nur: Notfalls muß man das beweisen können. Empfehlenswert: Machen Sie eine Liste der mitgebrachten Gegenstände und heben Sie, zumindest bei größeren Anschaffungen, die Quittungen auf.

Ein gemeinsames Konto?

Vertrauen ehrt, Vorsicht ist besser. Wer hier zu blauäugig ist, kann ganz schön das Nachsehen haben. Denn es geht nicht nur um das bestehende Guthaben, sondern auch um das Recht, den Kreditrahmen auszunutzen.

Für einen Kredit bürgen?

Nicht ohne schriftliche Vereinbarung! Auch wer ganz normale Raten für den anderen zahlt, kann bei einer Trennung nichts zurückverlangen.

Nachträglicher Lohn für die Arbeit in der Firma des anderen?

Maßgeblich ist bei Streitfällen nur ein regulärer Arbeitsvertrag. Wird er nur pro forma abgeschlossen (z. B. über 410,– DM), kann der Lohn später auch nicht höher eingefordert werden. Wer sich auf unentgeltliche Mitarbeit einläßt, geht später völlig leer aus.

Was passiert, wenn der Partner stirbt?

Sie erben gar nichts, wenn kein Testament vorhanden ist. Auch Ansprüche auf Rente aus der Rentenversicherung des Partners (selbst wenn aus der Verbindung Kinder hervorgegangen sind) bestehen nicht. Wer den anderen im Testament bedenken und versorgen will, sollte dies nicht ohne juristischen Rat tun. Die problemloseste Möglichkeit der Altersversorgung für den anderen: die Bezugsberechtigung der Lebensversicherung.

Wer hat das Sorgerecht bei gemeinsamen Kindern?

Das Sorgerecht steht stets allein der Mutter zu. Ein gemeinsames Sorgerecht, auch wenn beide Partner es wünschen, wird nicht anerkannt. Bei einer Trennung im Streit kann der Mann leicht seine Vaterrolle einbüßen. Er darf dann nur noch zahlen.

Lohnt ein Partner-Vertrag?

Ab einer gewissen Größenordnung: auf jeden Fall! Unbedingt zum Beispiel, wenn einer die Ausbildung des anderen finanziert oder mitfinanziert. Und sei es nur durch selbstverständliche Übernahme aller Lebenshaltungskosten.

89 als ob
88 an
89 e Ankunft
93 aufheben
88 r Augenblick, -e
93 s Ausländeramt, ⸚er
93 r Autofahrer, -
87 beschäftigen
89 beschließen
87 besichtigen
90 bewegen
84 bringen
84 s Bundesland, ⸚er
93 r Bürgermeister, -
89 r Charakter
89 e Darstellung, -en
90 deutlich
90 diesmal
88 durch
93 r Eintritt
93 s Einwohnermeldeamt, ⸚er
89 e Einzelheit, -en
90 einzeln
86 enttäuschen
89 e Erfindung, -en
89 e Erklärung, -en
88 e Forschung, -en
87 e Führung, -en
93 r Fußgänger, -
93 geben
92 r Gegensatz, ⸚e
84 e Gegenwart
88 geheim
92 gelingen
93 s Gras
92 heutig
88 hinterher
93 höflich
93 je

89 jeder
89 e Klinik, -en
93 kommen
93 e Konferenz, -en
93 konservativ
93 kräftig
75 lebendig
93 r Lift, -e
89 loben
93 s Markstück, -e
93 mißverstehen
89 s Papier, -e
89 r Patient, -en
89 pflegen
85 s Publikum
93 e Rückkehr
89 e Sache
85 senden
88 e Stimme, -n
84 s Stück, -e
84 e Technik, -en
89 umsonst
88 s Unglück
85 unter
89 e Unterhaltung, -en
89 s Urteil, -e
93 r Verbrecher, -
92 e Vergangenheit
88 vergeblich
89 verhaften
92 s Verkehrsmittel, -
88 veröffentlichen
88 r Versuch, -e
93 völlig
87 s Zeug
93 r Zeuge, -n
93 r Zufall, ⸚e
93 zuverlässig

Lektion 7

1. Was paßt wo? Ergänzen Sie.

Forschung Einzelheit Erfindung Urteil Stück Augenblick Versuch
Publikum Charakter Erklärung[1] Gegenwart Patient Zufall Unterhaltung[1]
Erklärung[2] Führung Klinik Stimme Unterhaltung[2]

a) Ein kurzer Moment oder der Moment, den man gerade erlebt, ist ein/der _____.

b) Die persönliche Art eines Menschen, die Summe seiner Eigenschaften, ist sein _____.

c) Das Gegenteil von Gesamtheit: _____

d) Für die Entwicklung der Technik war das Rad die erste große _____ des Menschen.

e) Wenn man etwas nicht versteht, braucht man eine _____.

f) Einen Text, der geschrieben wurde, um eine bestimmte Meinung, eine Absicht oder einen bestimmten Standpunkt klarzumachen, ist eine _____.

g) Ein wichtiger Teil der wissenschaftlichen Arbeit: _____

h) Daran kann (oder muß) man teilnehmen, wenn man ein Museum oder eine Sehenswürdigkeit besucht: _____

i) Die Zeit zwischen Vergangenheit und Zukunft (also die Zeit, in der wir gerade leben) ist die _____.

j) Ein anderes Wort für Krankenhaus: _____

k) Kranker, der in einem Krankenhaus oder in einer Arztpraxis behandelt wird: _____

l) Die Zuschauer (z. B. im Theater, Kino oder Zirkus) nennt man das _____.

m) Wer gut singen kann, der hat eine schöne _____.

n) Wird von einem Schriftsteller geschrieben und dann im Theater gezeigt: _____

o) Ein anderes Wort für Gespräch: _____

p) Wenn jemand ins Theater, in die Oper oder ins Ballett geht, wünscht man ihm ‚Gute _____!'

q) Wenn jemand sagt, daß er etwas gut oder schlecht findet, dann gibt er ein _____ ab.

r) Verfahren in der Naturwissenschaft, um Theorien zu prüfen: _____

s) Im Leben kann man vieles planen, aber nicht alles; auch der _____ spielt eine große Rolle.

2. Was paßt nicht?

a) besichtigen: ein Museum, einen Film, ein Haus, ein Schloß, eine Ausstellung

b) veröffentlichen: ein Buch, eine Rede, ein Konzert, Forschungsergebnisse, geheime Pläne

c) senden: einen Film im Fernsehen, ein Musikstück im Radio, ein Stück im Theater, einen Brief mit der Post

d) loben: eine Eintrittskarte, einen Film, einen Schauspieler, ein Theaterstück

e) bringen: eine Sendung im Fernsehen, ein Museum, ein bekanntes Theaterstück, etwas Neues; jeden Abend ein anderes Stück

f) verhaften: die Polizei, einen Mörder, den Täter, einen jungen Mann

g) pflegen: einen Patienten, eine alte Frau, ein krankes Kind, eine Klinik, seinen eigenen Körper

3. ‚Ding‘, ‚Sache‘, ‚Gegenstand‘, ‚Zeug‘.

Die Wörter ‚Ding‘, ‚Sache‘, ‚Gegenstand‘, und ‚Zeug‘ werden nicht sehr deutlich unterschieden. Bei dem Wort ‚Zeug‘ sollten Sie allerdings beachten, daß man es meistens für etwas verwendet, was man wertlos, alt, unnütz oder nicht gut findet.

der Gegenstand   das Zeug   die Dinge   die Sachen   die Sache   das Ding   die Gegenstände

a) Diese Medizin nehme ich nicht mehr; ich bekomme Kopfschmerzen von _____.
b) In der Ausstellung werden _____ gezeigt, die früher als Kochgeschirr dienten.
c) Ich mag nur klassische Musik. _____ modern-_____ _____ macht einem doch Ohren-
   schmerzen.
d) Ich habe gesehen, wie der Kollege geheime Papiere kopiert hat. _____ gefällt mir nicht.
e) Politikern höre ich nicht mehr zu; die reden doch nur dumm-_____ _____.
f) Ein Ballettabend; das ist für mich _____ schönst-_____ _____ der Welt!
g) Die Ausstellung über moderne Technik war wirklich ausgezeichnet. Vorher habe ich mich
   für solch-_____ _____ nie interessiert.
h) Von Theater, Kunst und Literatur verstehe ich nicht viel; über solch-_____ _____
   wurde bei uns zu Hause nie gesprochen.
i) Warum hat der Dr. Faust das Gretchen so schlecht behandelt, obwohl er sie doch gern hatte?
   _____ verstehe ich einfach nicht.
j) Politik gehört nicht ins Theater, finde ich. Wie denken Sie über dies-_____ _____?

4. ‚Mit‘, ‚bei‘ oder ‚durch‘. Ergänzen Sie.

a) Seit ungefähr zehn Jahren gibt es die alternativen Theater _____ politischen Stücken.
b) Den ganzen Sommer _____ sind die meisten Theater in der Bundesrepublik
   geschlossen.
c) Zum Jazzfestival nach Moers fahren wir _____ einem Kleinbus.
d) Die Wagnerfestspiele sind in Bayreuth. Das liegt _____ Nürnberg.
e) Wir gehen heute abend _____ Freunden zu einer Ballettveranstaltung.
f) Die Führung _____ das Deutsche Museum dauert vier Stunden.
g) _____ den Proben für die neuen Stücke gibt es manchmal auch Streit.
h) Die Begegnung _____ Faust stürzt Gretchen ins Unglück, denn _____ ihn
   sterben ihre Mutter und ihr Bruder.
i) Katja arbeitet _____ der Firma Koltz, die das neue Theater gebaut hat.
j) _____ seinem Stück ‚Die Physiker‘ hatte Dürrenmatt viel Erfolg.
k) Der deutsche Dichter Kleist sagte einmal, daß man erst _____ Schreiben (= während
   des Schreibens) die meisten neuen Ideen bekommt und nicht vorher.
l) Die Schüler diskutieren _____ großem Interesse die verschiedenen Charaktere in
   ihren Stücken.
m) Wir sind jede Woche einmal _____ Karin und machen zusammen Musik.
n) _____ 12 Jahren ist Jörg der jüngste Schauspieler in der Theatergruppe.

Beachten Sie, daß jede Präposition verschiedene Bedeutungen hat.

Lektion 7

5. ‚Über' oder ‚unter'? Ergänzen Sie.

a) In der Bundesrepublik gibt es _____ 1500 Theater.

b) ‚Die Physiker' ist ein Theaterstück _____ die Gefahren der modernen Naturwissen-schaften.

c) Wegen Hitler haben viele Filmregisseure in den Dreißiger Jahren, _____ ihnen Fritz Lang, Max Ophüls und Billy Wilder, Deutschland verlassen.

d) _____ Hitler war das kulturelle Leben in Deutschland fast tot, weil viele Künstler das Land verlassen hatten oder nicht mehr arbeiten durften.

e) Das Museum ist _____ das Wochenende (das Wochenende _____) geschlossen.

f) Junge Leute _____ 16 Jahren, Schüler und Studenten müssen in den Theatern nur den halben Preis bezahlen.

g) Das Schild mit den Eintrittspreisen hängt da oben, direkt _____ der Kasse.

h) Auf Seite 84 im Kursbuch steht der Text _____ die Museen _____ dem Text _____ die Theater in der Bundesrepublik.

i) Wir sind _____ Düsseldorf nach Köln gefahren.

6. Was sagen die Leute über das Theaterstück „Die Physiker"?

Was denken Sie über „Die Physiker'?

Das Stück ist langweilig.

Die Frau sagt, das Stück sei langweilig.

Ebenso:

a) Mann: „Es lohnt sich kaum, das Stück anzusehen.
   Der Mann sagt, es lohne ...

b) Frau: „Ich kann das Stück sehr empfehlen."

c) Mann und Frau: „Wir ärgern uns über das Stück."

d) Frau: „Jeder muß das Stück unbedingt sehen."

e) Mann und Frau: „Wir verlangen unser Eintrittsgeld zurück."

f) Frau: „Das Stück langweilt mich."

g) Mann: „Das Stück macht einen nachdenklich."

h) Frau: „Das Stück warnt uns deutlich vor den Gefahren der Technik."

i) Mann: „Das Stück zeigt, wie gefährlich die Wissenschaft sein kann."

j) Frau: „Das Stück hat keine hohe Qualität."

Für die Vergangenheit benutzt man die Form ‚Konjunktiv I oder II' von haben/sein +
Partizip II.

Zum Beispiel:

Die Frau sagte, das Stück sei langweilig gewesen.
Machen Sie dasselbe für die Sätze a–j.

a) *Der Mann sagte, es habe ...*
Ebenso: b–j

Keine Angst vor dem Konjunktiv! Der richtige Gebrauch des Konjunktivs in der indirekten
Rede ist zwar schwierig, aber für den Alltag nicht sehr wichtig. Auch Deutsche verwenden oft
den Indikativ oder die Form ‚würde + Infinitiv' anstatt des Konjunktivs. Im Gegenteil:
Wenn jemand nur den Konjunktiv verwendet, klingt das sehr kompliziert.
Ein Rat: Lernen Sie nur die 3. Person Singular des Konjunktivs I (die große Mehrheit aller
verwendeten Formen), und verwenden Sie sonst den Konjunktiv II oder die Formen von
‚würde + Infinitiv'. Noch einfacher: Verwenden Sie einfach den Indikativ. Kein Deutscher
würde Sie korrigieren. Nur die Grammatiken fordern, daß man in der indirekten Rede
unbedingt den Konjunktiv verwenden muß.

7. Sagen Sie es anders.

B1/2
GR

a) Möbius ist nicht verrückt, er tut nur so.
Möbius tut so, als ob er verrückt sei (wäre). / Möbius tut so, als sei (wäre) er verrückt.

Ebenso:

b) Die Schüler spielen Theater wie echte Schauspieler.
c) Auf der Bühne fühlt sich Gerd wie ein ganz anderer Mensch.
d) Die Direktorin der Klinik wußte nichts von den Forschungsergebnissen. Jedenfalls tat sie so.
e) Die Morde waren keine Unglücksfälle. Es schien nur so.
f) Der Schauspieler, der Mephisto spielte, sah aus wie ein wirklicher Teufel.
g) Die Schauspielerin schreit so laut wie bei einem echten Mord.

8. Sagen Sie es anders.

B1/2
GR

a) Er interessiert sich für Theaterstücke, die modern sind und aus Europa oder Amerika
kommen.
Er interessiert sich für moderne, aus Europa oder Amerika kommende Theaterstücke.

Ebenso:

b) Es gibt auch ‚alternative Theater' mit politischen Stücken, die zum Teil als Wander-Theater
aufgeführt werden.
c) Jedes Jahr kommen mehr als eine Million Besucher, um die Originale und Modelle aus der
Geschichte der Naturwissenschaft zu sehen, die hier gezeigt werden.
d) Auch einige deutsche Filme, die nach amerikanischem Muster gedreht werden, brachten
schon Rekordeinnahmen.
e) Die vielen neuen Stücke, die hier gezeigt werden, sind bei weitem nicht so gut besucht.

f) Im 19. Jahrhundert kamen viele Stadttheater, die von Bürgern gegründet wurden, hinzu.

g) Es gibt außerdem noch viele Freilichtmuseen, die die ländliche Wohn- und Hauskultur zeigen.

h) Die Tradition des deutschen Theaters, die auf das 18. Jahrhundert zurückgeht, ist sehr alt.

i) Von den über tausend Ballettänzerinnen und -tänzern, die in der Bundesrepublik arbeiten, sind mehr als die Hälfte Ausländer.

j) Jedes der über hundert Herzogtümer und Königreiche, die damals im späteren Deutschland bestanden, hatte ein eigenes Theater.

Bei Verben, die eine sehr allgemeine oder einfache Bedeutung wie z. B. ‚machen', ‚es gibt', ‚wohnen', ‚kommen aus' haben, verwendet man das Partizip als Attribut meistens nicht. Man gebraucht dafür lieber ein präpositionales Attribut oder ein Genitivattribut, die hinter dem Nomen stehen.

Zum Beispiel:

a) Im Völkerkundemuseum in Berlin gibt es seltene Ausstellungsstücke, die aus allen Ländern der Welt kommen.

Im Völkerkundemuseum in Berlin gibt es seltene Ausstellungsstücke aus allen Ländern der Welt.

Ebenso:

b) Von den über tausend Ballettänzern, die es in der Bundesrepublik gibt, sind über die Hälfte Ausländer.

c) Das deutsche Kino, das in den zwanziger Jahren gemacht wurde, war weltberühmt.

d) Besonders die Filme, die aus Amerika kommen, sind sehr erfolgreich.

e) Auch die Konzertabende, die in kleinen Städten veranstaltet werden, sind oft recht gut.

f) Das Ballett, das das Stuttgarter Theater macht, ist in der ganzen Bundesrepublik bekannt.

B1/2 GR

9. Komplexe Attributkonstruktionen.

In der deutschen Schriftsprache gibt es manchmal recht komplexe Attributkonstruktionen.

Zum Beispiel:

a) die die ländliche Wohn- und Hauskultur zeigenden Museen mit Ausstellungsstücken unter freiem Himmel

Beachten Sie: Solche Konstruktionen gibt es in der gesprochenen Sprache nicht. Sie brauchen sie also nur verstehen zu können. Selbst bilden und verwenden sollten Sie diese nicht.

Machen Sie für die folgenden Konstruktionen je ein Diagramm wie oben in a).

b) die berühmten Berliner Philharmoniker unter der Leitung von Herbert von Karajan.

c) die schon lange bestehende, auf das 18. Jahrhundert zurückgehende Tradition des Theaters in den deutschen Ländern

d) das nach 1945 sehr große Interesse für Stücke des modernen Theaters

e) interessante Spezialsammlungen für bekannte Künstler oder besondere Themen

f) die von kleinen Studiobühnen gespielten, politischen Stücke des alternativen Theaters

10. Sagen Sie es anders.

B1/2 GR

Statt eines Infinitivsatzes oder eines Haupt- oder Nebensatzes kann man das Verb als Nomen verwenden oder ein passendes Nomen benützen, nach Bedarf mit vor- oder nachgestelltem Attribut und mit Präposition.

a) H. Böhlen hat große Erfahrung darin, Theatergruppen zu leiten.

H. Böhlen hat große Erfahrung im Leiten von Theatergruppen.

Ebenso:

b) Wenn sie über die Charaktere der Personen in den Stücken nachdenken, lernen die Schüler sich selbst besser kennen.

Beim ...

c) Wenn sie Theater spielen, fühlen sich die Schüler, als ob sie in einer anderen Welt lebten.

d) Naturgesetze zu erforschen war das Ziel von Dr. Faust.

e) Dürrenmatt sagte einmal, daß Theaterstücke zu schreiben eine harte Arbeit sei.

f) Es hatte keinen Zweck, gegen die neuen Atombomben zu protestieren. Sie wurden trotzdem gebaut.

g) Im Schultheater geht es nicht so sehr darum, für einen späteren Beruf als Schauspieler zu lernen, sondern Phantasie zu erfahren und Menschen kennenzulernen.

11. ‚Da(r) + Präposition'. Ergänzen Sie.

B1/2 GR

Das Präpositionalpronomen ‚da(r) + Präposition' ist sehr wichtig, um einzelne Sätze in einem Text zu verbinden. Zum Beispiel:
Mit fünf Jahren sah Goethe das Puppenspiel ‚Historia von Dr. Johann Fausten'. Es geht *darin (= in diesem Puppenspiel)* um einen Vertrag, den der Naturwissenschaftler Faust mit dem Teufel abschließt.

da(r)	+	durch	bei	für	gegen	mit	von	über

a) Mephisto versprach Faust tiefere Erkenntnisse in das Leben und in die Naturgesetze. _____ versprach ihm Faust seine Seele.

b) 1957 wurde diskutiert, die Armee in der Bundesrepublik mit Atomwaffen auszurüsten. Viele Leute wollten das nicht und protestierten _____.

c) Die Ärztin Dr. von Zahnd hatte alle Papiere von Möbius kopiert. _____ wußte der Wissenschaftler nichts.

d) Möbius tat so, als ob er verrückt sei. _____ wollte er verhindern, daß man seine wissenschaftlichen Forschungsergebnisse für den Bau von Waffen verwendet.

Lektion 7

e) 1945 warfen die USA zwei Atombomben auf Hiroshima und Nagasaki. _____ wurde deutlich gemacht, für wie gefährliche Zwecke man die naturwissenschaftliche Forschung verwenden konnte.

f) Theater wird an vielen Schulen in der Bundesrepublik gespielt. _____ geht es nicht so sehr um Wissen für einen späteren Beruf, sondern um die Erfahrung von Phantasie und Kreativität.

g) Die Gefahren der Atomwaffen sind bekannt. _____ wurde schon viel diskutiert, aber trotzdem entwickelt man immer weiter neue Typen.

B1/2 BD

12. Die Präposition ‚zu' hat verschiedene Bedeutungen.

A. *Zu* keiner Zeit hat es so viel Musik und so viele Musikhörer gegeben wie heute.
   (‚zu' + ‚Zeit'/Zeitbezeichnung (vor allem Namen von Festen) = Zeitpunkt oder Zeitraum)
B. Ich fahre jedes Jahr *zu* einem Jazzfestival.
   (‚zu' + Person/Institution (z. B. Post, Bahnhof)/Veranstaltung = Ziel einer Bewegung)
C. Es gibt in der Bundesrepublik kein Nationalmuseum *zur* Geschichte der deutschen Kultur.
   (‚zu' + Nomen = Zugehörigkeit, Beitrag)
D. Ich möchte drei Karten *zu* 12,– DM bitte.
   (‚zu' + Preis/Maß = Preis oder Maß pro Stück)
E. Möbius sagt, die ganze Welt werde *zu* einem Irrenhaus.
   (‚zu' + Nomen als Präpositionalergänzung = (häufig) Endpunkt einer Entwicklung)

Welche Bedeutung hat ‚zu' in den folgenden Sätzen?
1. In den Sechziger Jahren kam es *zu* starken Protesten gegen die Atombomben. ☐
2. *Zu* Weihnachten gibt es für die Kinder viele Geschenke. ☐
3. Wir gehen regelmäßig *zu* den Konzerten der Berliner Philharmoniker. ☐
4. Die Bücher werden in Packungen *zu* zwanzig Stück geliefert. ☐
5. Seit 1871 wurde Berlin *zu* einem Theaterzentrum. ☐
6. Die alte Geschichte von Dr. Faustus war schon *zu* Goethes Zeiten sehr bekannt. ☐
7. Kommen Sie morgen auch *zum* Konzert? ☐
8. Die Eintrittskarten für die Bayreuther Festspiele werden auf dem schwarzen Markt *zu* 500,– Mark und mehr verkauft. ☐
9. Die Werbung soll die Leute *zum* Kaufen überreden. ☐
10. Die ersten Teile *zu* seinem Stück schrieb Goethe vermutlich 1772. ☐

B1/2 BD

13. ‚Etwa' hat verschiedene Bedeutungen.

A. Ein nationales Kulturzentrum, wie *etwa* den Louvre in Paris, gibt es in der Bundesrepublik nicht.
   (etwa = zum Beispiel)
B. Die Eintrittskarten kosten *etwa* 18,– Mark.
   (etwa = ungefähr)
C. Kennen Sie *etwa* die Bayreuther Wagnerfestspiele nicht? Die sind doch weltbekannt.
   (‚Etwa' (in Fragesätzen) benutzt man, wenn man überrascht ist, daß jemand etwas nicht weiß oder kennt oder wenn er anders handelt, als man erwartet hätte.)

14. ‚Tun' hat verschiedene Bedeutungen.

A. Ich finde alles aufregend, was mit Technik zu *tun* hat.
   (zu tun haben mit etwas = in Verbindung stehen mit etwas)
B. Möbius *tat* so, als ob er verrückt sei (als wäre er verrückt).
   Möbius *tat* verrückt.
   (‚tun + Adjektiv'/‚als ob + Nebensatz'/‚als + Hauptsatz' = so handeln oder sein, daß andere Leute nicht merken, was man wirklich denkt oder ist)
C. Die Theatergruppe hat alles *getan*, damit die Vorstellung zu einem Erfolg wurde.
   (etwas tun = etwas machen)
D. Warum bist du so komisch zu mir? Habe ich dir etwas *getan*?
   (einer Pers. od. Sache etwas tun = eine Pers. od. Sache gut oder schlecht behandeln)

Welche Bedeutung hat ‚tun' in den folgenden Sätzen?
1. Ich habe den Motor meines Wagens neu eingestellt. Das hat ihm wirklich gut *getan*. ☐
2. Wir sind fertig mit der Arbeit. Es gibt nichts mehr zu *tun*. ☐
3. Sie *tat* sehr überrascht, obwohl sie alles schon wußte. ☐
4. Viele Leute kritisieren, daß das alternative, politische Theater nichts mehr mit wirklichem, echtem Theater zu *tun* hat. ☐

15. ‚Schon' hat verschiedene Bedeutungen

unbetontes ‚schon'
A. Die Eintrittskarten habe ich *schon* gestern gekauft.
   (‚schon' + Zeit = früher als vielleicht erwartet)
B. Auch deutsche Filme brachten *schon* Rekordeinnahmen.
   (‚schon' in der Vergangenheit = es ist geschehen, aber nicht sehr oft)
C. Die Schüler haben das Stück *schon* sehr gut gespielt, aber einige Dinge könnten sie noch besser machen.
   (‚schon' + Adjektiv, oft mit ‚sehr', ‚ganz' oder ‚recht' = noch nicht so, wie es sein könnte)
D. *Schon* wegen der Geschenke ist Weihnachten für Kinder das wichtigste Fest des Jahres.
   (‚schon' = allein, bereits)

betontes ‚schon'
E. Das Stück wird *schon* Erfolg haben.
   (‚schon' = wahrscheinlich, bestimmt, ziemlich sicher; tröstend, ermunternd)
F. Die Karten waren *schon* teuer, aber so teuer, wie du gedacht hattest, waren sie nicht.
   (‚schon'...,aber'... = die Erwartung war nur zum Teil richtig)

Welche Bedeutung hat ‚schon' in den folgenden Sätzen?
1. Deutsche Filme sind *schon* im brasilianischen Urwald aufgenommen worden.
2. Der Film war *schon* recht interessant, aber nicht so spannend, wie du mir erzählt hast.
3. Goethes Faust war *schon* im 19. Jahrhundert ein großer Erfolg.
4. Den Film ‚Fitzcarraldo' sollte man *schon* wegen Klaus Kinski ansehen, der spielt einfach toll.
5. Schade, daß ich morgen nicht mit euch ins Theater gehen kann. Aber irgendwann wird es *schon* klappen.
6. Sein erster Film war *schon* ganz gut, aber der zweite und dritte waren Meisterwerke.

Lektion 7

B1/2 BD

16. Was können Sie auch sagen?

a) *Ich beschäftige mich viel mit Musik.*
  Ⓐ Ich bin ein guter Musiker.
  Ⓑ Ich interessiere mich sehr für Musik.
  Ⓒ Ich habe eine gute Stimme.

b) *Ich habe alles Mögliche versucht, um noch Karten für die Abendvorstellung zu bekommen, aber es war umsonst.*
  Ⓐ Ich habe die Karten für die Abendvorstellung umsonst bekommen.
  Ⓑ Obwohl ich mich sehr bemüht habe, konnte ich keine Karten mehr bekommen.
  Ⓒ Ich habe mich vergeblich bemüht, noch Karten für die Abendvorstellung zu bekommen.

c) *Der Mephisto spielt seine Rolle gut.*
  Ⓐ Die Darstellung des Mephisto ist gut gelungen.
  Ⓑ Der Mephisto spielt in dem Stück eine große Rolle.
  Ⓒ Ich finde den Mephisto sehr sympathisch.

d) *In dem Stück ‚Die Physiker‘ spielt der Zufall eine große Rolle.*
  Ⓐ In diesem Stück ist der Zufall von wichtiger Bedeutung.
  Ⓑ Der Zufall ist der wichtigste Schauspieler in diesem Stück.
  Ⓒ Ich habe dieses Stück ganz zufällig gesehen.

B3 WS

17. ‚Ganz‘ oder ‚einzeln‘? Ergänzen Sie.

a) In dem Film ‚Fitzcarraldo‘ gibt es eine Szene, wie ein _____ Schiff über einen Berg gezogen wird.
b) In den _____ Ländern der Bundesrepublik gibt es sehr viele verschiedene Museen.
c) Goethes ‚Faust‘ war schon ein _____ großer Erfolg, als Goethe noch lebte.
d) Die Leute waren zwar _____ nett, aber viel zu neugierig.
e) Wenn die Schüler Theater spielen, denken sie nicht mehr an die Schule, sondern sind _____ mit dem Stück beschäftigt.
f) Zuerst proben die Schüler die Szenen _____, erst später dann das _____ Stück.
g) Die Flasche ist noch _____, obwohl sie auf den Boden gefallen war.

B3 WS

18. Wiederholen Sie Adjektive.

In dieser Lektion spielt der Charakter von Personen eine wichtige Rolle. Um Personen zu beschreiben, braucht man Adjektive. Viele Adjektive ändern ihre Bedeutung je nachdem, ob sie mit bestimmten Dingen oder mit Personen stehen: ‚Das Fleisch ist roh.‘ (roh = nicht gekocht oder gebraten); ‚Dieser Mensch ist roh.‘ (roh = ohne Gefühl, herzlos). Wählen Sie aus den folgenden Adjektiven aus:

> praktisch blaß kühl schwach einfach ruhig roh hart bitter offen
> sparsam lebendig komisch kalt weich ordentlich faul bequem falsch
> locker schlecht großzügig sicher

a) Person: ohne Gefühl, herzlos
   Fleisch: nicht gekocht, nicht gebraten } _____

112

b) Person: lügt oft, man kann ihm/ihr nicht vertrauen
   Rechnung: stimmt nicht, hat einen Fehler   _____

c) Person: ohne Gefühl, ohne Mitgefühl
   Brot: alt und trocken   _____

d) Person: bewegt sich nicht viel; arbeitet nicht gern
   Sessel: man sitzt gut darin   _____

e) Person: vom Leben und den Menschen enttäuscht; ohne Freude
   Medizin: unangenehmer Geschmack   _____

f) Person: ohne Gefühl, ohne Herz
   Wetter: niedrige Temperatur; man friert   _____

g) Person: zeigt wenig Gefühl; ist nicht herzlich
   Sommer: nicht warm genug   _____

h) Person: aktiv; voller Lebenskraft
   Fisch: schwimmt; ist nicht tot   _____

i) Person: entspannt, natürlich
   Sahnekuchen: leicht, luftig, zart   _____

j) Person: sagt, was er/sie denkt; ist ehrlich, aber nicht immer höflich
   Tür: geöffnet; nicht geschlossen   _____

k) Person: spricht wenig, hört lieber zu; ist selten nervös oder aufgeregt
   Hotelzimmer: man hört keinen Lärm von der Straße   _____

l) Person: böse; kein guter Charakter
   Milch: so alt, daß man sie nicht mehr trinken kann   _____

m) Person: hat nicht viel eigenen Willen; tut meistens, was andere wollen
   Licht: nicht hell genug, zu dunkel   _____

n) Person: gibt wenig Geld aus
   Kühlschrank: braucht wenig Elektrizität; der Betrieb kostet nicht viel   _____

o) Person: sehr gefühlvoll, weiblich
   Pullover: angenehm zu tragen, nicht hart   _____

p) Person: ungesunde Gesichtsfarbe; ohne Sonnenbräune
   Bild: hat durch Alter oder Licht seine Farben oder Linien verloren   _____

q) Person: nicht sehr klug; denkt nicht viel
   Aufgabe: leicht, nicht schwierig   _____

r) Person: hat keine Lust zum Arbeiten
   Apfel: nicht mehr eßbar; hat braune Stellen   _____

s) Person: gibt gern Geld für andere aus; macht viele Geschenke
   Haus: mit großen Räumen und viel Platz; nicht eng   _____

t) Person: merkwürdig; man weiß nicht, was man von ihm/ihr denken soll
   Film: lustig, man kann darüber lachen   _____

u) Person: räumt gerne auf und putzt gerne
   Wohnung: alle Dinge sind aufgeräumt und auf ihrem Platz   _____

v) Person: kann gut mit den Händen arbeiten; kann viele Dinge selbst tun
   Waschmaschine: spart Arbeit, ist nützlich   _____

w) Person: ist nicht ängstlich; weiß, was er/sie will
   Lift: technisch gut geprüft; keine Unfallgefahr   _____

Lektion 7

B3
WS

19. Was paßt zusammen?

a) Gegensatz   Treppen
b) Polizist (2)   Post
c) Fußgänger   Hotel
d) Bürgermeister   Taschentuch
e) Konferenz   Dorfbewohner
f) Lift   Autofahrer
g) Vergangenheit   Zusammenhang
h) Rechtsanwalt (2)   Zukunft
i) Abreise   Zeuge
j) Geldstück   Fahrprüfung
k) Gras   Wiese
l) Campingplatz   Geldschein
m) Briefträger   Besprechung
n) Führerschein (2)   Verbrecher
o) Erkältung   Rückkehr

B3
WS

20. Was paßt nicht?

a) aufheben: ein Stück Brot vom Boden
                  ein Bild von der Wand
                  ein Kind, das hingefallen ist
                  ein Geldstück von der Straße
                  einen Knopf vom Teppich

b) aufheben: alle alten Rechnungen
                  eine Quittung 2 Jahre lang
                  Liebesbriefe im Schrank

                               einen Baum im Garten
                               alte Zeitschriften

c) geben: eine Spätvorstellung
               das Weihnachtsfest
               einen Empfang für den Bür-
               germeister
               eine Party
               ein Theaterstück

d) kommen: auf eine gute Idee
auf ein interessantes Thema
auf einen neuen Gedanken
auf eine wichtige Frage
auf ein Theaterstück
auf ein Problem
auf eine einfache Lösung

e) beschließen: die Änderung eines Termins
einen Wohnungswechsel
eine Wohnung
eine wichtige Sache ge-
meinsam
eine Verbesserung der Sozial-
politik.

21. Was können Sie auch sagen?

B3
BD

a) *Ich habe mich schon immer für Technik interessiert.*
- Ⓐ Ich habe mich schon oft für Technik interessiert.
- Ⓑ Ich habe schon seit langer Zeit Interesse für Technik.
- Ⓒ Technik regt mich immer auf.

b) *Ich beschäftige mich in meiner Freizeit viel mit Elektrotechnik.*
- Ⓐ Über Elektrotechnik habe ich viel gelesen.
- Ⓑ Elektrotechnik finde ich sehr interessant.
- Ⓒ Elektrotechnik ist mein Hobby.

c) *Worum geht es denn in dem Film?*
- Ⓐ Wovon handelt der Film denn?
- Ⓑ Was ist denn so interessant an dem Film?
- Ⓒ Was macht den Film denn so spannend?

d) *Den Film mußt du dir unbedingt ansehen.*
- Ⓐ Den Film mußt du jetzt sofort ansehen.
- Ⓑ Den Film mußt du ganz genau ansehen.
- Ⓒ Den Film mußt du auf jeden Fall ansehen.

e) *Was ist an dem Film so interessant?*
- Ⓐ Wovon handelt der Film?
- Ⓑ Was ist das ganz Besondere an dem Film?
- Ⓒ Wo spielt der Film?

f) *Wie fandest du den Film denn?*
- Ⓐ Wie war der Film denn?
- Ⓑ Was passierte denn in dem Film?
- Ⓒ Was interessierte dich an dem Film?

22. ‚So' hat verschiedene Bedeutungen.

B3
BD

A. ○ Den Film ‚Fitzcarraldo' mußt du dir unbedingt ansehen.
   □ *So?* Worum geht es denn darin?
   (so? = ‚Das ist neu für mich.' oder ‚Das überrascht mich.')

B. Einer der Kritiker beurteilte die Physiker *so:* „Ein Versuch, eine Komödie für ein paar Jahre."
   (so = in der Art, in dieser Form)

C. Ein *so* gutes Stück wie dieses habe ich lange nicht gesehen.
   Der Film ist *so* aufregend, daß ich ihn noch einmal sehen möchte.
   (‚so + Adjektiv' = in diesem Maß (steht häufig in Vergleichskonstruktion wie ‚so + Adjektiv + wie + (Artikel) + Nomen (Pronomen)' / ‚daß + Nebensatz' / ‚als ob (wenn) + Nebensatz' / ‚wie + Nebensatz'))

D. *So,* für heute haben wir genug gearbeitet. Morgen machen wir weiter.
   „*So,* nun weißt du, wie Weihnachten bei uns aussieht."
   (so = ‚Jetzt ist es genug.', etwas ist fertig oder ausreichend)

Lektion 7

Welche Bedeutung hat ,so' in den folgenden Sätzen?

1. Was war *so*, wie die Schüler es vor der Reise in die DDR erwartet hatten? ☐
2. „Themen 3" ist *so* entstanden: Zuerst wurden die Texte gesammelt, dann . . . ☐
3. Horst hat eine bessere Stelle gefunden. – *So?* Was denn für eine? ☐
4. Der Weihnachtsmann steigt, *so* wird den Kindern erzählt, aus dem Himmel herunter zur Erde und bringt Geschenke. ☐
5. Ein Betrieb muß *so* billig wie möglich und *so* gut wie möglich produzieren. ☐
6. *So*, wir sollten das Fernsehen ausmachen und ins Bett gehen. ☐

B3
BD

23. ,bringen' hat verschiedene Bedeutungen.

A. *Bringen* Sie mir bitte einen Kaffee. (in einem Café)
   (etwas bringen = etwas von einem Ort zu einer Person transportieren)
B. Ich *bringe* dich zum Theater und hole dich auch wieder ab.
   (eine Person bringen = eine Person von einem Ort zu einem anderen Ort transportieren)
C. Die kleinen Studiotheater *bringen* meistens politische Stücke.
   (einen Film, ein Theaterstück, eine Ballettvorstellung, eine Sendung, ein Konzert bringen = spielen, zeigen, senden)
D. In der Wohnung muß die Dusche in Ordnung *gebracht* werden.
   (bringen = dafür sorgen, daß eine Person oder Sache in einem bestimmten Zustand ist)
   ,Bringen' mit dieser Bedeutung steht mit ganz bestimmten Nomen. Zum Beispiel:
   (ein Problem) in die Diskussion bringen (auch: zur Sprache bringen; (ein altes Thema) in Erinnerung bringen; (eine Person) in Gefahr bringen; (eine neue Ware) in den Handel bringen; (ein geheimes Papier) an die Öffentlichkeit bringen; (ein schreiendes Baby) zur Ruhe bringen; (eine Person) in Schwierigkeiten bringen; (eine Person oder Sache vor einer Gefahr) in Sicherheit bringen und andere.

Welche Bedeutung hat ,bringen' in den folgenden Sätzen?

1. Schau mal die vielen Äpfel. Die hat uns die Nachbarin *gebracht*. ☐
2. Von 6.00 bis 7.00 Uhr *bringt* das Radio Volkslieder. ☐
3. Ich *bringe* sie gern mit dem Auto zum Bahnhof. ☐
4. Nach einer Stunde hatte die Feuerwehr die Gefahr unter Kontrolle *gebracht*. ☐
5. Um wieviel Uhr *bringt* das Erste Programm Nachrichten? ☐
6. Wer hat dich gestern abend nach Hause *gebracht*? ☐
7. Die Zeitung wird uns jeden Tag mit der Post *gebracht*. ☐
8. Faust hat Gretchen in eine schlimme Lage *gebracht*. ☐

B3
SA

24. Schreiben Sie eine Zusammenfassung.

Lesen Sie den ersten Abschnitt des kleinen Textes aus dem Theaterstück „Die Physiker" von Friedrich Dürrenmatt, der im C-Teil dieser Lektion abgedruckt ist (Kursbuch S. 94). Schreiben Sie dann einen ganz kurzen „Lebenslauf" von Möbius, dessen voller Name Johann Wilhelm Möbius ist. Dies könnte etwa die Form eines Lexikonbeitrags haben. Der Beitrag könnte etwa die folgende Gliederung aufweisen: Herkunft, Familie – Möglichkeiten – Entschluß, Begründung – Folgen.

lieben, Lustspiel von Brian Clemens und Dennis Spooner
...20.15, Sa 20.00 (0 61 51) 3 35 55, 3 35 56 **Wirst Du mich auch morgen früh**

...OLD Landestheater, Tel. (0 52 31) 74 04-0
...old: Mo 15.00 Prem. Alice im Wunderland, Mi jew.
...Witwe, Fr u. So 19.30 Das Sommerhaus, Herford: Di 20.00
...pasquale, **Bad Pyrmont:** Sa 19.30 Der Raub der Sabine-

...UND
...Dortmund, Opernhaus, Tel. (02 31) 54 22 24 44/5/6
...Mi jew. 20.00 6. Philharmonisches Konzert, Fr 19.30 Or-
...und Eurydike, Sa 19.30 Chicago
...aus
...ew. 19.30 Hamlet, So 19.30 Der Pott – Der Preispokal
...spielhaus
...er Kontrabaß, Do 20.00 Corps Perdus, Sa 20.00 Uter-
...um Hansastraße: Fr 20.00 Folterabend, **Hauptbahnhof**
20.47 Reise ins Glück

...RF Opernhaus, Tel. (02 11) 13 39 40/49
...Diavolo, Di 19.30 Schneider Wibbel, Mi 19.30 Die
...o, So 19.30 Schneider Wibbel
...Großes Haus, Tel. (02 11) 36 99 11
...Die Perser, Mi (Vorauff.), Do (Premiere), Fr u.
...jagd
...eines Haus
...Leben des Galilei, Di, Mi, Sa 19.30 Totenfloß,
...Clownin
...ünsterstraße 450
...**Die Orgel von Jochens Oma**
...dorf, Tel. (02 11) 37 83 53
...er Mo) **Ingeborg**, Komödie von Curt Goetz,
...mit: Marlene von Bethmann, Silvia Janisch,
...er Hohberger u. Gundolf Willer
...eater, Tel. (02 11) 13 37 07
...00 u. 21.00 **Lily und Lily**, mit: Ingrid Braut,
...Kuiper, Hasso Degner u. a., Regie: Alfons

...11) 32 54 28
...21.30 "**Womit haben wir das verdient?**"
...n(m)ödchen-Konzentrat 86/87
...er Stadt, Tel. (02 03) 3 90 41
... nk, Di u. Sa 19.30 Die belohnte Treue,
...Do/Fr 19.30 Leben des Galilei, So 11.00
...im Foyer

...02 01) 88 28 28/88 42 16/88 42 71
..., Mi 19.30 Cromwell, Do 19.30 Die
...9.30 Carmen, Sa 19.30 Ballettabend:
...roschenoper
...umboldtaula
...und Literatur, So 11.00 Frühstücks-
...**Theater:** Di, Do Fr 19.30 Der nackte
...**Hollestr.:** So 14.30/16.00 Oh, wie

...ihne, Tel. (07 11) 35 34 61–64
...er **König amüsiert sich:** Mo 15.00
...wenn der Regen fällt: 20.00 – Di
...Ein "**Schwabe**" träumt sich in die
...elfingen, **Die letzten Tage der**

...per, Tel. (0 69) 23 60 61
...cal), Fr 19.30 Falstaff, Sa 19.30
...inee (Foyer), 15.00 Falstaff
34 34
...chauspiel, Mi 19.30 Die Wild-
...astsp. Weiningers Nacht (Re-
...nsche und Krankheiten der

23 95
...Schauspiel), Do 20.00 Die
...ann ist Mann, Sa/So 20.00

...l. (0 69) 28 10 66
..., Mi Oma beklaut Baby!,
...ch!, Sa 19.30 232. Mal Pi
...z, So Loch in d. Hose
10
...ka, **TaT-Café:** Do 20.00

40 04
...**Fächer**, Komödie von

28 36 76
...mödie von Heinrich
...christ, Giselle Vesco,
...e, Hans Zürn
...Komödie von John-
...Helmer, Christine
...ter Petzold

HANNOVER
...heißen Blechdach, Di u. Do 20.00 Die Katze auf dem
zweier Herren, Sa 14.00 Faust I
Ernst-Deutsch-Theater, Tel. (0 40) 22 70 14 20
Mo–Sa 20.00, So 19.00 (So auch 15.00) **Der fröhliche Weinberg**
von Carl Zuckmayer, Regie: Günther Fleckenstein
Hamburger Kammerspiele, Tel. (0 40) 44 51 62/45 57 26/44 56 20
Mo, Di, Do, Fr, Sa 20.00, Mi 16.00 (So 19.00 g. V.) **Die Physi-
ker**. Komödie von Friedrich Dürrenmatt +
Stadtmusikkatzen: Freche + Wiener Lieder
Theater im Zimmer, Tel. (0 40) 44 65 39/45 09 68
Ab Sa (21. 2./Premiere) täglich 20.00 (außer Mo) 19.00 **Othello**
von William Shakespeare, Insz. Ralp Schaefer
Operettenhaus, Tel. (0 40) 31 11 76
Täglich (außer Mo) 20.00, Sa/So auch C a t s Musical von An-
drew Lloyd Webber, nach T. S. Eliots "Old Possum's Book of
Practical Cats"
Klecks-Theater, Alter Steinweg 43, Tel. (0 40) 34 35 00
Di 10.00, Mi 19.00 Burning Love, Di u. Do 19.00, Sa 10.00 Ge-
heime Freunde, Fr./Sa 21.35 Bleibende Werte
HANNOVER Ballhof, Tel. (05 11) 1 68 69 99, 1 68 61 42
Mo, Di 20.00 Stripperinnen, Mi 20.00 Bruder Eichmann, Do/Fr
20.00 Alberta und Alice, Sa 19.30 Ein Sommernachtstraum, So
20.00 Das Friedensfest
Theater am Aegi, Tel. (05 11) 1 68-69 99, 88 00 88
Mi, Do, Fr 20.00 **Bye, Bye Show-Biz**
Opernhaus, Tel. (05 11) 1 68 69 99, 1 86 61 49
Di 19.30 Fidelio, Mi 19.30 Die Zauberflöte, Do 19.30 Jenufa, Fr
20.00 Der Waffenschmied, Sa 19.30 Der Zigeunerbaron, So 19.30
Premiere A: Die lustige Witwe
Neues Theater, Tel. (05 11) 1 79 89/1 79 79
Täglich 20.30, Sa auch 17.30 Hannoversche Erstauff. **Nicht Schein, Komödie von Bricaire und Lasaygues, Regie: Horst
Johanning**
Theater am Küchengarten – tak, Tel. (05 11) 44 55 85
Mo, Di 20.00 Hanne Wieder singt, Do 20.00 Kittners progressive
Nostalgie, Fr 20.00 Dem Volk aufs Maul, Sa 20.00 Maden in Ger-
many!
HEIDELBERG Theater der Stadt, Tel. (0 62 21) 2 05 19
Städt. Bühne: Mo 15.00 Torquato Tasso, Di u. Fr 20.00 Richards
Korkbein, Do 16.00/20.00 2. Familienkonzert: Der Nußknacker,
Sa 19.30 Mörder Woyzeck, So 19.30 Orpheus und Eurydike
Jugendtheater und Studio
Mo/Di 11.00 Ein Fest bei Papadakis, Mi 11.00 Gilgamesch und
Engidu, Do, Fr 20.00 Totenfloß, Sa 18.00 Was heißt hier Liebe?
HEILBRONN Stadttheater, Tel. (0 71 31) 56 30 01
Mo, Mi, Do, Fr 19.30, So 15.00 Herr Puntila und sein Knecht
Matti, Di 19.30 Der Theatermacher, Sa 19.30 Der Mann von La
Mancha
Kammerspiele
Di u. Sa 20.00 **Krankheit der Jugend** von Ferdinand Bruckner
HILDESHEIM Stadttheater, Tel. (0 51 21) 3 31 64
Di, Mi 19.00 Faust, Fr 19.45 Die Kaktusblüte, Sa 19.45 Prem.
Der Freischütz, So 19.00 My Fair Lady, **Foyer:** Mo 10.30/15.00,
Do 10.30, 14.30, 16.30 Lust. Zauberreise mit Michael
INGOLSTADT Stadttheater, Tel. (08 41) 12 10
Mo 10.00, Di/Mi 9.15 u. 11.00 Die kleine Hexe (Schülervorst.),
Do u. Fr 19.30 Der Revisor, Sa 19.30/So 19.00 Der Hochzeiter,
Werkstattbühne: Do (Prem.) u. Fr 20.00 Heute abend: Lola Blau,
Sa u. So 20.00 Bedeutende Leute
KAISERSLAUTERN Pfalztheater, Tel. (06 31) 6 90 88
Mo u. Mi jew. 10.00 u. 14.00 Peterchens Mondfahrt, Di 19.30 Die
Ratten, Fr 10.00/Sa u. So 19.30 Pfälzers Höllen- und Himmel-
fahrt, Fr 19.30 Carmen, **klk:** Do 19.30 Silo
KARLSRUHE Bad. Staatstheater, Gr. Haus, Tel. (07 21) 6 02 02
Di 20.00 Francesca da Rimini, Mi 19.00 Die Frau ohne Schatten,
Do 20.00 Die schweigsame Frau, Fr 20.00 Tartuffe, Sa 13.30
Cyrano, 20.30 Die schweigsame Frau
Bad. Staatstheater, Kleines Haus
Di u. Fr 20.00 Amphitryon, Mi 20.00 Der Vater, Do 20.00/So
19.30 Sonny Boys, Sa 19.30 Ballett: Ein Sommernachtstraum,
Foyer: Mo 18.00 Kontaktkreis Schule – Theater
KASSEL Staatstheater, Opernhaus, Tel.: (05 61) 1 58 52–3
Mo 11.00 Von dicken Schwein . . ., Do 19.00/So 19.30 Ballett-
abend: Der Feuervogel, Fr 19.30 Viva la Mamma
Schauspielhaus
Di 19.30 Samstag, Sonntag, Montag, Mi 19.30 Hohn der Angst,
Fr (Vorauff.), Sa (Prem.) jew. 19.30 Professor Unrat, So 20.00
Intern. Komponistinnen-Festival
tif & theatercafé
tif: Mi 20.30 jazz in tif, Fr u. So 20.30 Offene Zweierbeziehung,
Sa 22.30 Intern. Komponistinnen-Festival, **theatercafé:** Fr (Vor-
auff.), Sa (Premiere) jew. 23.00 Mr. Pilk's Madhouse
KIEL Opernhaus, Tel. (04 31) 9 21 00
Mi u. Sa 19.30 Don Giovanni, Do 20.00 Zar und Zimmermann,
Fr 19.30 Hoffmanns Erzählungen, So 11.00 2. Kammerkonzert,
20.00 Giselle, **Konzertsaal i. Schloß:** Mo 20.00 5. Sinfoniekonzert
Schauspielhaus, Tel. (04 31) 9 21 00
20.00 Onkel Wandja, Mi u. Sa 20.00 NB Kiel: Di...
Blau, So 11.00...

...chen), Fr 20.00 Mi u. Do 20.00 Theater im Pf...
zweier Herren, Fr 20.00 Mummenschanz in D...
mentheater mit seinem neuen Pro...
(Pfalzth. Kaiserslautern)
LÜBECK Bühnen der Hansestadt,
Gr. Haus: Mo 20.00 Das kleine Mon...
20.00, Sa 19.30 Im Weißen Rößl, Do 1...
Don Carlos, So 14.00 NB Lübeck: Dat H...
Kammerspiele
Di 20.00 NB Lübeck: Dat Hörrohr, Mi 2...
Farce, Do 20.00, Sa 19.30 Nachtasyl, F...
Kranke, **Studio:** Mi u. Fr 20.00, Sa 19.30
LÜNEBURG Stadttheater, Tel. (0 41 31)
20.00 Ballettabend: Pulcinella/Die siebe...
Kiss me, Kate, Fr 20.00 3. Konzert, Sa 2...
Froo Pieper levt gefährlich, Sa 19.30 Desc...
20.00 Dat rosa Strumpenband, Sa 20.00 Desc...
LUZERN Stadttheater, Tel. 23 66 18/19
Di u. Do 20.00 Ärztinnen, Mi 19.30 Die Za...
siegreichen Verlierer, Fr 20.00 Ärztinnen, S...
derlhaus, So 14.30 La Traviata, 20.00 Sonny B...
MAINZ Theater Mainz, Gr. Haus, Tel. (0 61 3...
Mo 19.30 Don Pasquale, Di 19.00 (Premiere),
senkavalier, Mi 19.30 die ungarische Hochzeit,
ge Witwe, Sa 19.30 Der Waffenschmied
MANNHEIM Nationaltheater, Gr. Haus, Tel. (0...
Mo 20.00 Ballettabend, Di 19.30 Der Freischütz,
Lescaut, Do 20.00, So 16.30 La Cenerentola, Sa
'87, Sa 19.30 Anatevka
Nationaltheater, Kleines Haus
Mo u. Do 19.00 Trilogie des Wiedersehens, Di 19.
ste, Mi 19.00 Hamlet, Fr 19.30 Quai West, Sa 20.
So 19.00 Die Dreigroschenoper
MARBURG Marburger Schauspiel, Tel. (0 64 21) 2
Stadthalle: Mo 15.00 Amphitryon (Seniorenvorst.),
20.00 Kasimir und Karoline, **Theater im Affoler:**
Kinder, Küche, Kirche, **Fredeburg:** Fr 20.00 Amphitry...
MÖNCHENGLADBACH Verein. Städt. Bühnen
Schauspielhaus, Tel. (0 21 61) 18 20 83: Mo u. Mi 20.00
eingebildeter Kranker, Sa 20.00, So 19.30 Woyzeck, D...
Tel. (0 21 66) 4 43 05: Di u. Fr 20.00 Im Weißen Rößl,
Judith
MOERS Schloßtheater, Tel. (0 28 41) 20 15 34
Studio: Mo 13.00 Jochen und Inge – Mittagstheater, 14. Fo...
u. Fr 20.00 Apropos APO (STM-Politrevue), Sa 20.00 N...
der, Küche, Kirche
MÜLHEIM Stadthalle, Tel. (02 08) 42 20 07
Di 19.30 Städt. Bühnen Münster: Im Weißen Rößl
Theater a. d. Ruhr, Raffelbergpark, Tel. (02 08) 59 10 95
Mi u. Sa 20.00 **Tote ohne Begräbnis** von Jean-Paul Sartre, **Pa...
born,** Paderhalle: Di 20.00 Gott, **Solingen,** Theater: Do u.
20.00 Dantons Tod
MÜNCHEN Bayer. Staatsoper, Nationaltheater, Tel. (0 89) 22 13
Mo 19.30 Schwanensee, Di 20.00 Salome, Mi 19.30 Der Barbi...
von Bagdad, Do (g. V.) u. Sa 20.00 La Bohème, Fr 20.00 Ballet...
abend, So 19.00 Don Giovanni
Staatstheater am Gärtnerplatz, Tel. (0 89) 2 01 67 67
Di u. Fr 19.30 Die verkaufte Braut, Mi 19.30 My Fair Lady, Do
19.00 Der Bettelstudent (Festvorstellung der Narrhalla), Sa/So
19.00 Oliver!
Bayer. Staatsschauspiel, Residenztheater, Tel. (0 89) 22 57 54
Mo 19.30 Im Gärtnerhaus, Di 19.30 Die Frauen von Trachis, Mi
19.30 Heinrich oder der Schmerzen der Phantasie, Do 19.00 Pro-
fessor Bernhardi, Fr 19.30/So 19.00 Kabale und Liebe, Sa 19.30
Ich, Feuerbach
Theater im Marstall, Tel. (0 89) 22 13 16
20.00 Der Hausmeister, Fr u. So jew. 20.00 Der Auftrag
Münchner Kammerspiele, Schauspielhaus, Tel. (0 89) 2 37 21–3 28
Mo u. Mi 20.00 Linz, Di 19.30 Totenfloß, Do 20.00 Die zerbroch-
ne Krug, Fr u. So 19.30 Die Troerinnen des Euripides, Sa 19.30
Don Carlos
Münchner Kammerspiele, Werkraum
Mo u. Mi 20.00 Ein Bericht für eine Akademie, Di u. Fr 20.00
Fool for love, Do 20.00 Bitte leise zum letzten Bild, Sa 20.00
Lesung Wolf Büttner
Theater der Jugend, Tel. (0 89) 2 37 21-3 65/3 63
Mo 10.00, Di u. Do 16.00 Die Geschichte vom Onkelchen
(Foyer), Di, Mi, Do, Fr 10.00 Eine Nacht im Februar (Schulvor-
stellung), Sa 16.00 Durcheinander im Anzug (Foyer)
Kleine Komödie im Bayr. Hof, Tel. (0 89) 29 28 10
Täglich 20.00 **L e a**, Komödie von Yves Jamiaque, mit: Ruth-
Maria Kubitschek, Harald Leipnitz, Jutta Kammann, Tracy
Schönbach, René Heinersdorff, Regie: Harald Leipnitz
Kleine Komödie am Max-II-Denkmal, Tel. (0 89) 22 18 59
Täglich 20.00 (außer Mo) **Ein Hauch von Frühling**, Komödie von
Samuel Taylor, mit: Michael Ande, Sigmar Solbach, Ute Willing,
Ricci Hohlt, Tonio von der Meden, Otto Hans Röß...
Münchner Volkstheater, Tel. (0 89)...
Di–So 19.30 A. M...
Siegfried J. A...

Lektion 8

103 abmachen
96 abnehmen
97 r Abschnitt, -e
98 abstimmen
101 e Ampel, -n
99 ändern
103 anzeigen
97 atmen
102 aufstehen
103 aufwachen
102 augenblicklich
103 ausmachen
102 begegnen
98 beraten
99 beschädigen
103 besetzt
100 e Bewegung, -en
96 e Beziehung, -en
96 blaß
97 blühen
103 bluten
96 drinnen
102 durcheinander
100 e Erinnerung, -en
98 fällig
96 r Fernsehappa- rat, -e
102 r Gang, ¨e
99 gegenüber
100 gestrig
97 glatt
102 glücklicher- weise
96 r Grund
102 grüßen
102 e Hinfahrt, -en
102 hören
98 e Illustrierte, -n
100 s Instrument, -e
103 e Kabine, -n
100 r Kasten, ¨

97 r Kleiderbügel, -
100 klopfen
102 krank
98 kurz
100 lächeln
99 landen
99 liberal
101 e Meinung, -en
100 melden
98 s Mittel, -
96 s Moped, -s
100 e Mühe
103 neulich
99 e Opposition
102 e Postanwei- sung, -en
97 rasieren
100 e Reaktion, -en
98 e Reform, -en
97 r Regenmantel, ¨
102 e Rückfahrt, -en
96 rückwärts
101 sagen
100 schlagen
100 r Schluß
97 schwitzen
97 sitzen
103 e Sitzung, -en
99 r Start, -s
100 stehen
98 stimmen
99 r Sturm, ¨e
103 e Tageszeit, -en
101 tief
100 treten
97 trocknen
101 überfahren
103 s Urteil, -e
100 verabschieden
101 verlieren
100 vernünftig
102 verwechseln
103 vorgestern

101 vorhaben
103 vorhin
103 vorig
100 vorkommen
99 e Wahl, -en
103 wählen
101 wesentlich
103 weshalb
103 widersprechen
103 wieso

1. Was paßt wo? Ergänzen Sie.

> rasieren – schwitzen – abnehmen$_1$ – ändern – beschädigen – sitzen$_1$ – abnehmen$_2$ –
> stimmen – blühen – trocknen – atmen – landen – abnehmen$_3$ – sitzen$_2$

a) Nach 1949 _____ die Zahl der Arbeitslosen schnell _____.

b) Nachdem es _____ worden war, _____ die SPD für das Gesetz.

c) In Hemden aus Nylon kann die Haut nicht _____, deshalb _____ man in
   solchen Hemden sehr leicht.

d) Durch den Sturm wurden sehr viele Häuser _____.

e) Auf dem Mond wachsen und _____ keine Pflanzen.

f) Am 21. Juli 1969 _____ die ersten Menschen auf dem Mond.

g) Kurt _____ sich nicht mehr, weil er gerne einen Bart haben möchte.

h) Die Hose paßt ihr sehr gut. Sie _____ ausgezeichnet.

i) Du kannst die Sonnenbrille _____. Die Sonne scheint doch nicht mehr.

j) Kleidung aus Kunststoffen muß man nur waschen und _____, aber nicht bügeln.

k) Auf den neuen Stühlen _____ man recht bequem.

l) Meine Hosen sind mir zu eng. Ich muß unbedingt zwei Kilo _____.

2. Was paßt wo? Ergänzen Sie.

> über ein Gesetz – eine Partei – einen Plan – gegen einen Plan – die Regierung
> einen Politiker – gegen ein politisches Programm – eine Reform – über die Regierung
> die Opposition – gegen die Regierung – ein politisches Programm – ein Gesetz
> über eine Reform

a) abstimmen: _über ein Gesetz,_ _____

b) beraten: _____

c) diskutieren: _____

d) kritisieren: _____

e) stimmen: _____

f) ablehnen: _____

g) sich streiten: _____

h) beschließen: _____

3. Was paßt wo? Ergänzen Sie.

> zurück   gegenüber   blaß   neulich   glatt   drinnen   fällig   kurz

a) das Gegenteil von einer kräftigen Farbe: eine _____ Farbe

b) in einem Raum sitzen: _____ sitzen

c) eine Rechnung, die unbedingt jetzt bezahlt werden muß: eine _____ Rechnung

d) im Vergleich mit der alten Regierung: _____ der alten Regierung

e) eine Fläche, auf der man nicht einmal Staub fühlen kann: eine _____ Fläche

Lektion 8

f) mit wenigen Worten: _____ gesagt

g) über die Schulter nach hinten schauen: _____ schauen

h) vor kurzer Zeit: _____

B1 WS

4. Was ist das? Ergänzen Sie auch die Artikel.

Start – Mittel – Abschnitt – Sturm – Moped – Fernsehapparat – Wahl – Opposition –
Grund$_1$ und Boden – Illustrierte – Reform – Kleiderbügel – Regenmantel – Grund$_2$

a) ein Teil eines Textes: _____

b) das Gerät, in dem man zu Hause Filme ansehen kann: _____

c) das Land, das einer Person gehört: _____

d) es wird gedruckt und erscheint regelmäßig: _____

e) der Gegenstand, auf den man z. B. einen Mantel oder eine Jacke hängen kann: _____

f) das Werkzeug oder das Verfahren, mit dem man bestimmte Ziele erreichen kann:

_____

g) es hat zwei Räder und einen Motor: _____

h) die Parteien in einem Parlament, die gegen die Regierung sind: _____

i) eine Verbesserung von Gesetzen, Regeln oder Institutionen: _____

j) ein Kleidungsstück für feuchtes Wetter: _____

k) der Anfang einer Entwicklung oder der Beginn eines Wettkampfs im Sport: _____

l) ein sehr starker Wind: _____

n) eine sehr wichtige Entscheidung in einer Demokratie: _____

o) die Ursache für etwas: _____

B1 WS

5. Was paßt wo? Ordnen Sie.

mit dem Arzt einen neuen Termin – kräftig an eine Tür – aus einer Wunde – am Bein –
einem interessanten Menschen – einen Verbrecher – die falsche Telefonnummer –
am Kopf – zufällig einer alten Freundin – einen betrunkenen Autofahrer –
bei seinem Zimmernachbarn – mit der Freundin ein gemeinsames Wochenende –
die Nummer von seinen Eltern – einem bekannten Musiker – jemanden bei der Polizei –
in der Gruppe ein Diskussionsthema – leise an ein Fenster – die Notrufnummer

a) einen Verbrecher — anzeigen

b) — wählen

c) — bluten

d) — klopfen

120

e) [⟩ begegnen]

f) [⟩ ausmachen/abmachen
verabreden]

6. Was paßt wo?

| beraten sich verabschieden lächeln überfahren₁ widersprechen
überfahren₂ treten etwas vorhaben aufwachen grüßen |

a) aufhören zu schlafen: _____
b) ein Gespräch führen, um zu einer Lösung zu kommen: _____
c) zu jemandem ‚Guten Tag‘ sagen: _____
d) eine Mundbewegung machen, die allgemein als freundliches Zeichen gilt: _____
e) ‚Auf Wiedersehen‘ sagen: _____
f) etwas planen; etwas machen wollen: _____
g) sagen, daß man anderer Meinung ist: _____
h) einen Menschen oder ein Tier mit dem Auto schwer verletzen oder töten: _____
i) weiterfahren, wo man eigentlich halten müßte; z. B. ein Stopschild _____
j) eine Bewegung mit dem Fuß machen: _____

7. Was paßt wo? ‚Sagen‘, ‚sprechen‘, ‚reden‘ und ‚erzählen‘ haben eine sehr ähnliche Bedeutung. Ergänzen Sie diese Verben in den folgenden Sätzen.

a) Er hat nicht _____, wann er kommt.
b) Gestern hat mir meine Großmutter lange von ihrer Kindheit _____.
c) Ich möchte gern mit ihm _____.
d) Dein Bruder hat mir _____, daß du ein Motorrad kaufen willst. Stimmt das?
e) Halt den Mund! Du hast mir gar nichts zu _____! Ich mache, was ich will.
f) Meine Freundin _____ mehrere Fremdsprachen.
g) Das hätten Sie aber auch freundlicher _____ können!
h) Guten Tag, ich bin Vertreter der Firma Bäkol. Könnte ich bitte den Verkaufsleiter _____?
i) Unser Bürgermeister _____ am Sonntag auf dem Marktplatz.
j) Bitte _____ Sie die Geschichte noch einmal; meine Kollegen möchten sie auch gerne hören.
k) Sie sind mit meiner Arbeit unzufrieden? Was wollen Sie damit _____?

8. ‚Zurück + Verb‘ und ‚weg + Verb‘. Ergänzen Sie.

a) Die Einbrecher hatten alle wertvollen Sachen gestohlen. Auch das Bargeld im Küchenschrank war___ weg___ (sein).
b) Die Katze hatte sich erschrocken und war _____ (laufen).

Lektion 8

c) An das Gespräch mit Mick _____ Gabriele gerne _____ (denken).

d) Den Kredit muß Marlene bis Ende nächsten Jahres _____ (zahlen).

e) Wir wohnen schon lange nicht mehr in Kiel. Vor zehn Jahren sind wir von dort _____ _____ (ziehen).

f) Kannst du mir die Stones-Platten leihen? Ich _____ sie dir bestimmt nächste Woche _____ (geben).

g) Gabriele war so in Mick verliebt, daß sie Tage brauchte, um auf den Boden der Wirklichkeit _____ (kommen).

h) Obwohl die Leute auf der Straße merkten, daß die Frau verletzt war, haben sie ihr nicht geholfen. Sie haben einfach _____ (sehen) und sind weitergegangen.

B2/3
WS

9. Ergänzen Sie.

verlieren	vergessen	verwechseln	mißverstehen	verpassen

a) Ich bin um 14.00 Uhr am Bahnhofskiosk. Wenn wir uns _____, kannst du mich ab 15.00 Uhr im Büro erreichen.

b) Meine beiden Töchter sehen sich sehr ähnlich. Wer sie nicht gut kennt, kann sie leicht _____.

c) Wenn ich mich nicht beeile, _____ ich den Zug.

d) Mein Kollege ist schon wieder betrunken Auto gefahren. Jetzt hat er seinen Führerschein endgültig _____.

e) Du hast recht, die Post ist ja heute geschlossen. Ich hatte ganz _____, daß heute Sonntag ist.

f) Laß uns lieber im Supermarkt einkaufen. In den kleinen Läden _____ man so viel Zeit.

g) Sie haben mich _____. Ich wollte nicht zwei Kilo Äpfel, sondern nur zwei Stück.

h) Bei dem schweren Unfall auf der Autobahn haben acht Menschen ihr Leben _____.

i) Gleich gibt es ein Gewitter, und ich habe meinen Regenschirm zu Hause _____!

j) Der Zeuge will den jungen Mann bei einem Verbrechen beobachtet haben, aber ich glaube, daß er ihn _____.

k) Ich bin ganz sicher, daß mein Bruder mir versprochen hatte, mir am Wochenende sein Auto zu geben. Aber er behauptet jetzt, ich hätte ihn _____!

B2/3
WS

10. Ergänzen Sie. Die folgenden Verben unterscheiden sich nur wenig in der Bedeutung. Oft können Sie in einem Satz zwei oder drei ergänzen.

aufstehen	offenstehen	geöffnet sein	offen sein

a) Warum _____ mein Paket denn schon _____? Ich wollte es doch selbst aufmachen!

b) Solange die Wunde am Bein noch _____ _____, kann ich nicht baden.

c) Schau mal, die Tür vom Kühlschrank _____ _____! Wer hat denn das wieder gemacht?

d) _____ die Hauptpost auch sonntags _____?

e) Wieviel Tage _____ der Wein schon _____? Er schmeckt nicht mehr besonders gut.

f) Im neuen Rathaus gibt es einen Lift ohne Tür; er _____ vorne _____.

g) Die Ausstellung _____ jeden Tag von 10–18 Uhr _____.

h) Im Gegensatz zu einem Pullover _____ eine Jacke vorne _____.

i) Die Bauarbeiter haben vor unserem Haus ein großes Loch in die Erde gemacht. Das _____ jetzt schon seit drei Tagen _____.

j) Die Tür vom Notausgang wird auch nachts nicht abgeschlossen; sie muß immer _____ _____.

k) Meine Nachbarin ist sehr vergeßlich. Oft läßt sie sogar die Wohnungstür _____, wenn sie zum Einkaufen geht.

11. Was paßt wo? Ergänzen Sie die Nomen.

B2/3 WS

> Sitzung – Hinfahrt – Kasten – Rückfahrt – Instrument – Gang – Ampel – Reaktion – Kabine – Urteil – Erinnerung – Mühe

a) Ist ein Mittel zur Regelung des Straßenverkehrs und zeigt die Farben rot, gelb und grün: _____

b) Was man früher einmal erlebt hat und immer noch weiß, nennt man die _____.

c) In großen Häusern heißt so der Raum vor den Wohnungs- oder Zimmertüren: _____

d) So nennt man einen Gegenstand, mit dem man Musik machen kann: _____

e) Ein anderes Wort für das Häuschen, in dem sich öffentliche Telefone befinden: _____

f) Eckiger Gegenstand, der unterschiedlich groß und aus unterschiedlichem Material sein kann. Er dient z. B. zum Sammeln oder Tragen von Dingen; speziell gibt es ihn für Briefe und Getränkeflaschen: _____

g) Was man nicht gern tut und was Zeit und Kraft kostet, das macht _____.

h) Wenn man ein Auto, Fahrrad, Bus oder Bahn benutzt, heißen die Wege zum Zielort und wieder nach Hause _____ und _____.

i) Zeigen Mensch oder Tier als ,Antwort' auf ein bestimmtes Ereignis (Gefahr, Überraschung): _____

j) Wenn sich z. B. Betriebsräte oder Mitglieder eines Vereins treffen, um miteinander über bestimmte Fragen zu sprechen, nennt man das eine _____.

k) Am Ende eines Strafprozesses spricht der Richter das _____.

12. ,Verbstamm + bar'.

B2/3 GR

Ein Sofa aus Kunstleder ist sehr praktisch, denn es ist *abwaschbar.*
(= *man kann es abwaschen*)

abwaschen + bar → abwaschbar

> herstellen – merken – sagen – heizen – bezahlen – aussprechen erkennen – benutzen   + bar

Lektion 8

Ergänzen Sie.

a) Was Mick mir erzählte, wußte ich natürlich alles schon längst, aber trotzdem machte es mich _____ glücklich.

b) Das Foto ist nicht sehr gut, aber mein Bruder ist deutlich _____.

c) Dieses Wort ist ziemlich schwierig. Es ist kaum _____.

d) Die wirtschaftliche Situation in der Bundesrepublik wurde in den sechziger Jahren immer besser. Jetzt waren sogar Autos für fast alle Familien _____.

e) Die Waschmaschine ist kaputt. Sie ist nicht _____.

f) Sie spricht ausgezeichnet Deutsch. Es ist kaum _____, daß sie Ausländerin ist.

g) Diesen Schrank können Sie selbst machen. Er ist leicht _____.

h) In diesem Zimmer gibt es keinen Ofen. Es ist nicht _____.

B2/3 GR

13. Präsens, Perfekt, Präteritum oder Plusquamperfekt?

Lesen Sie im Kursbuch die Erklärungen in Punkt 3 der Grammatikübersicht zu dieser Lektion. Vergleichen Sie diese Erklärungen dann mit dem Gebrauch der Zeitformen im Text „Ich habe Mick gesehen" (Lernschritt B 2).
Ergänzen Sie anschließend die richtigen Zeitformen im folgenden Text. (Wir haben in diesem Text immer zwei Lücken gemacht, auch da, wo nur eine einfache Verbform benützt wird. Manche Lücken werden also leer bleiben!)

Nachdem ich aus der Schule *(kommen)* ①_____ _____. *(haben)* ②_____ ich am Bahnhof noch etwas Zeit _____. Ich *(gehen)* ③_____ durch einen Wartesaal in einen anderen Raum _____, in dem ich gewöhnlich auf den Zug *(warten)* ④_____ _____. In einem Kasten an der Wand *(hängen)* ⑤_____ Zeitungen _____. Ich *(lesen)* ⑥_____ den Bericht über das gestrige Konzert von den Stones _____. So *(stehen)* ⑦_____ ich ein paar Minuten vor dem Kasten _____, dann *(umdrehen)* ⑧_____ ich mich _____ und *(zusammenstoßen)* ⑨_____ mit einem Jungen _____, der wohl schon länger hinter mir *(stehen)* ⑩_____ _____. Dann *(unterdrücken)* ⑪_____ ich mit Mühe einen Schrei _____. Trotz seiner riesigen Sonnenbrille und seinem Kragen, den er bis zu den Ohren *(hochziehen)* ⑫_____ _____, *(erkennen)* ⑬_____ ich Mick _____. Meine Reaktion *(sein)* ⑭_____ blitzschnell _____. „Wenn ich jetzt ganz vernünftig ‚Hallo Mick' sage, kann ich vielleicht fünf Minuten mit ihm reden", *(denken)* ⑮_____ ich mir _____. Der Gedanke *(sein)* ⑯_____ ungeheuerlich _____, denn ich *(denken)* ⑰_____ vorher nie daran _____, Mick persönlich kennenzulernen. Ich *(wissen)* ⑱_____ auch heute nicht mehr _____, warum ich so vernünftig *(reagieren)* ⑲_____ _____. Mein Herz *(klopfen)* ⑳_____ bis zum Hals _____. Einen solch tollen Jungen *(sehen)* ㉑_____ ich vorher noch nie _____. „Hallo Mick, how do you do?", *(sagen)* ㉒_____ ich leise _____. Er *(beobachten)* ㉓_____ mich bestimmt schon vorher _____, denn er *(lachen)* ㉔_____ so verständnisvoll _____ wie über ein kleines Schulmädchen. Noch heute *(bekommen)* ㉕_____ ich feuchte Hände _____, wenn ich daran *(denke)* ㉖_____ _____, wie ich es *(schaffen)* ㉗_____ _____, mit Mick zu sprechen.

14. Ergänzen Sie die richtigen Endungen der Adjektive.

B2/3
GR

a) 1955 ist die größt_____ ① Not der Nachkriegszeit vorbei.

b) Automatisch_____ ① Waschmaschine, elektrisch_____ ② Kühlschrank, einfach_____ ③ Moped, neu_____ ④ Fernsehapparat, gemütlich_____ ⑤ Reihenhaus auf eigen_____ ⑥ Grund und Boden sind die Beweise für neu_____ ⑦ Wohlstand.

c) In den Wohnungen sind modern_____ ① Formen bei den Möbeln und blass_____ ② Farben auf Tapeten und Vorhängen gefragt.

d) Die neu_____ ① Kunststoffe mit ihren künstlich_____ ② Namen werden immer beliebter.

e) Das abwaschbar_____ ① Sofa mit Kunstleder, die abwaschbar_____ ② Tischdecke aus Nylon, die abwaschbar_____ ③ Vorhänge aus Acella und den abwaschbar_____ ④ Regenmantel aus Perlon hält man für Zeichen des Fortschritts.

f) Die wirtschaftlich_____ ① Entwicklung der Bundesrepublik erlebt 1960 einen zweit_____ ② Höhepunkt. Die erst_____ ③ Wirtschaftskrise folgt sechs Jahre später und führt zum Sturz der konservativ_____ ④ Regierung.

g) Ab 1960 wächst die Wirtschaft immer schneller, und wegen der vielen Toten des Weltkrieges gibt es nicht genug deutsch_____ ① Arbeiter. Deshalb werden ausländisch_____ ② Arbeiter in die Bundesrepublik geholt.

15. Gerade in dem Moment...

B2/3
BD

Wenn Sie ausdrücken wollen, daß Sie genau in dem Moment etwas tun (oder daß genau in dem Moment etwas passiert), während eine andere Handlung beginnt (oder etwas anderes passiert), dann können Sie dafür die folgenden sprachlichen Mittel verwenden:

Ich bin (war) *gerade dabei* zu	telefonieren, ...,	da genau in dem in dem plötzlich	Augenblick Moment	klopfte jemand an die Tür.
Ich	telefonier(t)e *gerade*, ...	als jemand an die Tür klopfte.		

Ich bin (war) *gerade* | am Telefonieren, ..., | beim Telefonieren, ...,

Beispiele:

○ Kannst du mir bitte mal helfen?

□ Nein, jetzt geht es nicht. Ich bin *gerade* beim Abwaschen.

Ich war *gerade* dabei, mein Auto aus der Garage zu fahren, als der Unfall passierte.

Entscheiden Sie, ob Sie in den folgenden Sätzen einen Ausdruck mit ‚gerade' verwenden müssen oder nicht.

a) ○ Hast du jetzt Zeit?

□ Nur zehn Minuten, da ich *(nachher ins Kino gehen)* _____.

b) Ich *(aus dem Fenster schauen)* _____, als ich den Angeklagten über die Straße gehen sah.

c) ○ Kannst du Simon nicht erreichen?

□ Nein, sein Apparat ist besetzt, er *(telefonieren)* _____.

d) Als die Notstandsgesetze beraten wurden, *(Zehntausende demonstrieren dagegen)*

_____.

16. Zeitpunkte in der Vergangenheit.

Um Zeitpunkte in der Vergangenheit auszudrücken, gibt es im Deutschen verschiedene sprachliche Mittel. Sie kennen schon fast alle. Damit Sie diese wiederholen können, haben wir sie in der folgenden Tabelle geordnet:

sehr junge Vergangenheit

ungenaue Zeitpunkte:

vor kurzem, vorhin

genauere Zeitpunkte:

eben gerade, vorgestern, gestern

| vor | (etwa, ungefähr, kaum, rund, genau) | drei, fünf, ... | Tagen, Stunden, Minuten, Sekunden | gestern, vorgestern | abend, früh, nacht, nachmittag, mittag | heute morgen |

am gestrigen Abend/Morgen/Nachmittag   in der gestrigen Nacht

junge Vergangenheit

ungenaue Zeitpunkte:

| in den letzten | Monaten, Wochen | vor | ein paar, einigen | Wochen, Monaten | neulich |

genauere Zeitpunkte:

| (etwa, ungefähr, genau) | (am), – | Ende, Anfang, Mitte | (des), der | letzten, vorigen, letzten, vorigen | Monats, Woche | vorige, letzte, vorigen, letzten | Woche, Monat |

| (am) | Dienstag, Mittwoch, ... | letzter, voriger | Woche | vor | (etwa, ungefähr, kaum, rund, genau) | acht, zwei, ... | Wochen, Monaten |

| (im) | letzten, vorigen | Monat |

| in der | letzten, vorigen | Woche |

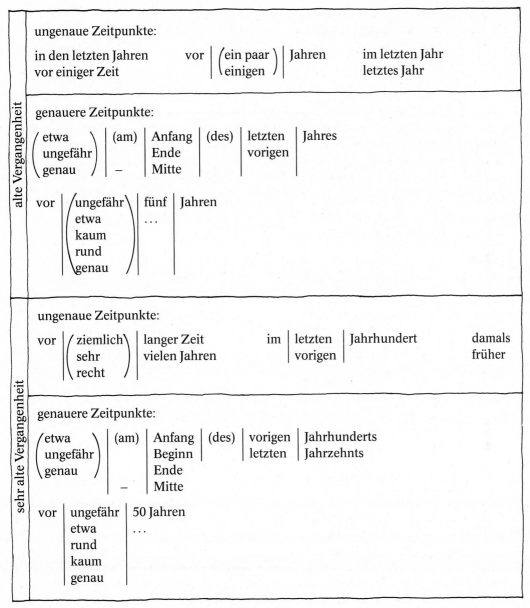

<table>
<tr><td rowspan="2">alte Vergangenheit</td><td colspan="4">
ungenaue Zeitpunkte:

in den letzten Jahren   vor { ein paar / einigen } Jahren   im letzten Jahr
vor einiger Zeit   letztes Jahr
</td></tr>
</table>

genauere Zeitpunkte:

{ etwa / ungefähr / genau } | (am) / – | Anfang / Ende / Mitte | (des) | letzten / vorigen | Jahres

vor { ungefähr / etwa / kaum / rund / genau } | fünf / ... | Jahren

---

sehr alte Vergangenheit

ungenaue Zeitpunkte:

vor { ziemlich / sehr / recht } | langer Zeit / vielen Jahren   im | letzten / vorigen | Jahrhundert   damals / früher

genauere Zeitpunkte:

{ etwa / ungefähr / genau } | (am) / – | Anfang / Beginn / Ende / Mitte | (des) | vorigen / letzten | Jahrhunderts / Jahrzehnts

vor | ungefähr / etwa / rund / kaum / genau | 50 Jahren / ...

‚( )‘ bedeutet ‚muß nicht verwendet werden‘.

17. ‚Vor‘, ‚aus‘ und ‚wegen‘.

B2/3
BD

A. *Vor* lauter Rücksicht auf die Nachbarn hört sie nie Schallplatten.
   Mein Wagen ist so alt, daß er bei Regen *vor* (lauter) Nässe immer stehenbleibt.
B. *Aus* (lauter) Rücksicht auf die Nachbarn hört sie nie Schallplatten.
   Aus (lauter) Begeisterung für Mick hörte Gabriela nach dem Konzert alle Stonesplatten.

Lektion 8

C. *Wegen* (der) Nässe bleibt mein alter Wagen immer stehen.

Wegen des (dem) schlechten Wegs (Weg) mußten wir sehr langsam fahren.

Wegen ihrer Begeisterung für Mick hörte Gabriela nach dem Konzert der ‚Rolling Stones‘ alle Stonesplatten.

Nach ‚aus‘, ‚vor‘ oder ‚wegen‘ stehen die Gründe für ein Geschehen oder eine Handlung. ‚Aus‘ verwendet man bei Gründen für die Handlung einer Person (z. B. Gefühle, Gedanken). ‚Wegen‘ gebraucht man vor allem bei Gründen für ein Geschehen, aber auch für Handlungen. ‚Vor‘ verwendet man wie ‚wegen‘, jedoch muß der Grund für das Geschehen oder die Handlung stärker als normal sein. Nach ‚vor‘ steht oft das Wort ‚lauter‘, das die Stärke des Grundes hervorhebt. Auch nach ‚aus‘ steht manchmal ‚lauter‘. Nach ‚wegen‘ steht meistens ein Artikel (Dativ oder Genitiv). Nach ‚vor‘ und ‚aus‘ steht keiner.

Ergänzen Sie ‚vor‘, ‚aus‘ oder ‚wegen‘ und, wenn notwendig, den Artikel. Manchmal passen sowohl ‚wegen‘ als auch ‚vor‘ oder ‚aus‘.

1. Wir hatten _____ _____ Lachen Tränen in den Augen.
2. _____ _____ Nebel____ konnten wir nichts mehr sehen.
3. _____ _____ schlechten Englischkenntnisse konnte sich Gabriela nicht richtig mit Mick unterhalten.
4. _____ _____ Angst vor der Prüfung hat sie ihre Anmeldung wieder zurückgenommen.
5. _____ _____ Aufregung über den Ärger mit ihrem Auto hat Johanna ihren Termin beim Arzt vergessen.

‚Aus‘ steht besonders häufig vor Nomen mit präpositionalem Attribut wie z. B.: *aus* Angst vor, Aufregung über, Freude über, Freundschaft zu, Interesse an, Lust an, Schmerz über, Sorge um, Verantwortung für.

18. ‚Stehen‘ hat verschiedene Bedeutungen.

B2/3 BD

A. stehen = nicht sitzen
B. stehen = sich an einem Ort befinden
C. stehen = gut aussehen (Kleidung, die eine Person trägt)
D. stehen = geschrieben/gedruckt

Welche Bedeutung hat ‚stehen‘ in den folgenden Sätzen?
1. Der Rock *steht* dir ausgezeichnet. Wo hast du den gekauft? ☐
2. Herr Faltermeier entscheidet, wie die Texte und Bilder auf der Seite *stehen*. ☐
3. Jochen *steht* jeden Tag acht bis zehn Stunden an der Maschine und bohrt Löcher in Metallteile. ☐
4. In der Zeitung *steht*, daß Mick Jagger geheiratet hat. ☐
5. Auf dem Foto sieht man Willy Brandt und John F. Kennedy. Sie *stehen* nebeneinander. ☐
6. Auf dem Plakat *steht*: „Streik gegen die Notstandsgesetze!“ ☐
7. Das Auto *steht* in der Straße rechts um die Ecke. ☐
8. Die neue Mode *steht* dir recht gut. ☐

128

19. ‚Lassen' hat verschiedene Bedeutungen.

B2/3
BD

A. Ich *lasse* das Auto in der Garage und gehe zu Fuß.
   (lassen = bestimmen, daß eine Person oder Sache an einem Ort zurückbleibt)
B. Mick, kannst du es nicht *lassen*, mit kleinen Mädchen zu flirten?
   Lassen Sie das bitte! Wenn Sie immer an die Tür klopfen, kann ich nicht telefonieren.
   (lassen = aufhören, etwas zu tun)
C. Holger hat sich vom Arzt krankschreiben *lassen*.
   Wir haben die Hotelzimmer buchen *lassen*.
   (lassen = einer Person oder einer Institution den Auftrag geben oder sie bitten, etwas für einen zu tun)
D. Meine Eltern hätten mich nicht zum Konzert der ‚Stones' gehen *lassen*.
   (lassen = erlauben; gegen etwas nichts tun, obwohl es z. B. verboten ist)
E. Untersuchungen *lassen* vermuten, daß die meisten Deutschen mit ihrem Leben zufrieden sind.
   Karten für das Stones-Konzert *ließen* sich auf dem Schwarzmarkt teuer verkaufen.
   (lassen = möglich sein)
F. Micks Auftritt ließ den Saal überkochen.
   (lassen = der Grund oder die Ursache sein für etwas)

Welche Bedeutung hat ‚lassen' in den folgenden Sätzen?
1. Dieses Problem *läßt* sich schwer lösen. □
2. Ich hörte jemand von außen an die Kabinentür klopfen, aber ich *ließ* mich dadurch überhaupt nicht stören. □
3. Sie hat sich vom Arzt starke Schmerztabletten verschreiben *lassen*. □
4. Die Sturmflut *ließ* 4000 Stück Vieh ertrinken. □
5. Dieser Text *läßt* sich recht leicht übersetzen. □
6. Sie kann es nicht *lassen*, mich zu stören. □
7. Die Polizei *ließ* ihn nach der Kontrolle nicht weiterfahren, weil er zuviel Alkohol getrunken hatte. □
8. Ich habe meine Koffer in einem Gepäckfach im Hauptbahnhof *gelassen*. □
9. Bernd ist ein guter Handwerker, aber sein Auto *läßt* er reparieren. □
10. *Laß* doch das Rauchen. Es ist ungesund. □

20. ‚Leicht' hat verschiedene Bedeutungen.

B2/3
BD

A. leicht = einfach, nicht schwierig, ohne Probleme/Schwierigkeiten
B. leicht = nicht schwer (an Gewicht)
C. leicht = etwas, ein bißchen

Welche Bedeutung hat ‚leicht' in den folgenden Sätzen?
1. Die Aufgaben in der Prüfung waren recht *leicht*. □
2. Ab 1966 stieg die Zahl der Arbeitslosen *leicht* an. □
3. Bei dem Unfall wurde nur der Fahrer *leicht* verletzt. □
4. Früher waren Computer sehr groß, heute sind sie klein und *leicht*. □

Lektion 8

B2/3
BD

21. Was können Sie auch sagen?

a) *Ich glaube, er nimmt die Prüfung zu leicht.*
- Ⓐ Ich glaube, die Prüfung wird für ihn sehr leicht sein.
- Ⓑ Ich glaube, ihm ist nicht ganz klar, wie schwer die Prüfung sein wird.
- Ⓒ Ich glaube, er bereitet sich nicht genügend auf die Prüfung vor.

b) *Glaubst du Gabrieles Geschichte über Mick? Die nimmt uns doch auf den Arm.*
- Ⓐ ... Sie hat die ganze Sache bestimmt erfunden.
- Ⓑ ... Was für ein phantastisches Erlebnis.
- Ⓒ ... Das stimmt doch alles nicht.

c) *Sachliche Kritik versteht er nicht; er nimmt alles gleich persönlich.*
- Ⓐ ...; er ist immer gleich beleidigt.
- Ⓑ ...; er ist eine Persönlichkeit.
- Ⓒ ...; man muß es ihm persönlich erklären.

d) *Kannst du die Sache bitte in die Hand nehmen?*
- Ⓐ Kannst du diesen Gegenstand mal kurz halten?
- Ⓑ Kannst du das bitte mit der Hand machen?
- Ⓒ Kannst du dich bitte um die Sache kümmern?

e) *Wer zu Beginn der Schulferien in Urlaub fährt, muß an der Grenze lange Warte-zeiten in Kauf nehmen.*
- Ⓐ ..., muß an der Grenze warten und hohe Gebühren bezahlen.
- Ⓑ ..., muß mit langen Wartezeiten an der Grenze rechnen.
- Ⓒ ..., darf sich nicht beschweren, wenn er an der Grenze lange warten muß.

f) *Nimm dir ein Beispiel an deinem Vater!*
- Ⓐ Geh mit deinem Vater spielen!
- Ⓑ Nimm dir deinen Vater zum Vorbild!
- Ⓒ Versuche, so zu sein wie dein Vater!

B2/3
BD

22. Unterscheiden Sie zwei wichtige Bedeutungen von ,nehmen'.

A. Der Krieg hat ihr den Mann *genommen*.
   (nehmen = wegnehmen; etwas, das vorher da war, ist nicht mehr da)
B. Sie hat sich einen Mann *genommen*.
   (nehmen = dafür sorgen, daß man etwas bekommt oder hat)

Welche Bedeutung hat ,nehmen' in den folgenden Sätzen?

1. Das neue Großraumbüro *nimmt* mir jeden Spaß an der Arbeit. □
2. Die Beinverletzung hat dem Sportler die Chance zum Sieg *genommen*. □
3. Für so ein großes Haus würde ich mir eine Putzfrau *nehmen*. □
4. Sie sehen schlecht aus; *nehmen* sie doch ein paar Tage Urlaub! □
5. Bevor er verhaftet werden konnte, hat sich der Verbrecher das Leben *genommen*. □
6. Warum *nehmen* Sie keine andere Wohnung, wenn diese so laut ist? □
7. Auch wenn du wenig Zeit hast, du solltest dir deine Hobbies nicht *nehmen*. □
8. Laut Mietvertrag kann uns die Wohnung in den nächsten fünf Jahren keiner *nehmen*. □
9. Zum Essen muß man sich Zeit *nehmen*. □
10. Ich könnte heute noch nicht richtig schwimmen, wenn mir mein Schwimmlehrer nicht die Angst vor dem Wasser *genommen* hätte. □
11. Wenn die Geschäftsentwicklung so weitergeht, müssen wir uns eine zweite Sekretärin *nehmen*. □

23. ‚Eben' hat verschiedene Bedeutungen.

B2/3
BD

A. Das ganze Land ist sehr *eben*. *(eben = flach; gleichmäßige Fläche)*
B. Holger hat *eben* mit Monika telefoniert. *(eben = vor ganz kurzer Zeit)*
C. Gabriele macht, was sie will; junge Leute sind *eben* so.
   (eben = das ist eine Tatsache, an der man nichts ändern kann; so ist es; man muß es so akzeptieren)
D. Holger sollte im Bett bleiben, solange er krank ist! – *Eben*, das habe ich ihm auch gesagt!
   (eben = genau das; das gleiche; ganz richtig)

Welche Bedeutung hat ‚eben' in den folgenden Sätzen?
1. Ich verstehe nicht, warum Gabriele ihren Eltern nicht die Wahrheit gesagt hat. – *Eben*, die hätten sie doch bestimmt ins Konzert gehen lassen. ☐
2. Der hintere Teil der Gartens ist *eben* genug, dort können wir uns ein kleines Gartenhäuschen bauen. ☐
3. Sei nicht ärgerlich, wenn der Reis schon wieder zu weich ist; ich kann *eben* nicht kochen. ☐
4. *Eben* hat es drei Uhr geschlagen. ☐
5. Ich glaube, unser Auto wird langsam zu alt; jetzt muß es schon wieder in die Werkstatt. – *Eben*, wir sollten uns ein neues kaufen! ☐
6. Mit diesem Preis hättest du rechnen müssen; gute Qualität ist *eben* teuer! ☐
7. Mein Kollege war *eben* noch hier; wo er jetzt ist, weiß ich leider nicht. ☐

24. ‚Eigentlich' hat verschiedene Bedeutungen.

B2/3
BD

A. Ende der 60er Jahre waren die Studenten die *eigentliche* politische Opposition.
   (eigentlich = wirklich, tatsächlich)
B. Wie heißt du *eigentlich*?
   (Mit ‚eigentlich' sagt man, daß eine Frage jetzt zwar nicht genau zum Gesprächsthema paßt, aber man sie trotzdem stellen möchte. Dadurch ist die Frage weniger direkt und höflicher).
C. Ich finde Mick *eigentlich* ganz nett.
   (eigentlich = im Grunde, im Ganzen gesehen)

Welche Bedeutung hat ‚eigentlich' in den folgenden Sätzen?
1. Gabrieles Eltern haben *eigentlich* ganz nett reagiert, als sie am nächsten Tag von der Sache erfahren haben. ☐
2. *Eigentlich* habe ich keine Lust, ins Kino zu gehen, aber alleine zu Hause bleiben will ich auch nicht. ☐
3. Du hast doch mit Monika gesprochen. Was hat sie *eigentlich* gesagt?☐
4. Ich mag *eigentlich* kein Bier, nur zum Essen trinke ich ab und zu ein Glas. ☐
5. Der *eigentliche* Chef hat Urlaub, aber Sie können mit seinem Vertreter sprechen. ☐
6. Wieviele Fremdsprachen sprechen Sie *eigentlich*? ☐
7. Jetzt habe ich wegen meiner Überstunden drei Tage frei; meinen *eigentlichen* Urlaub nehme ich im August. ☐
8. Warst du *eigentlich* schon mal in London? ☐
9. Studiert dein Bruder *eigentlich* noch? ☐

Lektion 8

B2/3 BD

25. Was können Sie auch sagen?

a) *Das hat nichts zu sagen.*
   Ⓐ Darüber braucht man sich keine
      Sorgen machen.
   Ⓑ Darüber darf man nicht sprechen.
   Ⓒ Das hat nichts zu bedeuten.

b) *Laß doch mal etwas von dir hören!*
   Ⓐ Sprich bitte etwas lauter!
   Ⓑ Schreib doch mal, oder ruf mal an!
   Ⓒ Sag mal irgendetwas!

c) *Die kurzen Haare stehen dir gut!*
   Ⓐ Schön, wie deine kurzen Haare
      stehen!
   Ⓑ Kurze Haare sind besser zu
      pflegen.
   Ⓒ Du siehst gut aus mit den kurzen
      Haaren!

d) *Du solltest ihm mal die Meinung
   sagen!*
   Ⓐ Du solltest dich öfter mal mit ihm
      unterhalten.
   Ⓑ Du solltest ihm mal deutlich sagen,
      was du von ihm denkst.
   Ⓒ Du solltest mal mit ihm diskutieren.

e) *Diese Minuten sind mir wie Stunden
   vorgekommen.*
   Ⓐ Diese Minuten erschienen mir wie
      Stunden.
   Ⓑ Ich komme in einigen Stunden.
   Ⓒ Nach meinem Gefühl waren diese
      Minuten wie Stunden.

f) *Er hat die Prüfung nur mit Mühe
   bestanden.*
   Ⓐ Obwohl er sich sehr bemüht hat, hat er
      die Prüfung nicht bestanden.
   Ⓑ Weil er sich große Mühe gegeben hat,
      hat er die Prüfung sehr gut bestanden.
   Ⓒ Er hat die Prüfung zwar bestanden,
      aber es war nicht leicht für ihn.

g) *Die Nachbarn geben sich mit ihrem
   Garten große Mühe.*
   Ⓐ Die Nachbarn pflegen ihren Garten
      sehr liebevoll.
   Ⓑ Die Gartenarbeit ist zu anstrengend
      für die Nachbarn.
   Ⓒ Die Nachbarn interessieren sich nicht
      für ihren Garten.

B2/3 BD

26. ‚Wie' hat verschiedene Bedeutungen.

A. Gabriela wollte mitsingen, *wie* es alle um sie herum taten.
   Gabriela ist so alt *wie* ihr Freund.
   *(Mit ‚wie' vergleicht man zwei Eigenschaften, Ereignisse oder Handlungen. Es verbindet
   zwei Satzteile oder einen Haupt- und Nebensatz.)*
B. Ich habe genau gesehen, *wie* er den Stadtpark verlassen hatte.
   (wie (Subjunktor) = als (Subjunktor))
C. *Wie* alt ist Gabriela?
   Ich weiß nicht, *wie* alt Gabriela ist.
   (Wie? = Fragewort in einem selbständigen oder abhängigen Fragesatz)
D. Viele sozialistische Politiker, *wie* Willy Brandt und Herbert Wehner, mußten während der
   Hitler-Zeit Deutschland verlassen.
   (wie = z. B.)

Welche Bedeutung hat ‚wie' in den folgenden Sätzen?
1. Was war so, *wie* Sie es vor Ihrer Reise in die DDR erwartet hatten?
2. Ein nationales Kulturzentrum, *wie* etwa den Louvre in Paris, gibt es hier nicht.

3. Millionen Menschen sahen am Fernsehapparat, *wie* die ersten Menschen auf dem Mond landeten.
4. *Wie* lange dauerte die Regierungszeit von Willy Brandt?

27. ‚Da' hat verschiedene Bedeutungen.

A. *Da* die FDP als parlamentarische Opposition fast bedeutungslos war, entwickelte sich eine außerparlamentarische Opposition.
   (da = weil)
B. Ich wollte gerade telefonieren, *da* klopfte jemand an die Kabinentür.
   (da = in diesem Moment/Augenblick)
C. ○ Meine Waschmaschine wäscht nicht richtig. Kannst du die reparieren?
   □ Nein, tut mir leid. *Da* kann ich dir auch nicht helfen. Aber ich kann dir *da* einen guten Elektromechaniker empfehlen.
   (da = in/für/bei diese(r) Sache; Kurzform für das Präpositionalpronomen ‚da + Präp.')
D. *Da* an der Ecke ist eine Telefonkabine.
   (da = Stelle, wo sich eine Person oder Sache befindet)

Welche Bedeutung hat ‚da' in den folgenden Sätzen?
1. Die Sechziger Jahre waren eine interessante Zeit. *Da* kann ich dir viel erzählen. □
2. Auf dem Foto *da* ist Willy Brandt zu erkennen. □
3. Als ich Mick sah, *da* war ich sofort in ihn verliebt. □
4. *Da* eine Universitätsreform schon lange fällig war, demonstrierten die Studenten auf den Straßen. □
5. Gabriela hatte Angst, nach Hause zu gehen, *da* sie ihren Eltern nicht erzählt hatte, daß sie zu einem Stones-Konzert gehen würde. □
6. Bruno war um zwei Uhr morgens im Stadtpark. Die Polizei fragte ihn, was er *da* gemacht hatte. □
7. In einer Wohngemeinschaft leben oft sehr verschiedene Leute zusammen. *Da* streitet man sich natürlich manchmal. □
8. Ich wollte gerade aus dem Haus gehen, *da* klingelte das Telefon. □

28. ‚Gehen' hat verschiedene Bedeutungen, deshalb können Sie oft ein anderes Verb anstelle von ‚gehen' benutzen. Ergänzen Sie die Verben in den folgenden Sätzen.

(Manchmal paßt nur ‚gehen', aber meistens noch ein anderes Verb.)

> gehen – klappen – funktionieren – laufen – fahren – passen – führen – sich handeln um

a) Wann _geht / fährt_ der nächste Zug nach Augsburg?
b) Solange mein Auto in der Werkstatt ist, _____ ich zu Fuß ins Büro.
c) Dieser Waldweg _____ direkt zur nächsten Gaststätte.
d) Das Zugabteil ist voll; da _____ niemand mehr rein.
e) _____ deine Uhr wieder, oder hast du sie noch nicht reparieren lassen?
f) Ab Mitternacht _____ keine Straßenbahn mehr.

g) Bist du gestern mit dem Taxi nach Hause gefahren? – Nein, der Weg war nicht weit; ich bin
_____.

h) Wie _____ es Ihnen in der neuen Firma? – Danke, ich bin zufrieden.

i) Die Treppe _____ in den Keller.

j) Das Wasser ist ziemlich tief; es _____ mir fast bis zum Hals.

k) Das sind zu viele Koffer; die _____ nicht alle in unser Auto!

l) Ich benutze lieber den kleinen Fernseher im Nebenzimmer; dieser hier _____
nicht richtig.

m) Wenn es so heiß ist wie heute, bin ich immer müde. – Das _____ mir auch so.

n) Der Meister will uns alle sprechen. Hast du eine Ahnung, worum es _____?

o) Die Firma hat meiner Kollegin gekündigt; in vier Wochen muß sie _____.

B2/3
SA

29. Schreiben Sie einen Brief.

In Abschnitt B 3–1 dieser Lektion finden Sie die Hörübung Nr. 2, „Monika und Holger".
Sicher haben Sie diese Übung schon gemacht und wissen, welche Texte zu den Bildern
passen.
Nehmen Sie jetzt einmal an, Sie sind Holger oder Monika und schreiben an einen Freund,
was Ihnen passiert ist. Schreiben Sie zu zwei Texten je einen Brief oder, wenn Sie Lust
haben, zu jedem Text einen.

a) Bei der Rückkehr von einem Wochen-
endausflug stellten Monika und Holger fest,
daß bei ihnen eingebrochen worden war.
Die Einbrecher hatten die ganze Wohnung
durcheinandergebracht. Auch das Bargeld
im Küchenschrank war weg.

b) Das war auf der Rückfahrt aus dem Urlaub, bei einem Aufenthalt in Fuschl. Holger
und Monika hatten hier übernachten wollen, aber kein Hotelzimmer bekommen.
Schließlich fanden sie einen Bauernhof mit
Pension, wo sie übernachten konnten.

c) Beim Federballspielen war Holger ins
Wasser gefallen. Auf dem Foto lacht er noch,
aber als er aufstehen wollte, ging es nicht. Er
hatte sich den Fuß gebrochen und wurde für
zwei Wochen krank geschrieben.

d) Monika hatte eine Postanweisung über
5000 DM bekommen, weil sie im Lotto gewonnen hatte. Das wurde natürlich gefeiert.
Sofort hatte sie eine Urlaubsreise gebucht.
Als sie später noch einmal auf den Schein
sah, merkte sie, daß es nicht 5000 DM, sondern 500 DM waren. Die Urlaubsreise hat sie
dann trotzdem gemacht.

Kiel, den ...

Liebe(r) ...

wir haben lange nichts voneinander gehört. ...

Bruder 43 Jahre nicht gesehen

Mit Fotos aus alten Zeiten erinnern sich die Gebrüder Fröse, die 43 Jahre getrennt waren, an ihre gemeinsam verbrachte Jugend. Unser Bild zeigt von links Gloria, Bruno, Alfons und Gertrud Fröse.   *Bild: Borjes*

„Als Jugendliche trennten wir uns"

tb **Schweinebrück.** „Auf dem Flughafen habe ich ihn zuerst überhaupt nicht erkannt", berichtet Alfons Fröse aus Schweinebrück vom ersten Wiedersehen mit seinem Bruder Bruno, dem er jetzt nach 43 Jahren zum ersten Mal wieder gegenüberstand.

Während des Zweiten Weltkriegs, im Jahre 1943, hatten sich die beiden Brüder in ihrem Geburtsort in der Nähe von Danzig, im damaligen Westpreußen, zuletzt gesehen. Zufällig hatten beide zur gleichen Zeit einen Heimaturlaub bekommen.

Für Bruno Fröse sollte dies für lange Zeit der letzte Aufenthalt in seiner Heimat bleiben; er geriet im Krieg in englische Gefangenschaft und landete schließlich als 21jähriger in der Nähe von Manchester, wo er 1948 eine Engländerin heiratete und kurze Zeit später die englische Staatsbürgerschaft erhielt.

Alfons Fröse hingegen meldete sich nach dem Ende des Kriegs und dem Zusammenbruch des Deutschen Reichs im Jahre 1945 freiwillig zum landwirtschaftlichen Dienst und kam auf diese Weise nach Norddeutschland, wo er später eine Familie gründete.

Durch das Deutsche Rote Kreuz, das einen Suchdienst für im Krieg vermißte Personen eingerichtet hatte, versuchte Alfons Fröse in den 70er Jahren seinen Bruder ausfindig zu machen. Als ihm dies schließlich gelungen war, entwickelte sich zwischen den Geschwistern ein reger Briefwechsel, der jetzt, fast ein halbes Jahrhundert nach dem letzten Treffen, zu einem Wiedersehen führte.

„Als Jugendliche gingen wir damals auseinander, und als Rentner treffen wir uns jetzt wieder", stellt Alfons Fröse fest, der, wie er sagt, in der Zeit der Trennung oft an seinen Bruder denken mußte.

Die Brüder können sich heute kaum noch verständigen, da Bruno Fröse die deutsche Sprache nach 41 Jahren England-Aufenthalt verlernt hat. „Zum Glück kann unser Sohn Harald Englisch. Wenn er nicht dolmetschen würde, könnten wir uns überhaupt nicht unterhalten", schildert Alfons Fröse diese eigenartige Situation. „Bruno ist eben durch und durch ein Engländer geworden, was ja auch schon an seiner Kleidung zu sehen ist", bemerkt er mit einem Seitenblick auf seinen Bruder und dessen Frau Gloria. Bruno Fröse stimmt ihm zu: Er fühlt sich wohl in England, wo bereits Enkelkinder von ihm leben.

Auch ihre Mutter, die im heutigen Polen lebt, hatten die beiden Brüder lange nicht mehr gesehen. Unabhängig voneinander besuchten sie sie in den 70er Jahren und begegneten ihr so nach 30 Jahren zum ersten Male wieder. Der erste Besuch von Alfons Fröse bei seinem Bruder in Manchester ist bereits geplant: „Beim nächsten Treffen", so Alfons Fröse, „wollen wir uns auch ohne Foto wiedererkennen können."

Lektion 9

114 abhängen
113 abmelden
111 abschließen
111 alle
111 amtlich
112 r Angehörige, -n
113 anstatt
113 aufwärts
108 beziehen
113 bringen
113 e Bundesstraße,
   -n
106 deswegen
110 dort
110 ebensolange
110 einmal
114 entgegen
113 entscheidend
112 entschlossen
111 erinnern
115 s Feld, -er
109 e Form, -en
114 führen
111 für
114 s Gegenteil
112 gelingen
113 e Grundlage, -n
110 handeln
110 hindern
108 r Hinweis, -
106 e Inflation
115 leiden
110 zum letzten Mal
114 s Mißverständ-
   nis, -se
114 nachdem
113 e Nachfrage
114 nebenbei
114 r Punkt, -e
114 recht geben
114 e Sache
114 schön
107 sorgen

115 überqueren
113 verantwortlich
109 r Verband, ¨e
108 s Verbot, -e
113 verschlechtern
109 vorkommen
112 e Wahrheit
108 s Zeichen, -

1. Was paßt nicht?

a) abschließen: die Eingangstür, die Arbeiten, das Fußballspiel, die Ausbildung, einen Vertrag

b) sich beziehen: auf einen Brief, auf dem Fußboden, auf ein Gespräch mit Herrn Janßen, auf einen Telefonanruf

c) hindern: die Bäume im Wald, die Leute am Demonstrieren, Max Daetwyler am Protestieren, die Flughafengesellschaft am Bau der Startbahn

d) sorgen: für neue Ausbildungsplätze, für eine saubere Umwelt, für das Wetter, für die Kinder

e) erinnern: die Leute an die Demonstration, die Demonstrationsteilnehmer an das Verbot, das Feld an der Bundesstraße, sie an ein Gespräch

Und was paßt hier nicht?

f) vorkommen, passieren, geschehen, handeln

g) machen, tun, vorkommen, handeln

h) gelingen, sorgen, schaffen, ans Ziel kommen

2. Was paßt nicht?

a) Angehörige (eines Vereins), Mitglieder, Bekannte, Teilnehmer

b) Form (des Protests), Art, Typ, Teil

c) Hinweis, Erklärung, Geschichte, Beschreibung

d) Kritik, Inflation, Preise, Krise, Geld

e) Verband, Freundschaft, Verein, Gemeinschaft

f) Wahrheit, Verbot, Gesetz, Strafe

g) Wissen, Wahrheit, Lüge, Richtigkeit

3. ‚Da + Präposition' als Vertreter für eine Präpositionalergänzung.

Viele deutsche Verben haben eine Präpositionalergänzung, zum Beispiel:
Die Lösung des Problems hängt auch *von der Entwicklung umweltfreundlicher Motoren* ab.
Die Ergänzung ist hier ein Nomen (mit einem Attribut). Oft gibt es aber für das, was man sagen will, kein einzelnes Nomen, oder man kennt es nicht. Dann verwendet man einen ganzen Nebensatz als Präpositionalergänzung.
Zum Beispiel:
... daß die Leute die modernen, umweltfreundlichen Autos kaufen.

Diese Präpositionalergänzung fehlt jetzt natürlich im Hauptsatz. Man verwendet deshalb das Präpositionalpronomen ‚da + Präposition' als Vertreter für die Präpositionalergänzung:
Die Lösung des Problems hängt auch *davon* ab, daß die Leute die modernen, umweltfreundlichen Autos kaufen.

Sagen Sie es anders.

a) Die Leute müßten moderne, umweltfreundliche Autos kaufen. Von dieser Entwicklung hängt die Lösung des Problems auch ab.
   Die Lösung des Problems hängt auch davon ab, daß...

Lektion 9

Ebenso:

b) Für den Bau der neuen Startbahn mußten 500 000 Bäume sterben. An diese Tatsache haben die Politiker nicht gedacht.

c) Der Wald darf nicht sterben. Auf diesen Punkt kommt es vor allem an.

d) Die USA produzieren immer mehr sinnlose Waffen. Gegen diese Entwicklung protestieren die Leute.

e) Welche Folgen haben Ihre eigenen Handlungen für die Gesellschaft und Umwelt? Haben Sie schon einmal über diese Frage nachgedacht?

f) In unseren Lebensmitteln sind immer mehr chemische Stoffe. Auf diese Tatsache weist der Bericht hin.

B1/2 BD

4. ‚Geben' hat verschiedene Bedeutungen.

A. geben = einer Person etwas in die Hand geben

B. geben = bezahlen/einer Person etwas verkaufen/von einer Person etwas kaufen/etwas tauschen

C. geben = im Kino/Theater einen Film/ein Stück spielen

D. geben = einer Person etwas leihen oder schenken

E. geben (es gibt) = etwas ist da, existiert

Außerdem kommt ‚geben' häufig als Funktionsverb vor. Vergl. dazu Übung 10 in dieser Lektion.

Welche Bedeutung hat ‚geben' in den folgenden Sätzen?

1. Was wird heute abend im Fernsehen *gegeben?* □

2. In der Bundesrepublik *gibt* es keine Geschwindigkeitsbegrenzung auf Autobahnen. □

3. Kannst du mir dein Auto *geben?* Ich brauche es nur für zwei bis drei Stunden. □

4. Wieviel *geben* Sie mir für mein altes Auto? □

5. *Gibst* du mir bitte meinen Kugelschreiber. Er liegt auf dem Tisch. □

6. Für die Leute, die direkt an der Bundesstraße wohnen, *gibt* es Tag und Nacht keine Ruhe. □

7. Die neue Platte von den Rolling Stones habe ich Sonja *gegeben.* Sie hat sich sehr darüber gefreut. □

8. Können Sie mir bitte meine Post *geben?* Sie ist postlagernd an dieses Postamt geschickt worden. □

9. *Geben* Sie mir bitte ein Kilo Rindfleisch und ein halbes Pfund von dieser Wurst. □

B1/2 BD

5. ‚Für' hat verschiedene Bedeutungen.

A. *Für* drei Milliarden Mark wurde ein neues Kraftwerk gebaut.

Daetwyler mußte *für* drei Monate ins Gefängnis.

(‚*für*' + *Zeit/Preis/Menge' bedeutet eine Zeit-, Mengen- oder Preisangabe.)

B. Eine aktive Politik *für* eine gesunde Natur finden 65% der Leute sehr wichtig.

Für den immer stärkeren Flugverkehr brauchte der Frankfurter Flughafen eine neue Startbahn.

(‚*für + Nomen' bedeutet hier den Zweck, das Ziel oder die Funktion einer Handlung/ Sache/Person)

C. *Für* mein Gefühl ist es selbstverständlich, daß man etwas gegen das Waldsterben tun muß.
(,*für* + *Nomen*' = *gemessen an einer Sache/Person*)

Welche Bedeutung hat ,für' in den folgenden Sätzen?
1. Wo*für* brauchen Sie denn das Werkzeug? ☐
2. Das Essen ist *für* meinen Geschmack zu scharf. ☐
3. Ich habe *für* 5 Personen Essen gekocht, aber es war nicht genug, weil noch mehr Leute kamen. ☐
4. Die Straßen sind nicht nur *für* Autos da; es gibt auch Fußgänger und Radfahrer! ☐
5. *Für* unsere Eltern wäre ein Studium an einer Universität früher zu teuer gewesen. ☐
6. Gestern gab es *für* 20 Minuten keinen Strom. ☐
7. 1960 hat Daetwyler in Moskau *für* den Frieden demonstriert. ☐

6. Was paßt nicht?

B3
WS

a) abmelden: das Auto (beim Straßenverkehrsamt), das Verbot (bei der Polizei), das Telefon (bei der Post), das Fernsehgerät (bei der Gebührenzentrale)

b) führen: (eine bestimmte Politik) zu Inflation, (eine falsche Information) zu Mißverständnissen, (eine Straße) durch das Zentrum, (ein Autofahrer) durch die Stadt

c) leiden: an der Autobahn, unter dem Lärm, an einer schweren Krankheit, unter der Inflation

d) überqueren: die Bundesstraße, den Platz, die Grundlage, das Feld

e) abhängen: von der Nachfrage, vom Wetter, am Gegenteil, von der Größe der Bundesstraße

7. Was paßt nicht?

B3
WS

a) Bundesstraße, Feld, Autobahn, Weg
b) Gebiet, Feld, Wiese, Wald
c) Sache, Grundlage, Thema, Diskussionspunkt
d) Ware, Preis, Nachfrage, Diskussion

8. ,Bestimmt', ,genau' oder ,sicher'? Was paßt?

B3
WS

a) Es ist _____, daß es hier auch in Zukunft keine Geschwindigkeitsbegrenzung gibt.
b) Man weiß nicht _____, ob Kernkraftwerke wirklich _____ sind.
c) Ohne die Proteste und Demonstrationen wäre der Umweltschutz _____ nicht zu einem wichtigen Thema in der Politik der Bundesrepublik geworden.
d) _____ 60 Jahre nach seinem ersten Protest gegen den Krieg stand Daetwyler wieder mit seiner weißen Fahne in der Frauenfelder Kaserne.
e) Viele Unfälle in Kernkraftwerken wurden nicht _____ genug untersucht.
f) _____! Das meine ich auch! Da hast du völlig recht.
g) _____, du hast schon recht, aber findest du nicht auch, daß es bei den Demonstrationen zu viele Verletzte gibt?

Lektion 9

9. Welche Ausdrücke haben sehr ähnliche Bedeutungen? Ergänzen Sie.

> verantwortlich sein für – ebensolange – amtlich – entgegen dem – deswegen –
> entschlossen sein – für 12 Wochen – aufwärts gehen – entscheidend

a) Der Bau des Kernkraftwerks Brokdorf ist *(offiziell)* _____ entschieden, aber trotzdem gibt es immer noch Proteste dagegen.

b) Für die neue Startbahn West des Frankfurter Flughafens mußten 500 000 Bäume sterben. *(Deshalb)* _____ protestieren auch heute noch viele Bürger gegen den Bau.

c) Daetwyler mußte *(drei Monate lang)* _____ ins Gefängnis und dann *(für dieselbe Zeit)* _____ in eine Nervenheilanstalt.

d) Durch die Geschwindigkeitsbegrenzung für Autos wurde die Menge der Stickoxide in der Luft nicht *(deutlich merkbar)* _____ geringer.

e) Die Politiker *(hatten den festen Willen)* _____, die Startbahn West zu bauen.

f) *(An der)* _____ Luftverschmutzung *ist* doch vor allem die Industrie *(Schuld)* _____.

g) *(Im Gegensatz zu dem)* _____, was du sagst, glaube ich, daß durch eine Geschwindigkeitsbegrenzung die Zahl der Unfälle kleiner wird.

h) Die wirtschaftliche Entwicklung der Autoindustrie *(wird besser)* _____.

10. Funktionsverben

Verben werden zu Funktionsverben, wenn sie sich mit einem Nomen zu einer neuen Bedeutung zusammenschließen. ‚Einen Antrag stellen' ist ein Beispiel für ein Funktionsverb. Die eigentliche Bedeutung von ‚stellen' ist in diesem Funktionsverb nicht mehr zu erkennen. Das Verb ‚stellen' hat die ‚Funktion' (Aufgabe), sich mit dem Nomen ‚Antrag' zu einem neuen ‚Verb', einem ‚Funktionsverb', zusammenzuschließen.

Wenn Sie die Bedeutung des Nomens kennen, werden Sie ein Funktionsverb in den meisten Fällen verstehen, auch wenn Sie es vorher nicht kannten. Die folgenden Verben sind besonders häufig Teil von Funktionsverben. Ergänzen Sie.

> machen   stellen   schließen   geben   nehmen   bringen   führen   kommen   finden

1. Der Wissenschaftler _____ eine Entdeckung.
2. Diesen Vertrag können wir nicht ohne Hilfe _____, dazu brauchen wir einen Rechtsanwalt.
3. Sicher ist, daß die Autoabgase den Wald in Gefahr _____.
4. Kurze Röcke _____ bestimmt wieder in Mode.
5. Bist du in der Diskussion auch zu Wort _____?
6. Was glaubst du, womit kann man ihr eine Freude _____?
7. Diese Stelle wird gut bezahlt, aber es werden auch hohe Anforderungen _____.
8. Man soll kleinen Kindern keine Angst _____.
9. Viele Menschen haben Schwierigkeiten, ihre Gefühle zum Ausdruck zu _____.
10. Ich muß noch meinen Schreibtisch in Ordnung _____.

machen stellen schließen geben nehmen bringen kommen führen finden

11. Die Bürgerinitiative für Umweltschutz hat die Forderung _____, daß sonntags keine Autos mehr fahren dürfen.
12. Wollen Sie nicht endlich Schluß _____?
13. Wir sind zu der Überzeugung _____, daß der Ausbau der Bundesstraße die richtige Lösung ist.
14. Dieses Putzmittel ist giftig. Das hätte niemals in den Handel _____ dürfen.
15. Man kann den jungen Leuten nichts erzählen; jeder muß seine Erfahrungen selbst _____.
16. Unsere Nachbarn _____ keine gute Ehe; sie streiten sich dauernd.
17. Die Aussicht auf Erfolg ist so gering, daß ich Ihnen nicht raten möchte, einen Prozeß zu _____.
18. Wer hat diese Erfindung _____?
19. Die jungen Leute von der Friedensinitiative _____ auf mich einen ganz vernünftigen Eindruck.
20. Mit dieser Rede hat er sich viele politische Feinde _____!
21. Ich werde ihm das sagen, sobald ich dazu Gelegenheit _____.
22. Wir haben damit angefangen; jetzt müssen wir die Sache auch zu Ende _____.
23. Nach zwei Stunden hatte die Feuerwehr das Feuer unter Kontrolle _____.
24. Eigentlich geht das nicht, aber für Sie _____ ich eine Ausnahme.
25. Jetzt soll jeder in der Gruppe seine Meinung dazu sagen. Wer _____ den Anfang?
26. Ich glaube, diese beiden Forschungsergebnisse kann man nicht in Zusammenhang _____. Das eine hat mit dem anderen doch gar nichts zu tun.
27. Sein Freund hat ihn auf diese dumme Idee _____!
28. Da kann ich Ihnen ein sehr günstiges Angebot _____.
29. Du hast ja Blumen gekauft. Willst du einen Besuch _____?
30. Es tut mir leid, aber ich darf Ihnen diese Information nicht _____.
31. Erst hat er mich in den Arm genommen, und dann hat er mir einen Kuß _____.
32. Wissen Sie, welche Leistungen die Atomkraftwerke _____?
33. Im Bundestag _____ jetzt immer öfter umweltpolitische Themen zur Sprache.
34. Zu seinen neuen Kollegen hat er noch keinen Kontakt _____.
35. Wenn Sie ein Ferngespräch _____ möchten, müssen Sie diese Kabine benutzen.
36. Die Raucher werden immer weniger, weil immer mehr Leute ein gesundes Leben _____ wollen.
37. Da kann ich Ihnen leider keinen Rat _____, weil ich davon auch nichts verstehe.
38. Der Koffer ist zwar fast voll, aber für diesen Pullover _____ wir bestimmt noch Platz.
39. Können Sie mir bitte eine Auskunft _____?
40. Die Sache ist mir noch nicht klar; ich kann mir noch kein richtiges Bild _____.
41. Hast du viele Fehler _____?
42. Darüber werden wir keine Diskussionen _____; der Chef entscheidet das alleine.
43. Viele Männer wissen nicht, wieviel Arbeit es macht, einen Haushalt zu _____.
44. In diesem Jahr hat die Firma gute Geschäfte _____.
45. Die Maschine arbeitet selbständig, aber sie müssen ab und zu eine Kontrolle _____.

Lektion 9

machen stellen schließen geben nehmen bringen kommen führen finden

46. Produkte verkaufen sich besser, wenn man Reklame _____ .

47. Diese Sache ist geheim. Sie sind der einzige, den ich ins Vertrauen _____ habe.

48. Wenn wir pünktlich dort sein wollen, müssen wir uns jetzt auf den Weg _____ .

49. Ob wir durch russische oder amerikanische Atombomben sterben, das _____ doch wohl keinen Unterschied.

50. Am besten, wir _____ heute schon den Termin für die nächste Sitzung.

51. Wer möchte zu diesem Thema noch eine Frage _____ ?

52. Wer wenig verdient, kann beim Wohnungsamt einen Antrag auf Wohngeld _____ .

53. Und wenn es eine Atomkatastrophe gibt, wie soll sich dann die Bevölkerung in Sicherheit _____ ?

54. Der Bericht soll morgen fertig sein, wir müssen also heute zu einem Ergebnis _____ .

55. Welche Erklärung haben die Soziologen für die Protestbewegung _____ ?

56. Wenn er mir das nächste Mal unter die Augen _____ , werde ich ihm die Meinung sagen.

57. Endlich haben wir den Grund _____ , warum das Kopiergerät nicht funktioniert.

58. Hast du mit den neuen Nachbarn schon Freundschaft _____ ?

59. Auf diesen Apparat _____ wir drei Jahre Garantie.

60. Du mußt mehr Gas _____ , sonst kommen wir zu spät.

61. Auch für dieses Problem wird sich eine Lösung _____ .

62. Nach zwei Jahren Krieg haben die Präsidenten der beiden Länder Frieden _____ .

63. Meine Schwester hat heute ihr zweites Kind zur Welt _____ .

64. Der Unfall ist passiert, weil er die Kurve zu eng _____ hat.

65. Er ist zu ängstlich. Du muß ihm Mut _____ .

66. Jetzt haben wir drei Stunden gearbeitet. Laß uns eine Pause _____ .

67. Während wir Ihr Auto reparieren, können wir Ihnen einen Wagen von uns zur Verfügung _____ .

68. Die Verhandlungen sind schwierig; die Gespräche _____ nur langsam in Gang.

69. Wenn wir nicht schneller laufen, _____ wir nie ans Ziel.

70. Wer hat Ihnen dazu die Erlaubnis _____ ?

71. Sie können mir nicht die Schuld an diesem Unfall _____ ! Sie hätten besser aufpassen müssen.

72. Wegen der Proteste werden in der Bundesrepublik in Zukunft keine neuen Atomkraftwerke in Betrieb _____ .

73. Zu diesem Arzt kann ich kein Vertrauen _____ .

74. Durch die Teilnahme in der Bürgerinitiative hat er Interesse an der Politik _____ .

75. Bitte _____ Sie Rücksicht auf Ihre Mitbewohner.

76. Erst die Proteste haben die Diskussion in Bewegung _____ .

77. Dafür reicht unser Geld nicht. Wir müssen einen Kredit _____ .

78. Bitte _____ Sie von diesem Brief zwei Kopien.

79. Bevor wir damit anfangen, sollten wir einen Plan _____ .

80. Hast du dir über Atomkraftwerke eigentlich schon mal Gedanken _____ ?

81. Trink einen starken Kaffee; das _____ dich wieder auf die Beine.

| machen | stellen | schließen | geben | nehmen | bringen | kommen | führen | finden |

82. Der Arzt hat mir eine Spritze _____ .
83. Wenn ein Platz im Kurs frei wird, _____ wir Ihnen Bescheid.
84. Wirklich, da muß ich Ihnen recht _____ .
85. Welchen Namen wollen Sie Ihrem Kind _____ ?
86. Das ist Ihre Post. Ich habe sie in Empfang _____ , weil Sie nicht da waren.
87. Der Mann lag verletzt auf der Straße, aber niemand ist ihm zu Hilfe _____ .
88. Dieser Bäcker macht die besten Kuchen. Den Hinweis hat mir eine Kollegin _____ .
89. Leider weiß ich das nicht. Ich _____ Ihnen morgen eine Antwort.
90. Wer _____ in dieser Klasse Unterricht?
91. Wenn ich ein Zeichen _____ , stehen wir alle von unseren Plätzen auf.
92. Der Vermieter will, daß ich ausziehe. Deshalb versucht er ständig, mir Schwierigkeiten zu _____ .
93. Wahrscheinlich wird die Demonstration nicht viel nützen, aber man muß doch wenigstens den Versuch _____ , etwas zu ändern.
94. Die Protestbewegung hat eine Entwicklung _____ , die vor Jahren niemand geglaubt hätte.
95. Wer _____ in einer parlamentarischen Demokratie die Gesetze?
96. Die Automaten _____ einen schrecklichen Lärm.
97. Bitte _____ Sie mir Nachricht, wenn Sie aus dem Urlaub zurück sind.
98. Dazu möchte ich gern einen Vorschlag _____ .

11. Artikelwörter und ihre Formen.

B2/3 GR

Es gibt im Deutschen nicht nur die Definitartikel ‚der, die, das', sondern auch noch andere definite Artikelwörter, die alle dieselben Endungen wie die Definitartikel haben: ‚dieser, diese, dieses', ‚mancher, manche, manches', ‚jeder, jede, jedes', ‚alle' (nur Plural), ‚jener, jene, jenes', ‚derselbe, dieselbe, dasselbe'.
Diese Artikelwörter haben wir Ihnen schon alle vorgestellt. Da sie aber sehr wichtig sind, sollten Sie deren Formen in der folgenden Übung wiederholen.

Ihre Grammatik. Ergänzen Sie.

	Nominativ	Akkusativ	Dativ	Genitiv
manch-	mancher Mann	_____ Mann	_____ Mann	_____ Mann ___
	_____ Frau	_____ Frau	_____ Frau	_____ Frau
	_____ Kind	_____ Kind	_____ Kind	_____ Kind ___
jen-	_____ Mann	_____ Mann	_____ Mann	_____ Mann ___
	_____ Frau	_____ Frau	_____ Frau	_____ Frau
	_____ Kind	_____ Kind	_____ Kind	_____ Kind
derselbe	_____ Mann	_____ Mann	_____ Mann	_____ Mann ___
dieselbe	_____ Frau	_____ Frau	_____ Frau	_____ Frau
dasselbe	_____ Kind	_____ Kind	_____ Kind	_____ Kind ___

Lektion 9

B2/3
GR

12. Artikelwörter und Pronomen.

Sie wissen ja, daß man im Deutschen alle Artikelwörter als Pronomen gebrauchen kann. Normalerweise sind die Formen dieselben. Nur bei den Indefinit- und Possessivpronomen gibt es drei spezielle Formen (siehe Punkt 3 der Grammatikübersicht zu dieser Lektion). Zum Beispiel:

Alle Autos müßten einen Katalysator haben. Meins hat schon einen.

Ergänzen Sie die richtigen Formen.

a) Was soll die ganze Diskussion um das Auto! Das Beste ist, man hat k_____.
b) Mein Wagen läuft prima, aber Gerd hat schon wieder Ärger. S_____ ist wirklich alle zwei Wochen kaputt.
c) Wir haben denselben Motor. Aber d_____ verbraucht weniger Benzin als m_____. Woran liegt das?
d) Ich kaufe mir so ein Auto wie das von Maria. I_____ fährt ausgezeichnet.
e) Wir brauchen unbedingt ein neues Auto. U_____ ist ziemlich alt.
f) Katalysator-Autos sind problemlos. Schau dir m_____ an, es funktioniert prima.

B2/3
GR

13. ‚Jemand-‘, ‚niemand-‘, ‚man‘ oder ‚einem/einen‘? Ergänzen Sie.

a) Heute findet jeder den Umweltschutz wichtig. 1975 hat er fast _____ interessiert.
b) Für die Autobahnen gibt es eine Geschwindigkeitsempfehlung von 130 km pro Stunde. Aber hast du schon mal _____ getroffen, der das freiwillig beachtet?
c) Ich fahre gerne sehr schnell. Die Geschwindigkeitsempfehlung auf 100 km pro Stunde würde _____ doch den Spaß am Autofahren nehmen.
d) Es darf _____ egal sein, daß unsere Natur kaputt gemacht wird.
e) Eine Geschwindigkeitsbegrenzung würde Arbeitsplätze in Gefahr bringen, weil _____ dann nur noch kleine Autos kaufen würde.
f) Langsamer zu fahren würde _____ weh tun, aber dem Wald nützen.
g) Die Menschheit braucht wieder _____ wie Max Daetwyler, der immer daran erinnert, daß Krieg Wahnsinn ist.

B2/3
BD

14. ‚Hören‘ hat verschiedene Bedeutungen.

A. hören = hören können/mit dem Ohr wahrnehmen/Funktion des gesunden Ohrs
B. hören = Musik, Radio, ... hören
C. hören = etwas erfahren/Informationen oder Nachrichten über etwas bekommen.

Weche Bedeutung hat ‚hören‘ in den folgenden Sätzen?

1. Die neue Platte von den Stones habe ich noch nicht *gehört*.
2. Von dieser Platte habe ich noch nichts *gehört*. Ich wußte gar nicht, daß es sie gibt.
3. Mediziner haben festgestellt, daß auch schon viele junge Leute schlecht *hören*. Als Ursache nennen sie die zu laute Musik in den Diskotheken.
4. Ich habe einmal in einer Sendung des 3. Programms ein Interview mit Max Daetwyler *gehört*.
5. Klaus hat noch nie etwas über Max Daetwyler *gehört*.
6. *Hörst* du den Lärm von der Bundesstraße? So ist das von früh morgens bis spät abends!

144

Lea Fleischmann

Aus »Dies ist nicht mein Land«

Morgen hat meine Klasse Abschlußprüfung. Zwei Jahre habe ich die Schülerinnen unterrichtet, Arbeiten geschrieben, sie beobachtet, Noten gegeben, und die morgige zehnminütige Prüfung ist unser letzter gemeinsamer schulischer Akt. Wie oft habe ich ihnen gesagt: »Wehrt euch, wenn euch etwas nicht gefällt, macht wenigstens den Mund auf, Angst kann nur überwunden werden, wenn man sie bekämpft, ihr werdet Erzieher, und wenn ihr in der Erziehung etwas verändern wollt, dürft ihr nicht alles hinnehmen.«

Am Abend bin ich sehr aufgeregt. Morgen muß ich prüfen, und ich weiß, wie sich Herr Leuenberger verhalten wird. Er wird wie bei den anderen Prüfungen das Wort ergreifen, die Schüler verunsichern und anschließend seine fachlich unqualifizierten Kommentare abgeben. Und an diesem Abend beschließe ich, mich gegen ihn zu wehren, seine Einmischungen nicht hinzunehmen, obwohl ich noch in der Ausbildung bin und meine weitere schulische Entwicklung von seinem Urteil abhängt.

Am nächsten Morgen hole ich im Büro den Prüfungsplan ab und sehe, daß die erste Prüfung an diesem Tag bei mir sein wird. Ich gehe in den Prüfungsraum, und bis acht Uhr versammeln sich die Lehrer. Die Prüfungskommission sitzt im Halbkreis, und in ihrer Mitte Herr Leuenberger. Acht Lehrer bilden eine würdige Kulisse für die Abschlußprüfung, und die erste Schülerin nimmt mit aufgeregtem Gesicht vor dieser Lehrermauer Platz.

»Fräulein Endes«, sage ich, »würden Sie uns bitte die Prüfungsfrage vorlesen und darauf eingehen.«

Das Mädchen liest die Frage stockend vor, und ich sehe, daß sie leicht aus der Fassung zu bringen ist. Sie ist eine gute Schülerin, aber die Aufregung des Tages und die kritisch beobachtenden Lehrerblicke verunsichern sie.

Zögernd beginnt sie mit der Beantwortung der Frage. Ich will ihr ein wenig Zeit lassen, sich zu fangen, sehe sie lächelnd an und nicke zum Zeichen, daß sie so fortfahren soll. Mitten in mein aufmunterndes Lächeln platzt Herr Leuenberger mit seiner gewohnten Prüfungsmethode hinein. »Halten Sie sich nicht bei Nebensächlichkeiten auf, sondern kommen Sie bitte zum Kern der Frage.« Ich bin sicher, daß er nicht weiß, was der Kern der Frage ist, aber sein Kommentar zeigt Wirkung. Marion Endes verstummt, schluckt ein paarmal und sieht mich hilflos an.

»Fahren Sie fort, wie Sie begonnen haben«, ermuntere ich sie. Aber an Fortfahren ist hier nicht zu denken. Es ist, als könne Marion nicht mehr sprechen, sondern nur noch stammeln.

»Sie müssen doch etwas gelernt haben in den zwei Jahren«, läßt sich Herr Leuenberger vernehmen. »Sie werden auf die Note ›gut‹ geprüft, da müssen Sie schon etwas von Ihrem Können unter Beweis stellen.« Zu beweisen gibt es nichts mehr. Die Angst verschlägt ihr die Sprache, verschüttet ihre Gedanken und läßt ihre totale Hilflosigkeit zutage treten.

Als Marion den Raum verlassen hat, sage ich, obwohl ich innerlich zittere, in einem ruhigen und freundlichen Ton zu Herrn Leuenberger: »Wenn ich in der Lage bin, die Schüler zwei Jahre lang zu unterrichten, dann bin ich auch in der Lage, eine zehnminütige Prüfung ohne Unterstützung des Vorsitzenden abzuhalten. Ich bitte bei künftigen Prüfungen zu warten, bis ich das Wort für Fragen erteile, damit die Schüler nicht unnötig verunsichert werden.«

Das sitzt. Herr Leuenberger, der den Mund gerade geöffnet hat, um einen fachmännischen Kommentar abzugeben, sieht mich mit großen Augen erschrocken an, als hätte ich ihn beim Naschen ertappt. Er wird gerügt, er, der nur Rügen verteilen und von den Lehrern keine einzustecken hat, er, der sich devot dem Schulrat oder Regierungsvertreter gegenüber verhält, aber herrisch den Untergebenen entgegentritt, wird vor versammelter Prüfungskommission von einer Referendarin angegriffen. Es scheint, als bleibe ihm die Spucke weg. Er ist so betroffen, daß er in der anschließenden Diskussion über Marions Note nichts sagt und überhaupt an diesem Vormittag verstummt.

Ich habe es nie mehr erlebt, daß er sich bei einer Prüfung, bei der ich anwesend war, irgendwann eingemischt oder Kommentare abgegeben hat, aber ich weiß, diese Schlappe zahlt er mir heim, die Rechnung wird er mir präsentieren.

Trotzdem, es ist mir die Sache wert. Das Gefühl meiner eigenen Überlegenheit gibt mir die Stärke. Ich habe begonnen zurückzuschlagen, ich werde zu keinem schleimigen Dreck werden, zu keinem devoten Krieger, der vor den Schülern große Töne über Demokratie spuckt und vor dem Vorgesetzten buckelt. Ich werde ihm meine Angstträume zurückzahlen. Mehr, als mich von der Schule zu verweisen, kann er nicht tun; mehr, als mir ein paar unsinnige Vertretungsstunden zu geben, kann er nicht, mehr, als mein Examen mit einer schlechten Note zu beurteilen, kann er nicht.

Menschen, die Angst machen, muß man Angst machen. Wie ich vorgehen werde, weiß ich nicht, aber ich werde vorgehen. Ich werde widersprechen, wenn mir etwas nicht paßt. Ich habe einen Mund und einen Kopf.

122 e Aufregung,
   -en
123 r Bruchteil, -e
121 denken
119 e Einbahn-
   straße, -n
119 e Einfahrt, -en
122 fürchten
119 r Gang, ¨e
119 r Krankenwa-
   gen, -
123 messen
125 ohne
119 schalten
118 schriftlich
119 stoppen
119 überholen
120 verdienen
119 verzollen
121 waagrecht

1. Was paßt wo? Ergänzen Sie.

Aufregung	Einfahrt	Bruchteil	Krankenwagen	Gang	Einbahnstraße

a) Es war soviel Verkehr in der Stadt, daß wir die ganze Zeit im zweiten _____ fahren mußten.

b) Wir stehen direkt vor einer _____, hier können wir nicht parken.

c) Fahrradfahrer kümmern sich oft nicht um die Verkehrsregeln; viele fahren sogar in _____ in die falsche Richtung.

d) Der Unfall passierte in _____ von Sekunden; er war nicht mehr zu verhindern.

e) Bitte erzähle meiner Mutter nichts von dem Unfall. Sie hat ein schwaches Herz und kann deshalb keine _____ vertragen.

f) Sehen Sie nicht, daß der Mann verletzt ist? Rufen Sie schnell einen _____!

2. Was paßt wo? Ergänzen Sie.

verdienen	stoppen	schalten	verzollen	bremsen	überholen	fürchten	messen

a) Wenn man einen Automatikwagen fährt, braucht man nicht zu _____; man muß nur noch Gas geben und _____.

b) An der Grenze wurden wir gefragt, ob wir etwas zu _____ hätten.

c) Wer betrunken Auto fährt, _____ eine hohe Strafe, finde ich.

d) Ich kann den Lastwagen nicht _____; die Straße ist nicht breit genug.

e) Kurz nach der Kreuzung wurden wir von der Polizei _____, weil wir die rote Ampel überfahren hatten.

f) Nach dem Unfall wurde der Bremsweg _____. Die Länge zeigt, daß der Wagen viel zu schnell gefahren war.

g) Ich _____, daß es heute nacht Eis auf den Straßen gibt. Laß uns lieber mit der Straßenbahn fahren.

3. Verben mit ähnlicher Bedeutung. Was paßt wo? Ergänzen Sie.

denken	nachdenken	überlegen	erkennen	kennen	glauben	wissen	verstehen

a) In der mündlichen Prüfung war ich zum Schluß so nervös, daß ich die Fragen nicht mehr _____ habe.

b) Ich _____ nicht, wo die Prüfung stattfindet.

c) Wenn ich Angst habe, kann ich nicht richtig _____.

d) Vor der Prüfung sollte man gut _____, was man noch lernen und üben muß.

e) Die Fragen in der Prüfung waren ganz einfach; ich habe alle Antworten _____.

f) Mein größter Wunsch wäre, die Prüfungsaufgaben vorher zu _____.

g) Wenn ich an die Prüfung _____, tut mein Magen weh.

h) Ich finde, man hat in einer Prüfung immer zu wenig Zeit zum _____.

i) Ich hatte am Prüfungstag meine Brille vergessen und konnte deshalb die Schrift an der Tafel nicht _____.

j) Kann man an einer Prüfung wirklich _____, ob jemand viel oder wenig _____?

k) Hast du vorher _____, welche Lehrer dich prüfen?

l) Hast du die Lehrer _____, die dich geprüft haben?

m) _____ Sie bitte an Papier und Kugelschreiber, wenn Sie morgen zur Prüfung kommen!

n) Natürlich muß man sich auf die Prüfung vorbereiten. Was hast du denn _____?

BD

4. ‚Halten' hat verschiedene Bedeutungen.

A. halten = stoppen
B. halten = etwas in der Hand haben
C. halten = finden/der Meinung sein, daß eine Sache/Person eine bestimmte Eigenschaft hat
D. halten = dafür sorgen, daß etwas in einem bestimmten Zustand bleibt.

Welche Bedeutung hat ‚halten' in den folgenden Sätzen?
1. Wir *halten* das Essen warm, bis du nach Hause kommst.
2. Der Bus *hält* direkt neben dem Eingang.
3. Es ist ihm egal, ob man ihn für dumm oder intelligent *hält*.
4. Was *halten* Sie von Tests und Prüfungen?
5. Die Studenten *halten* die Bücher zum Schutz vor der Sonne vor die Augen.
6. Wenn sie abends lange arbeiten muß, *hält* sie sich mit Kaffee wach.
7. Kannst du bitte mal meine Tasche *halten*?
8. Halte bitte an der nächsten Ecke; da muß ich aussteigen.

BD

5. ‚Kommen' hat verschiedene Bedeutungen.

A. Hast du Lust, heute abend zu uns zu *kommen*?
   (kommen = zu einem Ort gehen/fahren/fliegen)
B. Gestern ist Lena doch pünktlich *gekommen. (kommen = ankommen)*
C. Hilfst du mir bitte beim Aufräumen? Diese Sachen hier *kommen* alle in den Keller.
   (kommen = etwas an einen bestimmten Ort bringen, stellen, tragen)
D. Meine Tochter *kommt* nächstes Jahr in den Kindergarten.
   (kommen = Mitglied einer Institution werden, deren Regeln man beachten muß)
E. Ich bin Vertreter und *komme* von der Firma Scharf.
   (kommen = eine bestimmte Herkunft haben)
F. Heute bin ich sehr nervös. Ich weiß nicht, woher das *kommt*.
   (kommen = Grund/Ursache für etwas sein)
G. Letztes Jahr *kam* es zu neuen Demonstrationen gegen Atomwaffen.
   (kommen = sich zu einem bestimmten Ergebnis/Zustand entwickeln)
H. Nach der schriftlichen Prüfung *kommt* die mündliche. *(kommen = auf etwas folgen)*

Welche Bedeutung hat ‚kommen' in den folgenden Sätzen?
1. Es *kommt* oft anders, als man denkt. ☐
2. Luisa *kommt* aus Italien. ☐
3. Unsere Kinder *kommen* abends um 8.00 Uhr ins Bett. ☐

4. Der Brief ist heute noch nicht *gekommen*, aber morgen haben wir ihn bestimmt. ☐
5. Die Luft in der Stadt ist heute sehr schlecht. Das *kommt* von dem nebligen Wetter. ☐
6. Bernd *kommt* nicht zur Armee, weil er die Gesundheitsprüfung nicht bestanden hat. ☐
7. Der zweite Teil der Prüfung *kommt* morgen; seien Sie bitte alle wieder pünktlich! ☐
8. Ist Lena auch zur Betriebsfeier *gekommen?* ☐

6. ‚Folgen' hat verschiedene Bedeutungen.

BD

A. folgen = einer Person, einem Fahrzeug hinterhergehen/hinterherfahren

B. folgen = beachten

C. folgen = verstehen

D. folgen = nach etwas kommen; der nächste sein

E. folgen = aus einer Sache gedanklich etwas schließen

Welche Bedeutung hat ‚folgen' in den folgenden Sätzen?
1. Die Garantie für dieses Elektrogerät gilt nur, wenn man der Gebrauchsanweisung genau *folgt.* ☐
2. Wenn Sie zur Post wollen, brauchen Sie mir nur zu *folgen.* Ich wohne im Gebäude nebenan. ☐
3. Die *folgenden* Fragen sind nicht ganz einfach. ☐
4. Können Sie bitte etwas langsamer sprechen? Ich kann Ihnen nicht *folgen.* ☐
5. Petra ist so groß wie Lena, und Lena ist so groß wie Irene. Daraus *folgt,* daß auch Petra und Irene gleich groß sind. ☐

7. ‚Offen' hat verschiedene Bedeutungen.

BD

A. offen = nicht geschlossen

B. offen = nicht abgeschlossen

C. offen = geöffnet für das Publikum

D. offen = ohne falsche Rücksicht auf die Gefühle oder Meinungen anderer Personen; ehrlich; nicht geheim

E. offen = nicht entschieden/beantwortet

Welche Bedeutung hat ‚offen' in den folgenden Sätzen?
1. Ich bin bereit, alle Fragen *offen* zu beantworten. ☐
2. Für einige Fragen wußte ich keine Antworten. Ich habe sie einfach *offen* gelassen. ☐
3. Während der Prüfung dürfen die Lehrbücher nicht *offen* sein. ☐
4. Mein Auto ist immer *offen;* trotzdem ist mir noch nie etwas gestohlen worden. ☐
5. Nach 18.30 Uhr sind in der Bundesrepublik normalerweise keine Geschäfte mehr *offen.* ☐

8. ‚Gleich' hat verschiedene Bedeutungen. In den folgenden Sätzen können Sie immer ‚gleich' einsetzen, aber es paßt jeweils noch ein anderer Ausdruck. Ergänzen Sie.

BD

(der, die das) gleich(e) egal sofort von Anfang an der-/die-/dasselbe

a) Nach der Prüfung rufe ich dich _____ an.
b) Welche Note ich in der Prüfung bekomme, ist mir völlig _____.

Lektion 10

c) Wenn ich _____ gewußt hätte, daß du kommst, hätte ich nicht angerufen.

d) Es ist ganz _____, welche Kleidung du in der Prüfung trägst.

e) Werden in der Prüfung jedem _____ Fragen gestellt?

f) Wenn ich eine Frage nicht verstand, hat der Prüfer _____ eine neue gestellt.

g) Ich hatte dir doch _____ gesagt, daß du vor der Prüfung keine Angst haben mußt!

h) Mein Bruder und ich machen die Führerscheinprüfung in _____ Woche.

BD

9. ‚Sein' hat verschiedene Bedeutungen.

A. sein = eine Eigenschaft haben, sich in einem Zustand befinden

B. sein = sich an einem Ort befinden

C. sein = stattfinden

D. sein = eine Herkunft haben

E. sein = müssen (Notwendigkeit, Vorschrift)

F. sein = können (Möglichkeit)

Welche Bedeutung hat ‚sein' in den folgenden Sätzen?

1. Was *ist* zu tun, wenn Sie einen Krankenwagen kommen sehen? □
2. Ich *bin* immer guter Laune. □
3. Wie *ist* das zu erklären? □
4. Die Prüfung *ist* am nächsten Mittwoch. □
5. Das Prüfungszimmer *ist* im 1. Stock. □
6. Dieser Brief *ist* von meiner Schwester. □
7. Vor der Prüfung *war* er ganz ruhig. □
8. Die Fragen *sind* nur mit ‚ja' oder ‚nein' zu beantworten. □
9. Die Fragen *sind* recht leicht. □
10. Der neue Kurs *ist* in einem anderen Gebäude. □
11. Das Lehrbuch „Themen" *ist* vom Max Hueber Verlag. □
12. Wo *ist* der nächste Zeitungskiosk? □

BD

10. ‚Schlecht' hat verschiedene Bedeutungen.

A. schlecht = alt/verdorben/nicht mehr eßbar/giftig (bei Lebensmitteln)

B. schlecht = nicht von guter Qualität/nicht wertvoll/wertlos (Dinge, Gegenstände)

C. schlecht = nicht geübt; ohne ausreichendes Können/Wissen

D. schlecht = moralisch/charakterlich tiefstehend (bei Personen und Ideen)

E. schlecht = nicht gesund; nicht gut (Gesundheit und Befinden)

F. schlecht = übel; nicht gut im Magen

Welche Bedeutung hat ‚schlecht' in den folgenden Sätzen?

1. Er ist ein *schlechter* Autofahrer.
2. Ich fahre nicht gern auf einem Schiff, weil es mir dann immer *schlecht* wird.
3. Die ganze Familie mußte ins Krankenhaus, weil sie *schlechten* Fisch gegessen hatten.
4. Er macht zwar viel Unsinn, aber im Grunde ist er kein *schlechter* Mensch.
5. Soviel Geld hast du für diesen *schlechten* Teppich bezahlt?
6. Wenn es Ihnen so *schlecht* geht, sollten Sie sich besser ins Bett legen!
7. Die Wurst sieht komisch aus; die ist bestimmt *schlecht*.
8. Mein Freund ist nach draußen an die frische Luft gegangen; ihm ist *schlecht*.
9. Das muß *schlechtes* Material sein, sonst wäre der Preis nicht so niedrig.
10. Wir können ihn noch nicht besuchen; es geht ihm noch sehr *schlecht*.
11. Er hatte schon als Kind einen *schlechten* Charakter, sagt seine Mutter.
12. Das Essen in diesem Restaurant ist gut, aber die Bedienung ist *schlecht*.

Tricks, die helfen, sich vieles besser zu merken

Manche Menschen scheinen ein phänomenales Gedächtnis zu haben. Andere sind bekannt dafür, alles zu vergessen. Sein Gedächtnis kann man zwar nicht trainieren, aber man kann ihm nachhelfen. Mit welchen Tricks – das erfahren Sie hier.

Jeder Mensch kennt Momente, in denen ihn sein Gedächtnis völlig im Stich läßt. Eine typische Situation: Man fährt in ein Parkhaus, denkt an all die Dinge, die man besorgen will, und wenn man vom Einkaufen zurückkommt, weiß man nicht mehr, wo man seinen Wagen geparkt hat. Die Gründe dafür, daß einen das Gedächtnis im Stich läßt, können verschieden sein. Denn die Leistung des Gedächtnisses besteht aus verschiedenen Einzelleistungen:
1. Aus dem Wahrnehmen einer Information.
2. Aus dem Speichern einer Information.
3. Aus dem Wiederfinden einer Information.

Wer über ein schlechtes Gedächtnis klagt, der macht oft schon Fehler beim ersten Punkt, der Wahrnehmung. Von der Aufmerksamkeit bei der Wahrnehmung hängt es ab, ob eine Information die Chance hat, gespeichert zu werden oder nicht. Und das unabhängig davon, wie oft sie wiederholt wird. Ein Beispiel: Die englische Radiostation BBC änderte vor einiger Zeit die Frequenz. Obwohl die neue Frequenz etwa tausendmal im Radio zu hören war, wußte von einer Anzahl befragter Testpersonen nachher kaum eine, welches die neue Frequenz sein würde. Zum einen Ohr herein, zum anderen hinaus – so gehen wir mit Informationen um, die uns nicht wirklich interessieren.

Beim zweiten Punkt geht es um das Speichern von Informationen.

Soviel behalten wir im Gedächtnis	
Wenn wir hören	20%
Wenn wir sehen	30%
Wenn wir hören und sehen	50%
Wenn wir hören, sehen und tun	90%

In diesem Zusammenhang gibt es ein Zauberwort, mit dem man die Gedächtnisleistung stark verbessern kann: »Visualisieren«, also etwas in Bilder umsetzen. Denn Tests beweisen, daß es sehr viel leichter ist, Dinge zu behalten, wenn sie zwei- oder mehrfach im Gedächtnis verankert werden. Wer etwas nur hört, wird es sich auf die Dauer schlechter merken, als wenn er es hört und zudem auch sieht. Am allerbesten behält man aber das, was man nicht nur gesehen und gehört, sondern selber in der Praxis angewandt hat. Dann bleibt es fast unauslöschlich in unserem Gedächtnis.

Schließlich zum dritten Punkt: Manchmal meint man, eine Sache eigentlich zu wissen, aber sie fällt einem im Moment einfach nicht ein. Jeder kennt das Gefühl, wenn einem ein Wort praktisch auf der Zunge liegt, aber es will nicht heraus. Oft klappt es besser, wenn etwas unserem Gedächtnis auf die Sprünge hilft: Vielleicht erinnern wir uns an Details der Situation, in der wir zum Beispiel einen Namen zum ersten Mal hörten. Je klarer einem die Gesamtsituation »vor Augen steht«, um so besser ist die Chance, daß wir die gesuchte Information finden. Das Gedächtnis kann sich nämlich nur solche Inhalte gut merken, die es einer Stelle zuordnen kann. Dies könnte übrigens erklären, warum wir uns kaum an Dinge erinnern, die wir als Babys erlebt haben: wir hatten damals in unserem Gedächtnis noch keine Strukturen zum Einordnen von Erfahrungen aufgebaut.

Kann man sein Gedächtnis trainieren? Nein, sagen Wissenschaftler, die das immer wieder untersucht haben. Das Gedächtnis ist kein Muskel; wer jeden Tag ein Gedicht oder eine Zahlenreihe auswendig lernt, um sein Gedächtnis zu stärken, der arbeitet umsonst. Aber es gibt Tricks, sich bestimmte Dinge besser zu merken. Man kann zum Beispiel einen Reim bilden oder eine sogenannte Eselsbrücke bauen, mit deren Hilfe man neue Informationen mit schon vorhandenen in Verbindung bringt. Allerdings: Je komplizierter so eine Eselsbrücke ist, um so schwerer wird es, den gesamten Gedankengang wieder zurückzuverfolgen und sich an das zu erinnern, was man nicht vergessen wollte.

Schlüssel

Anmerkungen zum Lösungsschlüssel

1. Die meisten Übungen – besonders die Grammatikübungen – haben eindeutige Lösungen.

2. Bei den Wortschatzübungen sind nur solche Lösungen angegeben, die sich auf den durch das Kursbuch erworbenen Wortschatz beschränken. Sie können ergänzt werden durch weiteren Wortschatz aus dem ungesteuerten Fremdsprachenerwerb der Lerner. Diese Möglichkeit wird angedeutet durch ‚ . . .‘.

3. Bei einigen Bedeutungsübungen ist es möglich, daß Lehrer und bestimmt auch einige Lerner weitere Lösungen finden. Der Lösungsschlüssel ist jedoch abgestimmt auf Wortschatz, Grammatik, Thema und Situation der jeweiligen Lektion oder der dieser vorausgehenden Lektionen, da die Lerner, besonders im Ausland, nur auf dieser Grundlage entscheiden können.

4. Für einige Bedeutungsübungen gibt es keinen Schlüssel, da sie nur individuelle Lösungen zulassen. In diesen Fällen sind nur exemplarische Beispiel-Lösungen vorgegeben.

1

1. **a)** Tisch **b)** Stuhl **c)** Heizung **d)** Kühlschrank **e)** Spiegel **f)** Schrank **g)** Lampe **h)** Tapete **i)** Waschmaschine. **j)** Dusche **k)** Badewanne **l)** Bett **m)** Regal **n)** Sofa **o)** Sessel

2. **Baumaterial:** Holz, Stein, Glas, Beton, Erde. **Wohnlage:** Vorort, Zentrum, Innenstadt, am Wald, Dorf, Kleinstadt, an einer Hauptverkehrsstraße. **Möbel:** Tisch, Stuhl, Sessel, Bett, Schrank, Couch, Regal. **Räume im Haus:** Eßzimmer, Schlafzimmer, Wohnzimmer, Kinderzimmer, Küche, Bad, Toilette. **Feste Teile des Hauses:** Fenster, Tür, Fußboden, Zimmerdecke, Dach, Wand, Mauer, Zentralheizung, Wasserleitung, Eingang, Treppe

3. **a)** Gewohnheit, Loch **b)** Protest, Licht **c)** Schwierigkeit, Ziel **d)** Strom **e)** Protest, Kreis **f)** Mieter

4. **a)** Womit, Mit **b)** Womit)Woraus), Mit (aus) **c)** Woran, An, am **d)** Wovon, Von **e)** Worüber, Über; worauf, Auf **f)** Wofür (Wozu), Für, zum, für **g)** Womit, Mit, mit **h)** Worüber, Über **i)** Worauf, Auf **j)** Wodurch, Durch **k)** Wogegen, Gegen

5. **a)** am . . . entlang **b)** Gegenüber (Der . . . gegenüber) **c)** am . . . entlang **d)** Innerhalb der **e)** außerhalb des **f)** Um die (Um die . . . herum) **g)** nebenan **h)** gegenüber **i)** außerhalb

6. **a)** hätte . . . könnte **b)** dürfte/könnte **c)** müßte **d)** hätte **e)** müßte **f)** hätte **g)** wäre **h)** dürfte/könnte **i)** müßte

7. **a)** Ich würde gern einen schönen alten Bauernhof kaufen; er sollte eine Wiese mit Pferden haben. Die Scheune würde ich als Schwimmbad ausbauen, und die Wohnräume würde ich mit alten Bauernmöbeln einrichten. **b)** Wir würden gern ein schönes Haus am Waldrand bauen. Es sollte ein bis zwei Zimmer mehr haben. Die Zimmer sollten ein bißchen größer sein. Es müßte einen Balkon und einen Garten haben. **c)** Jens und Maria hätten gern ein großes Bauernhaus. Dort könnten sie viel basteln und viele Leute einladen. **d)** Frau Richter würde gern ein eigenes Haus am Stadtrand einer Großstadt bauen lassen. Sie würde gern mit einem Architekten zusammenarbeiten, aber die Innenausstattung würde sie selber machen. Sie würde das Haus im spanischen Stil einrichten. **e)** Herr Gabriel hätte gern ein Haus mit großem Grundstück. Es sollte einen Kamin haben und große Schiebetüren. Dann könnte man schnell in den Garten gehen. Es müßte auch eine Fußbodenheizung haben.

8. **a)** das . . . der . . . der **b)** die . . . der . . . der **c)** das . . . der . . . der **d)** das . . . das . . . das **e)** das . . . der . . . der **f)** die . . . die . . . die **g)** das . . . das . . . das **h)** die . . . das . . . das **i)** das . . . der . . . der **j)** das . . . der . . . der **k)** die . . . die . . . die

9. **b)** eine Anzeigenzeitung, eine Zeitungsanzeige **c)** ein Obstgarten, Gartenobst **d)** Studentensprache, Sprachenstudenten **e)** Schiffskanal, Kanalschiffe **f)** Wohnungswunsch, eine Wunschwohnung **g)** eine Mietwohnung, die Wohnungsmiete

10. **a)** *Nomen aus dem Kursbuchtext:* Arbeitnehmer, Hausbau, Baupreise, Erdhöhle, Baumhaus, Luftschloß, Quadratmeter, Etagenwohnung. *Nomen aus der Übung:* S-Bahnbereich, Ehepaar, Obstgarten, Waldrand, Hobbyraum, Landhaus, Fußboden, Bauernhaus, Bauernmöbel, Familientreffpunkt, . . . **b)** *Nomen aus dem Kursbuchtext:* Wohnformen, Wohnfläche, Wohnmobil, Wohngegend, Wohnwünsche, Wohneigentum, Wohngemeinschaft. *Nomen aus der Übung:* Wohnraum, Schiebetür, Schwimmbad, Kaufhaus, Spielplatz, . . . **c)** *Nomen aus dem Kursbuchtext:* Jahreseinkommen, Grundstückspreise, Bundesbürger, Wohnungsmarkt, Wohnungsbau, Lebensziel. *Nomen aus der Übung:* Wohnungsanzeige, Wohnungsangebot, Grundstückspreis, Zeitungskiosk, . . . **d)** *Nomen aus dem Text:* Altbau, Großstädte, Kleinstädte. *Nomen aus der Übung:* Hochhaus, Neubau, Zentralheizung

11. **a)** schön, eine schöne Sache, etwas Schönes; schöner, eine schönere Sache, etwas Schöneres; am Schönsten, die schönste Sache, das Schönste **b)** gut, eine gute Sache, etwas Gutes; besser, eine bessere Sache, etwas

Besseres; am besten, die beste Sache, das Beste **c)** praktisch, eine praktische Sache, etwas Praktisches; praktischer, eine praktischere Sache, etwas Praktischeres; am praktischsten, die praktischste Sache, das Praktischste **d)** bequem, eine bequeme Sache, etwas Bequemes; bequemer, eine bequemere Sache, etwas Bequemeres; am bequemsten, die bequemste Sache, das Bequemste **e)** ärgerlich, eine ärgerliche Sache, etwas Ärgerliches; ärgerlicher, eine ärgerlichere Sache, etwas Ärgerlicheres; am ärgerlichsten, die ärgerlichste Sache, das Ärgerlichste

12. **1.** D **2.** A **3.** B **4.** B **5.** C **6.** A **7.** D **8.** C

13. **1.** D **2.** A **3.** C **4.** D **5.** B **6.** C **7.** A **8.** B

14. **1.** C **2.** B **3.** B **4.** C **5.** A **6.** A

15. **a)** B **b)** A, B **c)** A **d)** A, B **e)** A **f)** A **g)** A **h)** A, C **i)** B, C **j)** A **k)** A, B **l)** B **m)** B **n)** C

16. **a)** Küche, 5 **b)** Garage, 11 **c)** Gebäude, 6 **d)** Altbau, 10 **e)** Steckdose, 3 **f)** Dach, 13 **g)** Keller, 9 **h)** Erdgeschoß, 12 **i)** Loch, 4 **j)** Fläche, 1 **k)** Wärme, 8 **l)** Pferd, 2 **m)** Tatsache, 7

17. **a)** über den Mieter, über eine Gewohnheit, über das Ergebnis, über das Ziel, über den Schaden **b)** über den Mieter, über eine Gewohnheit, über das Ergebnis, über das Ziel, über den Schaden, beim Mietverband, bei der Firma Gromann, nach dem Ergebnis, nach dem Mieterschutzgesetz, nach der Entfernung, nach der Miete **c)** an das Schreiben, an den Schaden, an das Ziel **d)** am Baumaterial, am Zustand des Baus, an der Wasserleitung, am Gebäude

18. **a)** beweisen **b)** behauptet **c)** bedeutet **d)** weiß ... Bescheid **e)** ist bereit **f)** bedeuten **g)** benutzen **h)** spielt ... Rolle

19. **a)** gelegentlich/ab und zu **b)** gelegentlichen **c)** ohne weiteres **d)** überhaupt/eigentlich **e)** überhaupt/eigentlich **f)** ohne weiteres **g)** gelegentlich

20. **b)** Die Wasserleitung muß repariert werden. **c)** Die Dusche muß repariert werden. **d)** Die Heizung muß in Ordnung gebracht werden. **e)** Der Keller muß gereinigt werden. **f)** Die Räume müssen tapeziert werden. **g)** Die Wohnung muß sauber gemacht werden.

21. **b)** Die Heizung ist in Ordnung gebracht worden./Man hat die Heizung in Ordnung gebracht. **c)** Die Fenster sind erneuert worden./Man hat die Fenster erneuert. **d)** Alle Räume sind tapeziert worden./Man hat alle Räume tapeziert. **e)** Die Küche ist neu eingerichtet worden./Man hat die Küche neu eingerichtet. **f)** Die Wasserleitungen sind repariert worden./Man hat die Wasserleitungen repariert. **g)** Es ist ein neuer Teppichboden verlegt worden./Man hat einen neuen Teppichboden verlegt. **h)** Es sind Wandschränke eingebaut worden./Man hat Wandschränke eingebaut. **i)** Das Wohnzimmer ist größer gemacht worden./Man hat das Wohnzimmer größer gemacht. **j)** Es ist ein neues Bad eingebaut worden./Man hat ein neues Bad eingebaut. **k)** Der Keller ist geputzt worden./Man hat den Keller geputzt.

22. **a)** 3, 5 **b)** 1, 2 **c)** 5, 7 **d)** 3 **e)** 1, 2 **f)** 3, 7 **g)** 4, 7 **h)** 1 **i)** 6 **j)** 6 **k)** 4, 7

23. A: **a)** R **b)** R **c)** R **d)** F **e)** R   B: **a)** F **b)** R **c)** R **d)** R **e)** R **f)** F **g)** F **h)** R **i)** F **j)** R   C: E

24. **a)** A, B **b)** A, B **c)** B, C **d)** A, B **e)** B, C **f)** A, B

25. Individuelle Lösung

26. ○ Hallo, Carlo, was ist denn passiert? Du siehst ja so traurig aus.
□ Na ja, ich muß schon wieder umziehen.
○ Was? Du wohnst doch erst seit sechs Monaten in deinem Zimmer.
□ Mein Vermieter braucht das Zimmer für seinen Sohn, sagt er. Deshalb hat er mir gekündigt.
○ Kannst du nichts dagegen machen?
□ Du weißt doch, was das Gesetz sagt: Wenn der Vermieter das Zimmer für sich oder seine Familie braucht, kann er dem Mieter kündigen.
○ Aber das wußte er doch bestimmt schon vor einem halben Jahr. Das hätte er dir sagen müssen, daß du nur so kurz bei ihm wohnen kannst.
□ Das finde ich auch. Aber hilft mir das, wenn ich es nicht beweisen kann?
○ Das weiß ich auch nicht. Informiere dich doch mal beim Mieterverein. Der kann dir vielleicht helfen.

1. **a)** Flugzeug **b)** Paket, Kurve **c)** Gespräch, Kontakt **d)** Schulfach, Hobby **e)** mit den Armen **f)** das Ufer, den Hut **g)** vom Arbeitsplatz, aus dem Kino **h)** einen Sessel im Wohnzimmer, das Fernsehprogramm **i)** eine Hose in den Schrank

2. **a)** sehen **b)** Siehst **c)** erkennen **d)** sehen/erkennen **e)** angesehen **f)** sehen/ansehen **g)** ansehen **h)** beobachtet

3. **a)** kinderloses **b)** wortlos **c)** arbeitsreich **d)** kinderreich **e)** verkehrsreichen **f)** waldreichen **g)** arbeitslos **h)** wortreichen

2

Schlüssel

4. **a)** miteinander **b)** miteinander **c)** gegeneinander **d)** miteinander **e)** gegeneinander **f)** miteinander

5. **a)** weiß (arbeite) ... weiter **b)** weiterarbeiten **c)** weiterlesen **d)** weitergefeiert **e)** weiterlaufen **f)** weiterge-klettert **g)** weiterzuschwimmen **h)** weiterfrieren **i)** weitersehen **j)** weiternähen (-arbeiten)

6. Kein Lösungsschlüssel

7. Kein Lösungsschlüssel

8. **b)** Je öfter man eine Pause macht, desto mehr Spaß macht die Arbeit. **c)** Je besser man kocht, desto häufiger hat man Besuch. **d)** Je mehr man turnt, desto gesünder lebt man. **e)** Je länger man in der Sonne liegt, desto brauner wird man. **f)** Je länger man tanzt, desto müder wird man. **g)** Je älter man ist, desto mehr Erfahrung hat man. **h)** Je weiter man reist, desto besser lernt man die Welt kennen. **i)** Je besser man verdient, desto mehr Geld gibt man für die Freizeit aus.

9. Lösungsvorschläge: **b)** der Mann, der im Segelboot sitzt; der junge Mann im Boot; der junge Mann, der auf dem See segelt **c)** die Leute, die am Tisch sitzen und Bier trinken; die Leute am Tisch, die Bier trinken; die Leute am Tisch mit den Biergläsern **d)** die (zwei/beiden) Frauen, die auf der Wiese liegen und einen (den) Mann beobachten; die Frauen auf der Wiese, die einen Mann beobachten **e)** der Mann, der im Flugzeug sitzt; der Mann im Flugzeug; der Mann, der über den (dem) See fliegt **f)** der Mann im Auto; der Mann, der Auto fährt; der Mann mit dem Auto **g)** der Mann im Zug, der winkt; der Mann, der im Zug sitzt und winkt **h)** der Mann, der Fahrrad fährt; der Mann auf dem Fahrrad **i)** der Mann, der auf den Berg klettert; der Mann am Berg; der Mann an der Bergwand **j)** der Junge, der auf dem Kopf steht

10. **a)** Ich besuche häufig Verwandte. Das ist langweilig.; Das häufige Besuchen von Verwandten ist langweilig.; Der häufige Besuch von Verwandten ist langweilig. **b)** Ich bade regelmäßig im See. Das macht Spaß.; Das regelmäßige Baden im See macht Spaß.; Das regelmäßige Bad im See macht Spaß. **c)** Ich schwimme häufig im Fluß. Das ist gut für die Gesundheit.; Das häufige Schwimmen im See ist gut für die Gesundheit. **d)** Ich wandere täglich in der Natur. Das ist interessant.; Das tägliche Wandern in der Natur ist interessant.; Die tägliche Wanderung in der Natur ist interessant. **e)** Ich schaue bei Sportveranstaltungen zu. Das ist bequemer, als selbst Sport zu treiben.; Das Zuschauen bei Sportveranstaltungen ist bequemer, als selbst Sport zu treiben. **f)** Ich fahre auf einsamen Landstraßen Rad. Das macht Spaß.; Das Radfahren auf einsamen Land-straßen macht Spaß.

11. **b)** Das Beobachten von Tieren ist interessant.; Tiere zu beobachten ist interessant. **c)** Das Nähen von Kleidern spart Geld.; Kleider zu nähen spart Geld. **d)** Das Feiern von Festen macht Spaß.; Feste zu feiern macht Spaß. **e)** Das Trinken von Alkohol ist ungesund.; Alkohol zu trinken ist ungesund. **f)** Das Reisen in fremde Länder ist teuer.; In fremde Länder zu reisen ist teuer. **g)** Das Schwimmen im Schwimmbad ist langweilig.; Im Schwimmbad zu schwimmen ist langweilig.

12.

	Perfekt	Präteritum	Plusquamperfekt
Ich	habe die Reise vorbereitet.	bereitete die Reise vor.	hatte die Reise vorbereitet.
Du	hast die Reise vorbereitet.	bereitetest die Reise vor.	hattest die Reise vorbereitet.
Er/Sie/Man	hat die Reise vorbereitet.	bereitete die Reise vor.	hatte die Reise vorbereitet.
Wir	haben die Reise vorbereitet.	bereiteten die Reise vor.	hatten die Reise vorbereitet.
Ihr	habt die Reise vorbereitet.	bereitetet die Reise vor.	hattet die Reise vorbereitet.
Sie	haben die Reise vorbereitet.	bereiteten die Reise vor.	hatten die Reise vorbereitet.

13. ① hatten ... gesammelt ② hatten ... diskutiert ③ hatte ... vorbereitet ④ waren ... _____ ⑤ stiegen ... _____ ⑥ kontrollierten ... _____ ⑦ hatten ... geschrieben ⑧ hatten ... gefragt ⑨ hatten ... bekommen ⑩ öffnete _____ ⑪ hatten ... erwartet ⑫ waren ... _____ ⑬ freuten sich _____ ⑭ besuchten ... _____ ⑮ trafen ... _____ ⑯ waren ... _____ ⑰ hatte ... vorbereitet ⑱ lernten ... _____ ⑲ informiert hatten ⑳ schrieben ... auf ㉑ diskutierten ... _____ ㉒ verglichen ... _____

14. **b)** hinunter **c)** hinüber **d)** hinauf, hinunter **e)** hinüber **f)** hinein **g)** hinaus
    Ihre Grammatik: **b)** hinunter **c)** hinüber **d)** hinauf **e)** hinein

15. **b)** Bei ihrer Fahrt nach Italien mußten ...; Während sie nach Italien fuhren, mußten ... **c)** Während eines Kaufhausbesuches machten ...; Während die Schüler ein Kaufhaus besuchten, machten ... **d)** Während ihrer Unterhaltung mit den Jugendlichen lernte ...; Bei ihrer Unterhaltung mit den Jugendlichen lernte ... **e)** Während ihrer Fahrt durch das Rheintal besuchten ...; Während die Jungen durch das Rheintal fuhren, besuch-ten ... **f)** Bei der Prüfung waren ...; Während die Studenten geprüft wurden, waren ... **g)** Während der Fahrt gab ...

Schlüssel

16. a) Bevor **b)** Sobald **c)** Sobald **d)** Bevor **e)** Sobald **f)** Sobald **g)** Bevor **h)** Sobald

17. c) Jedoch/Allerdings **d)** jedenfalls **e)** Jedenfalls **f)** jedoch/allerdings **g)** jedoch/allerdings **h)** Jedenfalls **i)** jedenfalls **j)** Jedoch/Allerdings

18. 1. A **2.** C **3.** D **4.** C **5.** B **6.** D **7.** A **8.** B **9.** A **10.** B **11.** D

19. Kein Lösungsschlüssel

20.

A	B	C	D	E	F
3	4	6	1	5	2

21. a) als faul, als guter Sportler **b)** die Eltern um Erlaubnis, den Lehrer um eine Pause **c)** sich von einer Krankheit, sich von einer anstrengenden Reise **d)** mit einem Gewitter, mit Schwierigkeiten bei der Ausreise, **e)** auf einen ereignisreichen Urlaub, auf gutes Wetter **f)** den französischen Wein mit dem spanischen, den jüngeren Bruder mit dem älteren

22. 1. C **2.** A **3.** C **4.** B **5.** A **6.** B

23.

	Präsens	Futur I
Ich	bleibe zu Hause.	werde zu Hause bleiben.
Du	bleibst zu Hause.	wirst zu Hause bleiben.
Er/Sie/Man	bleibt zu Hause.	wird zu Hause bleiben.
Wir	bleiben zu Hause.	werden zu Hause bleiben.
Ihr	bleibt zu Hause.	werdet zu Hause bleiben.
Sie	bleiben zu Hause.	werden zu Hause bleiben.

24. 1. B **2.** C **3.** B **4.** B **5.** B **6.** A **7.** A **8.** C **9.** C **10.** B

25. a) Radfahren kann man doch immer. **b)** genaue Pläne habe ich noch nicht.; große Hitze stört mich nicht. **c)** ich mag keine große Hitze. **d)** Ich mag keine Campingplätze. **e)** Campingplätze mag ich nicht **f)** Fremde Länder und Kontinente finde ich aufregend **g)** Ich mache keinen Urlaub **h)** Ich habe noch keine genauen Pläne.

26. a) Darüber **b)** Damit **c)** damit **d)** daran **e)** dafür **f)** Das **g)** das **h)** das

27. a) B, C **b)** A **c)** B, C **d)** A, B **e)** A **f)** B

28. a) 4 **b)** 6 **c)** 3 **d)** 7 **e)** 8 **f)** 1 **g)** 10 **h)** 2 **i)** 5 **j)** 9

29. a) gelegt, hängen/liegen **b)** steckt **c)** sitzen **d)** gelegt/gestellt, stehen/liegen **e)** sitzt/liegt **f)** gesetzt **g)** gehängt

30. Lösungsbeispiele: **A.** Das neue Gummiboot liegt in der Garage.; Das Spielzeug liegt zwischen den Büchern.; Deine Kamera liegt auf dem Schrank. **B.** Jedes Baby liegt gern auf dem Bauch.; Mein Freund liegt abends immer lange in der Badewanne.; Georg liegt in der Sonne, um braun zu werden. **C.** Mein Mann hat zwei Kilo zugenommen.; Es liegt am guten Essen in Spanien.; Dieses Jahr waren wir von unserem Hotel sehr enttäuscht. Das liegt an der schlechten Information des Reisebüros.; Heute fühle ich mich nicht wohl. Das liegt bestimmt an der Hitze. **D.** Unsere Wohnung liegt mitten im Stadtzentrum.; Nur wenige Ferienhäuser liegen direkt am Meer.; Der Kinderspielplatz liegt sehr schön am Waldrand.

3

1. a) den Bedarf an Heizmaterial, den Gewinn der letzten zwei Jahre, die Größe der neuen Büroräume, die notwendigen Geldmittel, die Zahl der verkauften Tickets, den Umfang der Betriebskosten **b)** die Qualität der Zeichnung, das unfreundliche Verhalten eines Kollegen, die langweilige Rede des Betriebsleiters, die Gesellschaft wegen ihrer Personalpolitik, die Änderungen der Arbeitszeit **c)** die Leitung um längere Mittagspausen, den Meister um einen freien Tag, den Praktikanten um einen Gefallen, den Kunden um Geduld, die Bedienung um ein Glas Wasser **d)** die Zeilen der Buchseite, die Linien auf der Kopie, das Trinkgeld, die gerade angekommenen Waren, die Fehler

2. b) Allein, Besonders/Vor allem **c)** Besonders/Vor allem, Allein **d)** Allein, Besonders/Vor allem **e)** Besonders/Vor allem, Allein

3. a) Friseur: Schatten, Magen **b)** Bäcker: Hals, Grippe **c)** Bedienung: Kaufhaus, Zuschauer **d)** Feuerwehrmann: Seife, Werkstatt **e)** Krankenschwester: Metzgerei, Wald **f)** Bauer: Mond, Schirm **g)** Lehrer: Glückwunsch, Hunger **h)** Sekretärin: Kirche, Gewürz **i)** Soldat: Kofferraum, Bleistift

4. a) der Höhe   **b)** eine Zeichnung   **c)** einen Schreibtisch   **d)** das Trinkgeld   **e)** einen Beruf   **f)** eine Antwort **g)** Freude   **h)** einen Brief

5. b) Erst wenn Texte und Materialien gesammelt sind, kann das Manuskript geschrieben werden.   **c)** Erst wenn die Bücher gedruckt sind, können sie gebunden werden.   **d)** Erst wenn die Bücher gebunden sind, können sie ins Lager des Verlags gebracht werden.   **e)** Erst wenn das Manuskript korrigiert ist, können die Texte gesetzt werden   **f)** Erst wenn die Fotos verkleinert sind, können sie für das Buch gebraucht werden.

6. a) Früher wurden Texte mit der Hand gesetzt.; Früher sind Texte mit der Hand gesetzt worden.   **b)** Früher wurde mit Holz oder Kohle geheizt.; Früher ist mit Holz oder Kohle geheizt worden.   **c)** Früher wurden die Häuser aus Holz gebaut.; Früher sind die Häuser aus Holz gebaut worden.   **d)** Früher wurde ohne Maschine gearbeitet.; Früher ist ohne Maschine gearbeitet worden.   **e)** Früher wurde mehr gearbeitet und weniger produziert.; Früher ist mehr gearbeitet und weniger produziert worden.   **f)** Früher wurden Briefe der Sekretärin direkt diktiert.; Früher sind Briefe der Sekretärin direkt diktiert worden.

	Präsens Passiv	Perfekt Passiv	Präteritum Passiv
Ich	werde kritisiert.	bin kritisiert worden.	wurde kritisiert.
Du	wirst kritisiert.	bist kritisiert worden.	wurdest kritisiert.
Er/Sie/Man	wird kritisiert.	ist kritisiert worden.	wurde kritisiert.
Wir	werden kritisiert.	sind kritisiert worden.	wurden kritisiert.
Ihr	werdet kritisiert.	seid kritisiert worden.	wurdet kritisiert.
Sie	werden kritisiert.	sind kritisiert worden.	wurden kritisiert.

7. ① wurde … geschrieben   ② wurde … entwickelt   ③ wurden … gesammelt   ④ wurde … besprochen   ⑤ wurden ausgerechnet   ⑥ wurden … abgeschlossen   ⑦ wurden … ausgesucht   ⑧ wurden … verteilt   ⑨ wurde … geschrieben   ⑩ wurden … gesetzt … besorgt   ⑪ wurde … gemacht   ⑫ wurden … gezeichnet   ⑬ wurden … hergestellt   ⑭ wurde … gedruckt und gebunden   ⑮ wurden … gebracht

8. a)   1. Texte setzen →   2. Layout   → 3. Zeichnungen → 4. Buch drucken → 5. Buch binden →
                                                    machen   machen
        zuerst   *dann*   *danach*   *zuletzt*   *später*

        Fotos besorgen
        gleichzeitig

b)   1. Autoren   → 2. Konzept dis- → 3. Manuskript → 4. Manuskript
                                          suchen   kutieren   schreiben   korrigieren
                                          zuerst   *danach*   *dann*   *nachher*

        Konzept ent-   Verträge
        wickeln   abschließen
        davor   *gleichzeitig*

9. a) Vormittag   **b)** Nachmittag   **c)** Nebenkosten   **d)** Untermieter   **e)** Nebenjob   **f)** Vorort   **g)** Gegenwind **h)** Nebenzimmer/Nebenraum   **i)** Nebenzimmer/Nebenraum   **j)** Gegenverkehr   **k)** Zwischenprüfung   **l)** Unterwäsche   **m)** Nachname   **n)** Vorname   **o)** Nachkriegsgeschichte

10. b) Ich mag meinen Beruf, weil ich in einem kleinen Büro arbeite, wo ich alle Aufgaben erledigen muß.   **c)** Der Firma geht es sehr gut. Sie hatte nämlich mit ihrem letzten Produkt großen Erfolg.   **d)** Klaus hat gekündigt, weil er eine bessere Stelle gefunden hat.   **e)** Das Gesetz muß verbessert werden. Es hat nämlich einige Fehler.   **f)** Der Kellner verdient recht gut, weil er hohe Trinkgelder bekommt.   **g)** Die Maschine muß schnell repariert werden. Sie ist nämlich sehr wichtig für die Produktion.   **h)** Die Berufsschule fand ich ganz gut, weil wir dort nur das gelernt haben, was wir in unserem Beruf auch wirklich brauchen.

11. 1. A   2. B   3. C   4. D   5. C   6. D   7. A   8. B   9. A   10. C   11. D   12. B   13. A   14. C   15. D   16. A   17. D 18. B   19. C   20. B

12. 1. A   2. C   3. A   4. A   5. B   6. B, C

13. a) Eva hat abends das Geld zur Bank zu bringen   **b)** Ein Arbeiter hat genauso zu funktionieren wie eine Maschine   **c)** Der Meister hat die Qualität der Produkte ständig zu kontrollieren   **d)** Die Arbeiter haben am Eingang zur Fabrik ihre Betriebsausweise zu zeigen

14. Kein Lösungsschlüssel

15. **a)** B **b)** A, B **c)** C **d)** A **e)** A **f)** B **g)** A **h)** A
16. **a)** einstellen **b)** eingestellt **c)** verhalten **d)** zwingen **e)** aufgegeben **f)** gezwungen **g)** aufgegeben **h)** entwikkelt/erfunden **i)** entwickelt/erfunden **j)** sichert **k)** verursacht, erfüllt **l)** verursacht, entwickeln/erfinden, stellen ... ein/beschäftigen **m)** verpaßt
17. **a)** Erfolg [5] **b)** Bedienung [3] **c)** Gebrauchsanweisung [7] **d)** Verwaltung [10] **e)** Mittel [4] **f)** Verhalten [9] **g)** Interesse [1] **h)** Umfang [8] **i)** Änderung [6] **j)** Bedarf [2]
18. **b)** sozialen Leistungen **c)** wirtschaftliche Lage **d)** technische Kontrolle **e)** technische Verfahren **f)** soziale Verantwortung **g)** wirtschaftlicher Mißerfolg **h)** großzügigen Meister **i)** starkes Interesse **j)** großzügige Geschäftsleitung **k)** starken Bedarf
19. **a)** für alle Arbeiter, für die Druckindustrie, für die Großbetriebe, für das nächste Jahr **b)** mit Computern, mit Kleidern, mit ganz verschiedenen Waren, mit Spielautomaten **c)** an einem Praktikum, an der Konferenz, an einem Sprachkurs, an der Meisterprüfung **d)** mit Computern, mit netten Kunden, mit wichtigen Reiseinformationen, mit Reisegruppen, mit vielen verschiedenen Arbeiten **e)** auf den wirtschaftlichen Erfolg, auf die Geschäftsleitung, auf einen hohen Gewinn, auf gute Fachleute **f)** aus Metall, aus Kunststoff, aus Holz, aus einem neuen Material, Gewinn, auf die Geschäftsleitung **g)** aus Metall, aus Kunststoff, aus einem neuen Material, aus Holz
20. **a)** Jeweils **b)** Jedes **c)** allen **d)** jedem **e)** alle **f)** Jedes **g)** Jedes **h)** Jeweils
21. ①besorgt ②bedient/arbeitet ③verdiene ④vergessen ⑤gefällt ⑥beginne ⑦aufhören/gehen ⑧arbeite/bediene ⑨aufstehen ⑩gibt ⑪versuchen ⑫stehlen ⑬passiert ⑭kriegt ⑮getrunken ⑯sagen ⑰gehen ⑱anfangen/beginnen ⑲schimpfen ⑳beschweren
22. **a)** überdurchschnittliche **b)** übermenschliche **c)** überängstlich **d)** überglücklich **e)** übergenau **f)** überpünktlich
23. ○ Was machst du denn hier? Bist du etwa arbeitslos?
□ Ja, seit drei Wochen. Hast du das nicht gewußt?
○ Nein. Hast du selbst gekündigt?
□ Ich bin doch nicht verrückt.
○ Und warum haben sie dich entlassen?
□ Die Firma ist verkauft worden, und unsere Abteilung wurde geschlossen.
○ Wie sind denn deine Chancen auf dem Arbeitsmarkt?
□ Nicht besonders gut. Vorläufig werde ich wohl keine neue Stellung finden.
○ Ich wünsche dir jedenfalls viel Glück!

4

1. **a)** eine Strafe, eine Ausnahme, die Aufgabe, (einen Fehler,) ein Interesse, eine Meinung, den Preis der Zeitschrift, eine schlechte Leistung, die Menge der Aufgaben **b)** einen Fehler, die Schülerin, die ganze Klasse, eine schlechte Leistung **c)** die Zahl der Fächer, (eine Strafe,) (ein Interesse,) den Preis der Zeitschrift, die Menge der Aufgaben **d)** vor der schwierigen Aufgabe, vor München, vor der großen Verantwortung, die Schülerin, vor der Schulleitung, die ganze Klasse **e)** den Satz, (Deutsch,) die Aufgabe, einen Fehler, (eine Meinung,) eine schlechte Leistung **f)** um einen Kindergartenplatz, um eine gute Stellung, um bessere Kontakte **g)** um einen Kindergartenplatz, um eine gute Stellung, um bessere Leistungen, um bessere Kontakte, um gutes Deutsch **h)** Deutsch, die Schülerin, (vor der Schulleitung,) die ganze Klasse, Informatik **i)** der Schwierigkeit der Aufgabe **j)** seiner beruflichen Stellung, der großen Bedeutung des Falles, der Vorstellung von moderner Kunst
2. **b)** mitkommen **c)** mitrechnen **d)** mitreparieren **e)** mitlernen **f)** mitzulaufen **g)** mitlernen **h)** mitnehmen **i)** mitbezahlen **j)** Fliegen ... mit
mit$_1$: b, j mit$_2$: a, c, f, g mit$_3$: d, e, h, i
3. alles – vieles – einiges/manches – einzelnes – weniges – nichts
4. **b)** brauchen nicht in den Kindergarten (zu) gehen **c)** braucht keine Hausaufgaben (zu) machen **d)** braucht zu Hause nie (zu) helfen **e)** braucht nicht alles (zu) machen, was sein Vater vorschlägt **f)** brauchen selten am Nachmittag zur Schule (zu) gehen **g)** brauchst mir nicht (zu) helfen **h)** brauchst uns nicht ab(zu)holen **i)** braucht nur eine Stunde (zu) fahren
5. **b)** haben das nicht gedurft ... haben das nicht gewollt **c)** haben uns schlagen dürfen **d)** haben es gewollt ... haben es nicht gekonnt ... kein Abitur haben machen dürfen **e)** haben Hosen tragen wollen ... haben es nicht gedurft **f)** haben in der Schule nicht diskutieren dürfen ... haben das tun müssen
6. **b)** Beim Lernen in der Küche spielt immer das Radio. **c)** Beim Rechnungen Schreiben macht er meistens Fehler. **d)** Beim Arbeiten dürfen wir in der Fabrik nicht rauchen. **e)** Beim Spielen vergißt Claudia alle Probleme, die sie in der Schule hat. **f)** Beim Geldwechseln auf der Bank hat er seine Brieftasche verloren. **g)** Beim Essen darf man sie nicht stören.

Schlüssel

7. a) Sie kämen nicht zu spät in die Schule. **b)** Sie wüßten besser über deutsche Geschichte Bescheid. **c)** Sie schlügen sich nicht mit anderen Schülern. **d)** Sie dächten auch an ihre Pflichten. **e)** Sie bekämen für schlechte Leistungen keine guten Noten. **f)** Sie hätten mehr Respekt vor den Lehrern. **g)** Sie gingen nicht in Diskotheken. **h)** Sie dächten nicht nur an die Freizeit, sondern müßten mehr auswendiglernen. Ihre Grammatik.

	Konjunktiv II	würde + Infinitiv
Ich	bekäme bessere Noten.	würde bessere Noten bekommen.
Du	bekämst bessere Noten.	würdest bessere Noten bekommen.
Er/Sie/Man	bekäme bessere Noten.	würde bessere Noten bekommen.
Wir	bekämen bessere Noten.	würden bessere Noten bekommen.
Ihr	bekämt bessere Noten.	würdet bessere Noten bekommen.
Sie	bekämen bessere Noten.	würden bessere Noten bekommen.

8. b) Die Bücher halten sie zum Schutz vor der Sonne vor die Nase. **c)** Am Wochenende fahren die Studenten zum Klettern nach Südtirol. **d)** Zum Skifahren fahren sie im Winter in die Bayerischen Berge. **e)** Zum Schwimmen und Surfen fahren sie nach Jugoslawien ans Mittelmeer. **f)** Zum Bier trinken gehen sie in ganz normale Wirtschaften. **g)** Zum Geld verdienen arbeiten sie als Skilehrer, Dolmetscher, Kellner oder Babysitter.

9. Kein Lösungsschlüssel

10. a) mußten...durften...dürfen...dürfen...dürfen **b)** dürfen...mußten...durften **c)** durfte...darf...darf **d)** dürfen...durfte **e)** mußten...dürfen **f)** dürfen...mußten...durften

11. 1. C **2.** D **3.** B **4.** C **5.** A **6.** D **7.** B **8.** A

12. 1. I **2.** H **3.** G **4.** A **5.** F **6.** B **7.** C **8.** D **9.** E

13. a) Gebühr **b)** Formular **c)** Einschreiben **d)** Empfänger **e)** Antrag **f)** Drucksache **g)** Kleingeld **h)** Luftpost **i)** Methode **j)** Rezept **k)** Speisekarte **l)** Taschentuch **m)** Waschlappen **n)** Rasierklinge **o)** Nadel **p)** Kamm **q)** Anmeldung **r)** Briefträger **s)** Notruf **t)** Notausgang **u)** Briefkasten **v)** Hammer **w)** Rückfahrkarte **x)** Himmel

14. a) Künstlerin...ausstellung **b)** Mißtrauen...Gegenteil...Verhältnis **c)** Bescheid...bedingungen...Beginn **d)** Rechte...Pflichten...vertreter

15. a) Mittel, Tropfen, Salbe, Medikament **b)** Verletzung, Schmerzen, Fieber, Wunde, Husten, Erkältung, Grippe, Krankheit **c)** Verletzung, Wunde **d)** Mittel, Tropfen, Medikament **e)** Krankenkasse, Mittel, Verband, Zahnarzt, Tropfen, Apotheke, Salbe, Medikament **f)** Krankenkasse, Zahnarzt, Apotheke

16. a) Im Kurs werden sowohl die Methoden der Datenverarbeitung als auch die wichtigsten Computersprachen unterrichtet. **b)** Man kann an dem Kurs teilnehmen, wenn man entweder ein bißchen über Mathematik oder über Informatik Bescheid weiß. **c)** Man kann an dem Kurs teilnehmen, wenn man sowohl ein bißchen über Mathematik als auch über Informatik Bescheid weiß. **d)** In diesem Kurs lernt man zwar, wie man Computer mit fertigen Programmen bedient, aber man lernt nicht, wie man Programme für einen Computer selbst schreibt. **e)** In diesem Kurs wird man weder in die Bedienung eines Computers noch in das Schreiben von Programmen eingeführt.

17. 1. irgendwelche **2.** irgendeinen...irgendeine **3.** irgendwelche **4.** Irgendeinen **5.** irgendetwas/irgendwas **6.** irgendjemandem **7.** Irgendwann **8.** irgendwo **9.** irgendwie

18. ○ Ich nehme ab nächstem Monat an einem Computerkurs teil. Wie findest du das?
   □ Ganz gut, aber ich dachte immer, daß du dich für Technik nicht interessierst.
   ○ Das stimmt auch, aber jetzt muß sich das ändern, sonst verliere ich meinen Arbeitsplatz.
   □ Warum das denn?
   ○ Ganz einfach: Ab nächstem Jahr wird in unserer Firma alles mit Computer gemacht; das hat uns die Geschäftsleitung letzte Woche gesagt.
   □ Und dann sollen alle entlassen werden, die nicht mit Computern arbeiten können?
   ○ Das wurde zwar nicht gesagt, aber ich könnte es mir gut vorstellen.
   □ Bestimmt hast du recht. Außerdem ist es nie ein Fehler, wenn man etwas Neues lernt.

19. 1. B **2.** A **3.** A **4.** C **5.** B **6.** C

20. 1. E **2.** C **3.** D **4.** C **5.** A **6.** E. **7.** B **8.** D **9.** C **10.** B

21. a) B, C **b)** A, C **c)** C **d)** A **e)** C **f)** B, C

22. a) gehalten **b)** begründet **c)** ausfüllt **d)** merken **e)** findet ... statt

1	2	3	4	5
c	d	e	b	a

5

1. a) Werbung **b)** Zeitschrift **c)** Stecker **d)** Selbstbedienungsladen **e)** Verbraucher **f)** Tonband **g)** Stoff **h)** Schild **i)** Parkplatz **j)** Nadel **k)** Marke **l)** Lasse **m)** Garderobe

2. a) (Brötchen vom Bäcker,) dem Kunden frisches Obst und Gemüse, dem Gast eine Tasse Kaffee, der Nachbarin Hilfe bei der Gartenarbeit, dem neuen Kollegen das ,Du' **b)** einen Fehler in der Rechnung, neue Möbel in der Wohnung von Freunden, ein Loch im Teppich, die Einkaufstasche im Auto, eine plötzliche Änderung des Wetters **c)** ein weinendes Kind mit Eis, einen Kunden, der sich beschweren will, einen ärgerlichen Freund durch ein Gespräch, eine aufgeregte Kollegin mit einer Tasse Tee **d)** den Kunden zum Kauf einer Waschmaschine, die Freundin zum Urlaub am Meer, das Kind zum Lernen, den Freund zum Besuch eines Museums **e)** Brötchen vom Bäcker, (dem Kunden frisches Obst und Gemüse,) schnell den Arzt zum Unfallort, dem Gast eine Tasse Kaffee, morgens eine Zeitschrift vom Kiosk, seinen Mantel aus der Garderobe **f)** (einen Fehler in der Rechnung,) bestimmte Flächen im Regal offen, ein Fenster geschlossen, (ein Loch im Teppich,) (schnell den Arzt zum Unfallort,) die Einkaufstasche im Auto, beim Friseur seine Haare waschen

3. a) Apfel, Birne, Zitrone **b)** Tomate, Paprika, Zwiebel, Kartoffel **c)** Öl, Margarine, Butter **d)** Bier, Wein, Kaffee, Tee **e)** Butter, Sahne, Käse, Eis **f)** Wurst, Fleisch **g)** Nudeln, Zucker, Salz, Mehl, Reis **h)** Brot, Brötchen, Kuchen, Eis

4. b) oberen linken **c)** oberen rechten **d)** unteren linken **e)** vordere rechte **f)** vordere mittlere **g)** hintere linke **h)** hintere rechte **i)** vordere linke **j)** hintere mittlere

5. a) zurückzahlen **b)** zurückgeben **c)** kommen ... zurück **d)** zurückgewonnen **e)** gehen ... zurück **f)** zurückgeschrieben **g)** zurückgegrüßt **h)** zurückschwimmen

6. b) was auf meinem Einkaufszettel steht. **c)** was ich wirklich brauche. **d)** was mir wirklich gefällt. **e)** wofür ich keinen Kredit brauche. **f)** woran ich lange Spaß habe. **g)** womit ich gute Erfahrungen gemacht habe. **h)** wofür ich eine Garantie bekomme. **i)** was mir wirklich fehlt **j)** wonach/worüber ich mich vorher erkundigt habe. **k)** was in einem Test geprüft worden ist.

7. a) einen/einem **b)** man **c)** einen **d)** einem **e)** einen

8. a) jede **b)** jeden **c)** alle **d)** alle **e)** alle **f)** jeden

A Stück **3** Tafel	**B** – **5** Scheibe	**C** Tube **4** Stück	**D** Schachteln **1** –	**E** – **2** Scheiben

10. a) in der Lerngruppe die Ideen aller Teilnehmer, bei der Wahl der Vorhänge die Farbe der Wände, beim Möbelkauf die Größe der Wohnung, in der Politik menschliche Bedürfnisse **b)** ein Konto bei einer Bank, ein Institut für Fremdsprachen an der Universität, ein Lebensmittelgeschäft in der Innenstadt, eine neue Schule **c)** dem Lehrling ein gutes Zeugnis, dem Bankkunden eine Scheckkarte, dem Studenten einen Benutzerausweis für die Bibliothek, jemandem einen neuen Reisepaß **d)** an einer Haustür, im vierten Stock, am Eingang, beim Nachbarn **e)** eine Möglichkeit wegen zu hoher Kosten, Fehler durch genaue Kontrolle, eine Änderung aus Zeitgründen, einen Mißerfolg durch gute Planung **f)** die Monatsmiete, eine regelmäßige Zahlung, den Monatslohn, einen Geldbetrag **g)** in der Zeitung auf Sonderangebote, beim Einkauf auf Qualität und Frische der Waren, beim Essen auf sein Gewicht, im Badezimmer auf Sauberkeit.

11. a) Beschreibung **b)** Unterschrift **c)** Fall **d)** Knöpfe **e)** Schere **f)** Not **g)** Verlust **h)** Polizei **i)** Vertreter **j)** Regel **k)** Vertrauen **l)** Summe **m)** Scheckkarte **n)** Bargeld **o)** Schulden **p)** Zinsen **q)** Scheck ... Überweisung **r)** Pillen **s)** Eindruck

12. a) Auftrag gegeben **b)** Antwort gegeben **c)** Auskunft geben **d)** ein Zeichen geben **e)** Rat geben **f)** geben ... Bescheid **g)** die Hand geben **h)** die Möglichkeit gegeben

13. b) sind ... in Kontakt **c)** ist ... im Bau **d)** sind ... in Sicherheit **e)** bin ... im Zweifel **f)** ist ... in Betrieb **g)** sind ... in Sorge **h)** bin ... in Eile **i)** in der Ausbildung ... sind **j)** ist ... in ... Interesse **k)** war ... in Lebensgefahr **l)** ist in Aufregung **m)** sind ... in Bewegung **n)** in Not sind **o)** ist ... in der Diskussion **p)** ist ... in Freiheit

14. b) Die auf große Schilder geschriebenen Preise sollte man ... **c)** Das vom Supermarkt heute billig angebotene Fleisch hat ... **d)** Die schnell zunehmende Arbeitslosigkeit verursacht ... **e)** Die im letzten Monat noch zunehmende Arbeitslosigkeit geht ... **f)** Die in Augenhöhe stehenden Waren sind ... **g)** Die nicht mit künstlichen Stoffen hergestellten Lebensmittel können ... **h)** Die nach einem genauen Plan eingerichteten Supermärkte haben ... **i)** ... Eis zu kaufen, mit dem die Eltern ihre weinenden Kinder beruhigen können.

15. d) Es dürfte (muß) in der Bundesrepublik mehr arme Menschen geben, als die Statistik zeigt. **e)** 1958 sollen nur 45% der Leute mit ihrem Leben zufrieden gewesen sein. **f)** Christian soll sich ein neues Auto gekauft haben. **g)** Der Supermarkt in der Hansastraße soll geschlossen werden. **h)** Helga dürfte morgen zum Abendessen kommen. **i)** Bernd dürfte (muß) keinen Parkplatz gefunden haben, sonst wäre er nicht unpünktlich. **j)** Christine muß einen Kredit von der Bank bekommen haben, sonst könnte sie sich das neue Auto nicht leisten.

16. b) Dieser Kredit kann langsam zurückgezahlt werden./Diesen Kredit kann man langsam zurückzahlen. **c)** Dieser Kredit muß bis 1990 zurückgezahlt werden./Diesen Kredit muß man bis 1990 zurückzahlen. **d)** ... muß man den Bankangestellten seine Kontokarte zeigen./... muß den Bankangestellten die Kontokarte gezeigt werden. **e)** Für einen Kredit muß der Bank eine Sicherheit gegeben werden./... muß man der Bank eine Sicherheit geben. **f)** Frau Berthold kann das Auto ohne Kredit nicht bezahlen. **g)** Einen Kleinkredit kann man ohne Schwierigkeiten bekommen.

17. b) geprüft hätte, hätte ... bezahlen müssen **c)** hätte ... vermutet **d)** bekommen hätte, hätte ... bezahlen können **e)** gefragt hätte, hätten ... geantwortet; würde ... fragen, würden ... antworten **f)** hätte ... gesagt **g)** kaufen würde, würde ... sparen

18. b) Mit Euroschecks zu bezahlen ist ... **c)** Den Kredit zu bezahlen macht ... **d)** Im Supermarkt einzukaufen ist ... **e)** Das Heizen mit Öl war ... **f)** Das lange Warten an der Kasse macht ... **g)** Die Preise zu vergleichen ist ... **h)** Im Fernsehen zu werben verbessert ... **i)** Das Ausfüllen von Kreditformularen kostet ... **j)** Die genaue Planung des Einkaufs lohnt sich.

19. Ohne Lösungsschlüssel

20. 1. A 2. B 3. A 4. C 5. B 6. C

21. a) A **b)** C **c)** B **d)** A **e)** C **f)** B **g)** A **h)** C

22. 1. B 2. C 3. A 4. B 5. A 6. C

23. Individuelle Lösung

6

1. Sicher ist Ihre Lösung ein bißchen anders, weil man natürlich verschiedener Meinung sein kann, was zum Beispiel ein passendes Geschenk für einen Mann/eine Frau ist.
a) eine Tafel Schokolade, ein Pfund Kaffee, eine Flasche Wein, ein Kuchen mit Zuckerherzen, eine Schachtel mit Sahnebonbons, feine Gewürze, eine scharfe Wurst, ein Kilo rote Äpfel **b)** ein schweres Motorrad, eine rote Krawatte, ein schnelles Herrenfahrrad, eine Schachtel Zigarren, ein Paar Herrenschuhe, ein elektrischer Rasierapparat, weiße Herrenunterwäsche, ein Päckchen Rasierklingen, eine gute Pfeife **c)** ein Badeöl, das nach Blumen riecht, eine weiße Damenhandtasche, ein kleiner Handspiegel, ein modisches Kopftuch, ein dünner Damenpullover, ein langes Nachthemd ohne Arm, eine gute Seife, ein Kochbuch mit vielen Bildern, (eine neue Geschirrspülmaschine), (eine neue Waschmaschine) **d)** ein einfaches Kartenspiel, Farbstifte zum Malen, ein Kunststofftisch für die Badewanne, Taschentücher mit Tierbildern, ein weiches Stofftier, eine gelbe Schultasche, ein kleines Spielzeugauto, ein neuer Fußball, eine Holzeisenbahn, ein Fahrrad mit drei Rädern **e)** eine neue Geschirrspülmaschine, ein elektrischer Rasierapparat, ein elektrischer Eierkocher, eine Waschmaschine, ein elektrischer Dosenöffner **f)** ein Paar Handschuhe aus Wolle, eine warme Wolldecke, ein elektrischer Ofen für das Bad, trockenes Feuerholz, dicke Wollstrümpfe, ein dicker Mantel **g)** ein Tonbandgerät, ein lauter Wecker, eine Konzertkarte, eine Musikkassette, ein kleiner Plattenspieler, ein neues Radio, eine Schallplatte von den Rolling Stones **h)** ein schweres Motorrad, ein Scheck über 5000,– DM, eine goldene Uhr, ein großer Teppich aus Persien, ein schwarzes Luxusauto, ein Fernsehapparat mit Videogerät, ein Flugticket für eine Weltreise, eine Schiffsreise, eine Brieftasche mit viel Geld

2. a) mit Spielzeug, mit dem Kamm **b)** Schokolade **c)** ein Auto, eine Reise **d)** zur Party, zum Urlaub **e)** den Teppich, den Boden **f)** mit einer Schere, die Zähne **g)** einen Kuchen, ein Stück Brot **h)** auf die Nase

3. a) im Schreibtisch, im Schrank, im Regal, im Adventskalender **b)** Bericht, Darstellung, Text, Geschichte **c)** Hitze, Schnee, Eis, Wärme **d)** Betrieb, Ausbildung, Meister, Lehre **e)** Tür, Schlüssel, Sicherheit **f)** Nacht, Sonne, Mond, Himmel

4.

A	B	C	D	E	F	G	H
3	4	6	7	8	1	2	5

5. 1. C 2. A 3. B 4. A 5. B 6. C

6. **A:** Verzeihung!; Entschuldigen Sie bitte, das habe ich nicht so gemeint!; Es tut mir leid!; Entschuldigung!; Wie kann ich das wieder gutmachen?; Verzeihung, das war meine Schuld!; Das ist mir furchtbar unangenehm!; Ich werde den Schaden natürlich bezahlen!; Es tut mir schrecklich leid!; Entschuldige, es war nicht so gemeint!; **b)** Das macht doch nichts!; Das ist nicht so schlimm!; Schon gut!; Reden wir nicht mehr davon/darüber!; Das kann doch jedem mal passieren!; Es ist nichts passiert!; Bitte, Bitte!

Es kommt natürlich immer auf Sie und die Situation an, ob und wie sehr Sie sich entschuldigen wollen. Die folgenden Lösungen sind also nur Vorschläge.

a) Verzeihung!/Entschuldigung!/Es tut mir leid! **b)** Das tut mir schrecklich leid! Entschuldigen Sie bitte! **c)** Entschuldige bitte! Es tut mir leid! Wie kann ich das wieder gutmachen? **d)** Verzeihung!/Entschuldigung!/Verzeihung, das war meine Schuld! **e)** Entschuldige, es war nicht so gemeint! **f)** Entschuldigung! Das ist mir furchtbar unangenehm!/Wie kann ich das wieder gutmachen?/Das tut mir schrecklich leid! **g)** Entschuldigung!/Das tut mir leid! Es war nicht so gemeint! **h)** Das macht doch nichts!/Schon gut!/Reden wir nicht mehr davon! **i)** Das kann doch jedem mal passieren!/Das ist nicht so schlimm!/Das macht doch nichts! **j)** Das macht doch nichts! **k)** Schon gut! Es ist nichts passiert!

7. Die Lösung in Klammer bedeutet, daß diese Sätze als Antwort auch möglich sind.

A	B	C	D	E	F	G	H	I	J	K	L	M
3 (10)	7 (10)	4 (9) (10)	6 (12) (13)	5 (11)	13 (1)	9 (4)	12 (5) (8)	8 (2) (12)	1	10	2 (10)	11 (5)

8. **a)** Viel Spaß!/Viel Vergnügen!/Schönen Aufenthalt! **b)** Viel Glück!/Alles Gute!/Viel Erfolg! **c)** Gute Nacht! Schlaf gut! (Schlafen Sie gut!) **d)** Herzlichen Glückwunsch zum Geburtstag! **e)** Viel Spaß!/Viel Vergnügen!/Schöne Reise!/Schöne Ferien!/Schönen Urlaub! **f)** Gute Besserung! **g)** Viel Spaß!/Viel Vergnügen!/Gute Unterhaltung **h)** Gute Besserung! Werden Sie bald gesund!

9. **a)** Vorsicht (Halt) **b)** Halt **c)** Feuer (Hilfe) **d)** Hilfe **e)** Los **f)** Ruhe **g)** Hilfe **h)** Halt (Vorsicht) **i)** Achtung **j)** Vorsicht (Achtung) **k)** Ruhe **l)** Achtung

10. **A.** Kommen Sie (Komm) gesund wieder!/Schreiben Sie (Schreib) mal!/Passen Sie (Paß) gut auf sich (dich) auf! **B.** Kommen Sie (Komm) gut nach Hause!/Gute Heimfahrt!/Fahren Sie (Fahr) vorsichtig!/Kommen Sie (Komm) bald wieder! **C.** Grüßen Sie (Grüß) bitte Ihre (deine) Frau von mir!/Bestellen Sie (Bestell) bitte Grüße an Ihre (deine) Frau! **D.** Nehmen Sie (Nimm) doch bitte Platz!/Bitte setzen Sie sich doch! (Bitte setz dich doch!)/Fühlen Sie sich (Fühl dich) wie zu Hause!/Machen Sie es sich bequem! (Mach es dir bequem!)

11. 1. e 2. k 3. a 4. l 5. j 6. b 7. f 8. i 9. d 10. c 11. h 12. g

12. **a)** Öffentlichkeit **b)** Aufmerksamkeit **c)** Ausdruck **d)** Vorsicht **e)** Wahl ... Lügen ... Wahrheit **f)** Wirkung ... Werbung

13. **a)** lehnen ... ab **b)** bedankt **c)** beleidigt **d)** leisten **e)** unterstützen

14. **b)** einander **c)** umeinander ... füreinander **d)** gegeneinander ... miteinander **e)** aufeinander (übereinander) **f)** einander **g)** aufeinander ... einander **h)** voneinander

15. **b)** Es wird in der Faschingszeit sehr viel getanzt und gefeiert./In der Faschingszeit wird sehr viel getanzt und gefeiert. **c)** Es wurde viel über Gefühl, Liebe und Vertrauen gesprochen./Über Gefühl, Liebe und Vertrauen wurde viel gesprochen. **d)** Es muß für das Weihnachtsessen sehr viel vorbereitet werden./Für das Weihnachtsessen muß sehr viel vorbereitet werden. **e)** Es wurde auf dem Kirchentag darüber diskutiert, wie .../Auf dem Kirchentag wurde diskutiert, wie ... **f)** Es wird am Weihnachtsabend sehr viel und gut gegessen./Am Weihnachtsabend wird sehr viel und sehr gut gegessen. **g)** Es wurden Fragen nach dem Sinn des Lebens diskutiert./Fragen nach dem Sinn des Lebens wurden diskutiert. **h)** Es wird am Silvesterabend sehr viel getrunken./Am Silvesterabend wird sehr viel getrunken. **i)** Es wurde vor einem neuen Weltkrieg gewarnt./Vor einem neuen Weltkrieg wurde gewarnt.

16. **a)** wundern, freuen, anstrengen, interessieren, langweilen, aufregen, stören, ... **b)** böse, traurig, verrückt, nervös, müde, krank, ...
c) prima, normal, ausgezeichnet, gut, schön, langweilig, lustig, merkwürdig, kompliziert, gesund, günstig, interessant, modern, möglich, nett, sicher, wahrscheinlich, klar, anstrengend, amtlich, wahr, falsch, angenehm, ärgerlich, befriedigend, bekannt, deutlich, dringend, dumm, freundlich, gefährlich, verrückt, vernünftig, schade, schlecht, schrecklich, selbstverständlich, selten, sicher, sozial, sparsam, teuer, typisch, üblich, ...

17. **a)** darum **b)** darüber **c)** danach **d)** darüber **e)** davon **f)** daran **g)** dagegen **h)** dafür **i)** darum **j)** darüber
a) reden, sich aufregen, berichten, enttäuscht sein, erzählen, informiert sein, klagen, lachen, schimpfen, sprechen, streiten **b)** denken, erinnern **c)** bitten **d)** klagen, stimmen, streiken **e)** achten, hoffen, schimpfen **f)** sich bedanken, dankbar sein, sich entschuldigen, stimmen, streiken **g)** erzählen, reden, sprechen, überzeugt sein **h)** leiden

Schlüssel

18. **b)** an **c)** unter **d)** über **e)** über **f)** aus **g)** an **h)** unter **i)** über **j)** an **k)** aus **l)** an **m)** über **n)** an **o)** aus **p)** unter **q)** aus **r)** über **s)** unter **t)** unter

19. **a)** hinaus **b)** hinunter/herunter **c)** weiter **d)** zusammen **e)** fort/weg/hinaus/weiter **f)** zurück **g)** herein **h)** wieder **i)** vorbei

20. Ohne Lösungsschlüssel

21. **a)** fertig **b)** tot **c)** offen **d)** leer **e)** hoch **f)** fest **g)** kaputt **h)** lieb

22. Ohne Lösungsschlüssel

23. 1. C 2. E 3. B 4. D 5. C 6. A 7. E 8. A 9. D 10. B

24. 1. D 2. B 3. A 4. C

25. **b)** $hart_1$, $schwer_1$ **c)** $schwer_2$ **d)** $festen_1$ **e)** $alten_1$ **f)** $fest_2$ **g)** alt_2 **h)** $hart_2$ **i)** $fester_3$ **j)** $schwere_3$ **k)** $schwere_4$ **l)** $schwer_5$ **m)** $fest_4$ **n)** $fein_2$ **o)** $hart_3$ **p)** $fein_3$ **q)** alt_3 **r)** alt_4

26. **a)** schon/ungefähr/...erst; erst/schon **b)** Sogar/Selbst/Vor allem/Besonders **c)** nur/bloß **d)** Vor allem/Besonders/Gerade **e)** etwa/mindestens/wenigstens/höchstens/nur/bloß/gerade **f)** Höchstens **g)** wenigstens **h)** Genau

7

1. **a)** Augenblick **b)** Charakter **c)** Einzelheit **d)** Erfindung **e)** $Erklärung_1$ **f)** $Erklärung_2$ **g)** Forschung **h)** Führung **i)** Gegenwart **j)** Klinik **k)** Patient **l)** Publikum **m)** Stimme **n)** Stück **o)** $Unterhaltung_1$ **p)** $Unterhaltung_2$ **q)** Urteil **r)** Versuch **s)** Zufall

2. **a)** einen Film **b)** ein Konzert **c)** ein Stück im Theater **d)** eine Eintrittskarte **e)** ein Museum **f)** die Polizei **g)** eine Klinik

3. **a)** dem Zeug **b)** Gegenstände (Sachen, Dinge) **c)** Das moderne Zeug **d)** Die Sache **e)** dummes Zeug **f)** die schönste Sache **g)** solche Dinge (solche Sachen) **h)** solche Dinge (solche Sachen) **i)** Die Sache **j)** diese Dinge (diese Sache)

4. **a)** mit **b)** durch **c)** mit **d)** bei **e)** mit **f)** durch **g)** Bei **h)** mit...durch **i)** bei **j)** Mit **k)** beim **l)** mit **m)** bei **n)** Mit

5. **a)** über **b)** über **c)** unter **d)** Unter **e)** über (über) **f)** unter **g)** über **h)** über...unter...über **i)** über

6. **a)** Der Mann sagt, es lohne sich kaum, das Stück anzusehen. **b)** Die Frau sagt, sie könne das Stück sehr empfehlen. **c)** Der Mann und die Frau sagen, sie ärgerten sich über das Stück. **d)** Die Frau sagt, jeder müsse das Stück unbedingt sehen. **e)** Der Mann und die Frau sagen, sie verlangten ihr Eintrittsgeld zurück. **f)** Die Frau sagt, das Stück langweile sie. **g)** Der Mann sagt, das Stück mache einen nachdenklich. **h)** Die Frau sagt, das Stück warne uns deutlich vor den Gefahren der Technik. **i)** Der Mann sagt, das Stück zeige, wie gefährlich die Wissenschaft sein könne. **j)** Die Frau sagt, das Stück habe keine hohe Qualität.
   a) Der Mann sagte, es habe (hätte) sich kaum gelohnt, das Stück anzusehen. **b)** Die Frau sagte, sie habe (hätte) das Stück sehr empfehlen können. **c)** Der Mann und die Frau sagten, sie hätten (haben) sich über das Stück geärgert. **d)** Die Frau sagte, jeder habe (hätte) das Stück unbedingt sehen müssen. **e)** Der Mann und die Frau sagten, sie hätten (haben) ihr Eintrittsgeld zurückverlangt. **f)** Die Frau sagte, das Stück habe (hätte) sie gelangweilt. **g)** Der Mann sagte, das Stück habe (hätte) einen nachdenklich gemacht. **h)** Die Frau sagte, das Stück habe (hätte) uns deutlich vor den Gefahren der Technik gewarnt. **i)** Der Mann sagte, das Stück habe (hätte) gezeigt, wie gefährlich die Wissenschaft sein könne. **j)** Die Frau sagte, das Stück habe (hätte) keine hohe Qualität gehabt.

7. **b)** Die Schüler spielen Theater, als ob sie echte Schauspieler seien (wären)/..., als seien (wären) sie echte Schauspieler. **c)** Auf der Bühne fühlt sich Gerd, als ob er ein ganz anderer Mensch sei (wäre)/..., als sei (wäre) er ein ganz anderer Mensch. **d)** Die Direktorin der Klinik tat so, als ob sie nichts von den Forschungsergebnissen gewußt habe (hätte)/..., als habe (hätte) sie nichts von den Forschungsergebnissen gewußt.
   e) Es schien so, als ob die Morde Unglücksfälle gewesen seien (wären)...; als seien (wären) die Morde Unglücksfälle gewesen. **f)** Der Schauspieler, der Mephisto spielte, sah aus, als ob er ein wirklicher Teufel sei (wäre/gewesen sei/gewesen wäre)/..., als sei (wäre) er ein wirklicher Teufel/..., als sei (wäre) er ein wirklicher Teufel gewesen. **g)** Die Schauspielerin schreit so laut, als ob es ein echter Mord sei (wäre)/..., als sei (wäre) es ein echter Mord.

8. **b)** Es gibt auch ‚alternative Theater‘ mit zum Teil als Wandertheater aufgeführten politischen Stücken.
   c) ..., um die hier gezeigten Originale und Modelle aus der Geschichte der Naturwissenschaft zu sehen.
   d) Auch einige nach amerikanischem Muster gedrehte deutsche Filme brachten... **e)** Die vielen hier gezeigten neuen Stücke sind... **f)** ...kamen viele von Bürgern gegründete Stadttheater hinzu. **g)** ...viele die ländliche Wohn- und Hauskultur zeigende Freilichtmuseen. **h)** Die auf das 18. Jahrhundert zurückgehende Tradition des deutschen Theaters... **i)** Von den über tausend in der Bundesrepublik arbeitenden Ballett-

tänzerinnen und -tänzern sind... **j)** Jedes der über hundert damals im späteren Deutschland bestehenden Herzogtümer und Königreiche hatte...
b) Von den über tausend Balettänzern in der Bundesrepublik sind... **c)** Das deutsche Kino der zwanziger Jahre war... **d)** Besonders die Filme aus Amerika sind... **e)** Auch die Konzertabende in kleinen Städten sind... **f)** Das Ballett des Stuttgarter Theaters...

9. **b)**

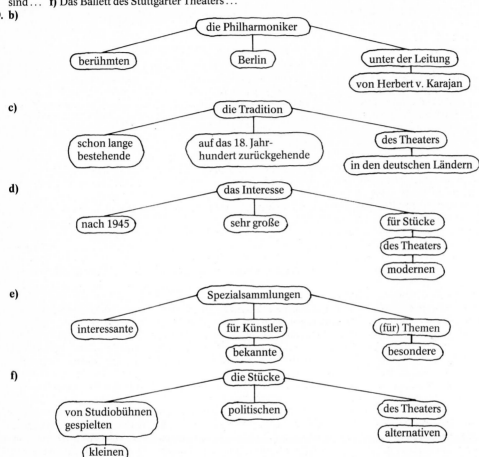

10. **b)** Beim Nachdenken über die Charaktere der Personen in den Stücken lernen... **c)** Beim Spielen von Theaterstücken fühlen... **d)** Die Erforschung der (von) Naturgesetze(n) war... **e)** Dürrenmatt sagte einmal, das Schreiben von Theaterstücken sei... **f)** Der Protest gegen die neuen Atombomben hatte... **g)** Im Schultheater geht es nicht so sehr um das Lernen eines späteren Berufs als Schauspieler, sondern um die Erfahrung von Phantasie und das Kennenlernen von Menschen.

11. **a)** dafür **b)** dagegen **c)** davon **d)** dadurch **e)** damit (dadurch) **f)** dabei **g)** darüber

12. 1. E 2. A 3. B 4. D 5. E 6. A 7. B 8. D 9. E 10. C

13. Ohne Lösungsschlüssel

14. 1. D 2. C 3. B 4. A

15. 1. B 2. F 3. A 4. D 5. E 6. C

16. **a)** B **b)** B, C **c)** A **d)** A

17. **a)** ganzes **b)** einzelnen **c)** ganz **d)** ganz **e)** ganz **f)** einzeln...ganze **g)** ganz

18. **a)** roh **b)** falsch **c)** hart **d)** bequem **e)** bitter **f)** kalt (kühl) **g)** kühl **h)** lebendig **i)** locker **j)** offen
    k) ruhig **l)** schlecht **m)** schwach **n)** sparsam **o)** weich **p)** blaß **q)** einfach **r)** faul **s)** großzügig
    t) komisch **u)** ordentlich **v)** praktisch **w)** sicher

19. **a)** Zusammenhang **b)** Zeuge, Verbrecher **c)** Autofahrer **d)** Dorfbewohner **e)** Besprechung **f)** Treppen

Schlüssel

g) Zukunft **h)** Zeuge, Verbrecher **i)** Rückkehr **j)** Geldschein **k)** Wiese **l)** Hotel **m)** Post **n)** Autofahrer, Fahrprüfung **o)** Taschentuch

20. **a)** ein Bild von der Wand **b)** einen Baum im Garten **c)** das Weihnachtsfest **d)** auf ein Theaterstück **e)** eine Wohnung

21. **a)** B **b)** B, C **c)** A **d)** C **e)** B **f)** A

22. **1.** B **2.** B **3.** A **4.** B **5.** C **6.** D

23. **1.** A **2.** C **3.** B **4.** D **5.** C **6.** B **7.** A **8.** D

24. Individuelle Lösung

8

1. **a)** nahm…ab_1 **b)** geändert…stimmte **c)** atmen…schwitzt **d)** beschädigt **e)** blühen **f)** landeten **g)** rasiert **h)** $sitzt_1$ **i)** $abnehmen_2$, **j)** trocknen **k)** $sitzt_2$ **l)** $abnehmen_3$

2. **a)** über ein Gesetz, über die Regierung, über eine Reform **b)** über ein Gesetz, eine Partei, einen Plan, die Regierung, einen Politiker, eine Reform, über die Regierung, die Opposition, ein politisches Programm, ein Gesetz, über eine Reform **c)** über ein Gesetz, einen Plan, eine Reform, über die Regierung, ein politisches Programm, ein Gesetz, über eine Reform **d)** eine Partei, einen Plan, die Regierung, einen Politiker, eine Reform, die Opposition, ein politisches Programm, ein Gesetz **e)** gegen einen Plan, gegen ein politisches Programm, gegen die Regierung **f)** eine Partei, einen Plan, einen Politiker, eine Reform, ein politisches Programm, ein Gesetz **g)** wie a) **h)** einen Plan, eine Reform, ein politisches Programm, ein Gesetz

3. **a)** blasse **b)** drinnen **c)** fällige **d)** gegenüber **e)** glatte **f)** kurz **g)** zurück **h)** neulich

4. **a)** der Abschnitt **b)** der Fernsehapparat **c)** der $Grund_1$ und Boden **d)** die Illustrierte **e)** der Kleiderbügel **f)** das Mittel **g)** das Moped **h)** die Opposition **i)** die Reform **j)** der Regenmantel **k)** der Start **l)** der Sturm **m)** die Wahl **n)** der $Grund_2$

5. **a)** einen Verbrecher, jemanden bei der Polizei, einen betrunkenen Autofahrer **b)** die falsche Telefonnummer, die Nummer von seinen Eltern, die Notrufnummer **c)** aus einer Wunde, am Bein, am Kopf **d)** kräftig an eine Tür, bei seinem Zimmernachbarn, leise an ein Fenster **e)** einem interessanten Menschen, zufällig einer alten Freundin, einem bekannten Musiker **f)** mit dem Arzt einen neuen Termin, mit der Freundin ein gemeinsames Wochenende, in der Gruppe ein Diskussionsthema

6. **a)** aufwachen **b)** beraten **c)** grüßen **d)** lächeln **e)** sich verabschieden **f)** etwas vorhaben **g)** widersprechen **h)** $überfahren_1$ **i)** $überfahren_2$ **j)** treten

7. **a)** gesagt **b)** erzählt **c)** sprechen (reden) **d)** erzählt (gesagt) **e)** sagen **f)** spricht **g)** sagen **h)** sprechen **i)** spricht (redet) **j)** erzählen **k)** sagen

8. **a)** war weg **b)** weggelaufen **c)** denkt…zurück **d)** zurückzahlen **e)** weggezogen **f)** gebe…zurück **g)** zurückzukommen **h)** weggesehen

9. **a)** verpassen **b)** verwechseln **c)** verpasse **d)** verloren **e)** vergessen **f)** verliert **g)** mißverstanden **h)** verloren **i)** vergessen **j)** verwechselt **k)** mißverstanden

10. **a)** ist…offen/geöffnet **b)** offen ist **c)** ist offen/steht offen/steht auf **d)** ist…geöffnet/offen **e)** ist…offen/steht…offen **f)** ist…offen **g)** ist…geöffnet **h)** ist…offen **i)** ist…offen/steht…offen **j)** offen sein **k)** aufstehen/offenstehen

11. **a)** Ampel **b)** Erinnerung **c)** Gang **d)** Instrument **e)** Kabine **f)** Kasten **g)** Mühe **h)** Hinfahrt…Rückfahrt **i)** Reaktion **j)** Sitzung **k)** Urteil

12. **a)** unsagbar **b)** erkennbar **c)** aussprechbar **d)** bezahlbar **e)** benutzbar **f)** merkbar **g)** herstellbar **h)** heizbar

13. (1) gekommen war (2) hatte (3) ging (4) warte (wartete) (5) hingen (6) las (7) stand (8) drehte…um (9) stieß…zusammen (10) gestanden…hatte (stand) (11) unterdrückte (12) hochgezogen…hatte (13) erkannte (14) war (15) dachte (16) war (17) hatte…gedacht (18) weiß (19) reagiert…habe (reagierte) (20) klopfte (21) hatte…gesehen (22) sagte (23) hatte…beobachtet (24) lachte (25) bekomme (26) denke (27) geschafft…habe (schaffte)

14. **a)** (1)-e **b)** (1)-e (2)-er (3)-es (4)-er (5)-es (6)-em (7)-en **c)** (1)-e (2)-e **d)** (1)-en (2)-en **e)** (1)-e (2)-e (3)-en (4)-en **f)** (1)-e (2)-en (3)-e (4)-en **g)** (1)-e (2)-e

15. **a)** …, da ich nachher ins Kino gehe **b)** …schaute gerade aus dem Fenster **c)** …telefonierte gerade **d)** …, demonstrierten Zehntausende dagegen

16. Ohne Lösungsschlüssel

17. **1.** vor (lauter) **2.** Wegen des Nebels/Vor lauter Nebel **3.** Wegen ihrer **4.** Aus (lauter)/Wegen ihrer/Vor (lauter) **5.** Aus (lauter)/Vor (lauter)/Wegen der

18. **1.** C **2.** B **3.** A **4.** D **5.** A **6.** D **7.** B **8.** C

19. **1.** E **2.** D **3.** C **4.** F **5.** E **6.** B **7.** D **8.** A **9.** C **10.** B

Schlüssel

20. 1. A 2. C 3. C 4. B
21. a) B, C b) A, C c) A d) C e) B, C f) B, C
22. 1. A 2. A 3. B 4. B 5. A 6. B 7. A 8. A 9. B 10. A 11. B
23. 1. D 2. A 3. C 4. B 5. D 6. C 7. B
24. 1. C 2. C 3. B 4. C 5. A 6. B 7. A 8. B 9. B
25. a) A, C b) B c) C d) B e) A, C f) C g) A
26. 1. A 2. D 3. B 4. C
27. 1. C 2. D 3. B 4. A 5. A 6. D 7. C 8. B
28. a) geht/fährt b) gehe c) geht/führt d) geht/paßt e) geht/funktioniert/läuft f) geht/fährt g) gegangen/gelaufen h) geht i) geht/führt j) geht k) gehen/passen l) geht/funktioniert/(läuft) m) geht n) geht/sich handelt o) gehen
29. Individuelle Lösung

9

1. a) das Fußballspiel b) auf dem Fußboden c) die Bäume im Wald d) für das Wetter e) das Feld an der Bundesstraße f) handeln g) vorkommen h) sorgen
2. a) Bekannte b) Teil c) Geschichte d) Kritik e) Freundschaft f) Wahrheit g) Lüge
3. a) Die Lösung des Problems hängt auch davon ab, daß die Leute moderne, umweltfreundliche Autos kaufen. b) Die Politiker haben nicht daran gedacht, daß für den Bau der neuen Startbahn 500 000 Bäume sterben mußten. c) Es kommt vor allem darauf an, daß der Wald nicht stirbt. d) Die Leute protestieren dagegen, daß die USA immer mehr sinnlose Waffen produzieren. e) Haben Sie schon einmal darüber nachgedacht, welche Folgen Ihre eigenen Handlungen für die Gesellschaft und die Umwelt haben. f) Der Bericht weist darauf hin, daß in unseren Lebensmitteln immer mehr chemische Stoffe sind.
4. 1. C 2. E 3. D 4. B 5. A 6. E 7. D 8. A 9. B
5. 1. B 2. C 3. A 4. B 5. C 6. A 7. B
6. a) das Verbot (bei der Polizei) b) (ein Autofahrer) durch die Stadt c) an der Autobahn d) die Grundlage e) am Gegenteil
7. a) Feld b) Gebiet c) Grundlage d) Diskussion
8. a) sicher b) genau ... sicher c) sicher/bestimmt d) Genau e) genau f) Genau/(Sicher/Bestimmt) g) Sicher
9. a) amtlich b) Deswegen c) für zwölf Wochen ... ebensolange d) entscheidend e) waren entschlossen f) Für die ... verantwortlich g) Entgegen dem h) geht aufwärts
10. 1. macht 2. machen/schließen 3. bringen 4. kommen 5. gekommen 6. machen 7. gestellt 8. machen 9. bringen 10. bringen 11. gestellt 12. machen 13. gekommen 14. kommen 15. machen 16. führen 17. führen 18. gemacht 19. machen 20. gemacht 21. finde 22. bringen/führen 23. gebracht 24. mache 25. macht 26. bringen 27. gebracht 28. machen 29. machen 30. geben 31. gegeben 32. bringen 33. kommen 34. gefunden 35. führen 36. führen 37. geben 38. finden 39. geben 40. machen 41. gemacht 42. führen 43. führen 44. gemacht 45. machen 46. macht 47. geschlossen 48. machen 49. macht 50. machen 51. stellen 52. stellen 53. bringen 54. kommen 55. gefunden 56. kommt 57. gefunden 58. geschlossen 59. geben 60. geben 61. finden 62. geschlossen 63. gebracht 64. genommen 65. machen 66. machen 67. stellen 68. kommen 69. kommen 70. geben 71. geben 72. genommen 73. finden 74. gefunden 75. nehmen 76. gebracht 77. nehmen 78. machen 79. machen 80. gemacht 81. bringt 82. gegeben 83. geben 84. geben 85. geben 86. genommen 87. gekommen 88. gegeben 89. gebe 90. gibt 91. gebe 92. machen 93. machen 94. genommen 95. macht 96. machen 97. geben 98. machen

11.

	Nominativ		Akkusativ		Dativ		Genitiv	
manch-	mancher	Mann	manchen	Mann	manchem	Mann	manches	Mannes
	manche	Frau	manche	Frau	mancher	Frau	mancher	Frau
	manches	Kind	manches	Kind	manchem	Kind	manches	Kindes
jen-	jener	Mann	jenen	Mann	jenem	Mann	jenes	Mannes
	jene	Frau	jene	Frau	jener	Frau	jener	Frau
	jenes	Kind	jenes	Kind	jenem	Kind	jenes	Kindes
derselbe	derselbe	Mann	denselben	Mann	demselben	Mann	desselben	Mannes
dieselbe	dieselbe	Frau	dieselbe	Frau	derselben	Frau	derselben	Frau
dasselbe	dasselbe	Kind	dasselbe	Kind	demselben	Kind	desselben	Kindes

Schlüssel

12. a) keins **b)** Seiner **c)** deiner...meiner **d)** Ihr (Ihres) **e)** Unseres **f)** meins
13. a) niemanden **b)** jemanden **c)** einem **d)** niemandem **e)** man **f)** niemandem **g)** jemanden
14. 1. B 2. C 3. A 4. B 5. C 6. A

1. a) Gang **b)** Einfahrt **c)** Einbahnstraßen **d)** Bruchteilen **e)** Aufregung **f)** Krankenwagen
2. a) schalten...bremsen **b)** verzollen **c)** verdient **d)** überholen **e)** gestoppt **f)** gemessen **g)** fürchte
3. a) verstanden˙ **b)** weiß **c)** denken/nachdenken/überlegen **d)** überlegen/(nachdenken) **e)** gewußt
   f) kennen/wissen **g)** denke **h)** Nachdenken/Überlegen **i)** erkennen **j)** erkennen...weiß **k)** gewußt
   l) gekannt **m)** Denken **n)** geglaubt/gedacht
4. 1. D 2. A 3. C 4. C 5. B 6. D 7. B 8. A
5. 1. G 2. E 3. C 4. B 5. F 6. D 7. H 8. A
6. 1. B 2. A 3. D 4. C 5. E
7. 1. D 2. E 3. A 4. B 5. C
8. a) gleich/sofort **b)** gleich/egal **c)** gleich/von Anfang an **d)** gleich/egal **e)** die gleichen/dieselben
   f) gleich/sofort **g)** gleich/von Anfang an **h)** der gleichen/derselben
9. 1. E 2. A 3. F 4. C 5. B 6. D 7. A 8. E 9. A 10. C 11. D 12. B
10. 1. C 2. F 3. A 4. D 5. B 6. E 7. A 8. F 9. B 10. E 11. D 12. C

Quellennachweis der Texte, Illustrationen und Fotos

Seite 38: Text und Foto: Brigitte Macher, Münster
Seite 52: Text mit freundlicher Genehmigung durch BURDA-SYNDICATION aus FREUNDIN Nr. 10/86; Foto: Bilderdienst Süddeutscher Verlag, München
Seite 67: Text aus STERN 47/84, Gruner + Jahr, Hamburg; Cartoon: Marie Marcks, aus „Ich habe meine Bezugsperson verloren!", Frauenbuchverlag, München
Seite 80: Text: Barbara Wilde – QUICK 20/86, H. Bauer Verlag, Hamburg; Foto: Werner Bönzli, Reichertshausen
Seite 102: FÜR SIE 12/86 – Jahreszeiten-Verlag Hamburg
Seite 135: Text und Foto: Nordwest-Zeitung Oldenburg – Traute Börjes, Varel
Seite 145: Aus: Lea Fleischmann, DIES IST NICHT MEIN LAND; © Hoffmann und Campe Verlag, Hamburg, 1980
Seite 151: Mit freundlicher Genehmigung durch BURDA-SYNDICATION aus FREUNDIN Nr. 10/86

Wir haben uns bemüht, alle Inhaber von Text- und Bildrechten ausfindig zu machen. Sollten Rechteinhaber hier nicht aufgeführt sein, so wären wir für entsprechende Hinweise dankbar.

Lesestoff!

Joachim Gradewald
Der Zauber des Moai
Fünf junge Leute erleben ein Abenteuer auf der Osterinsel und erfahren dabei manches über das Leben der Inselbewohner.
68 Seiten, geheftet, Hueber-Nr. 1465

Der Tag davor
Science fiction – Bearbeitete Erzählungen über die Zukunft von Dr. Herbert W. Franke, Heinz Gartmann und Thomas Le Blanc.
56 Seiten, mit Zeichnungen, geheftet, Hueber-Nr. 1345

Ein Platz für Elefanten
Berichte über Waldelefanten im Kongogebiet, einen zutraulichen Lemur auf Madagaskar, ein Opossum in Kalifornien, Kraken in den Bahamas und sprechende Menschenaffen im amerikanischen Reno.
72 Seiten, mit Zeichnungen, geheftet, Hueber-Nr. 1347

Start mit Schwierigkeiten
Drei Reiseerzählungen, die den Leser in den kanadischen Westen, an den Rio Grande und in ein indianisches Dorf in Mexiko führen.
60 Seiten, mit Zeichnungen, geheftet, Hueber-Nr. 1379

Einer wie ich
Geschichten aus der Welt des Sports
Bekannte Sportler kommen hier zu Wort: Franz Beckenbauer, Ulrike Meyfarth, Hans Günter Winkler und Max Schmeling.
72 Seiten, mit Fotos und Zeichnungen, geheftet, Hueber-Nr. 1397

Risiko für Weihnachtsmänner
Geschichten aus dem Leben
Bearbeitete Kurzgeschichten von Siegfried Lenz, Max von der Grün, Heinz Piontek und Walter Bauer
64 Seiten, mit Zeichnungen, geheftet, Hueber-Nr. 1394

Die Bergwerke von Falun
Unheimliche Geschichten
Bearbeitete Erzählungen von E. T. A. Hoffmann, Marie Luise Kaschnitz und Wilhelm Hauff
72 Seiten, mit Zeichnungen, geheftet, Hueber-Nr. 1396

 sprachen der welt
hueber   **Max Hueber Verlag · D-8045 Ismaning**